Een Russische roman

Van Emmanuel Carrère verschenen eerder bij De Arbeiderspers:

De sneeuwklas
De tegenstander
Op drift

Emmanuel Carrère
Een Russische roman

Vertaald door Marianne Kaas

Uitgeverij De Arbeiderspers
Amsterdam · Antwerpen

Gepubliceerd met steun van het Franse ministerie van Buitenlandse Zaken, het Institut Français des Pays-Bas/Maison Descartes en de BNP Paribas.

De vertaler ontving voor deze vertaling een projectwerkbeurs van de Stichting Fonds voor de Letteren.

Met dank aan de studenten die een bijdrage hebben geleverd aan de vertaling van enkele fragmenten in dit boek.

De vertaling van het kozakkenwiegelied op pagina 165/166 is van de hand van Kees Jiskoot.

Omslagontwerp: Marjo Starink
Omslagillustratie: Millennium Images/Imagestore

ISBN 978 90 295 6697 1/NUR 302
www.arbeiderspers.nl

I

De trein rijdt, het is nacht, ik vrij met Sophie op de couchette en zij is het echt. Doorgaans is het moeilijk vast te stellen wie de vrouwen zijn die voorkomen in mijn erotische dromen, ze zijn verscheidene personen tegelijkertijd, zonder het gezicht van één speciale geliefde, maar dit keer, nee, ik herken de stem van Sophie, haar woorden, haar geopende benen. In het compartiment van de slaapwagen waar we tot dusverre alleen waren, duiken onverwacht nog twee mensen op: de heer en mevrouw Fujimori. Mevrouw Fujimori voegt zich bij ons, alsof het vanzelf sprak. Meteen is er een heel opgewekt soort eensgezindheid. Ondersteund door Sophie in een acrobatische houding penetreer ik mevrouw Fujimori, die algauw en met enthousiasme klaarkomt. Op dat moment maakt meneer Fujimori ons erop attent dat de trein niet meer rijdt. Hij staat stil op een station, misschien al een hele poos. Een militie-agent, bewegingloos op het door natriumlampen verlichte perron, slaat ons gade. Haastig schuiven we de gordijnen dicht en, overtuigd dat de soldaat de wagon in zal komen om ons ter verantwoording te roepen over ons gedrag, brengen snel alles op orde en kleden ons weer aan zodat we, als hij de deur van het compartiment open zal doen, gereed zijn om hem er koelbloedig van te verzekeren dat hij niets heeft gezien, dat hij heeft gedroomd. We zien zijn spijtige, argwanende gezicht al voor ons. Alles speelt zich af in een opwindend mengsel van paniek en lacherigheid. Toch, leg ik uit, valt er weinig te lachen: we lopen het risico te worden gearresteerd, naar de wachtpost te worden gebracht terwijl de trein zich weer in beweging zal zetten, en vanaf dat moment mag de hemel weten wat er zal gebeuren, we zullen spoorloos verdwijnen, zonder dat iemand ons geschreeuw zal horen zullen we creperen in een onderaardse kerker ergens in dit modderige gat in de binnenlanden van Rusland. Mijn alarmsignalen maken Sophie en mevrouw Fujimori alleen nog maar meer aan het lachen en uiteindelijk lach ik maar met ze mee.

De trein staat stil, net als in de droom, langs een verlaten maar helder verlicht perron. Het is drie uur 's nachts, ergens tussen Moskou en Kotelnitsj. Ik heb een droge keel, hoofdpijn, ik heb te veel gedronken in het restaurant voordat ik op weg ging naar het station. Ervoor oppassend Jean-Marie niet wakker te maken die op de andere couchette ligt, wring ik me tussen de kisten met apparatuur door waarmee het compartiment vol staat en ga de gang op, op zoek naar een fles water. In de restauratiewagen, waar we een paar uur geleden onze laatste wodka's naar binnen hebben geslagen, is niets meer te krijgen. De enige verlichting is een nachtlampje op iedere tafel. Vier militairen, die hun voorzorgsmaatregelen hebben getroffen, gaan niettemin door zich te bezatten. Als ik bij hen ben aangeland, bieden ze me een glas aan dat ik afsla, en als ik doorloop zie ik dat Sasja, onze tolk, languit en zwaar ronkend op een bank ligt. Ik ga een eindje verderop zitten, bereken het tijdsverschil, middernacht in Parijs, dat kan nog net, ik probeer Sophie te bellen om haar die droom te vertellen die me vol beloften lijkt, maar de mobiele telefoon heeft geen bereik, dus sla ik mijn aantekenboekje open en schrijf in plaats daarvan de droom op.

Waar komen meneer en mevrouw Fujimori vandaan? Dat hoef ik me niet lang af te vragen. Fujimori is de naam van de Peruaanse president, van Japanse origine, over wie vanochtend een artikel stond in *Libération*. Ik heb het in het vliegtuig gelezen, vluchtig: de corruptiezaken die hem de macht hebben gekost, boeiden me niet. Een ander stuk daarentegen, op de pagina ernaast, maakte me nieuwsgierig. Het ging over Japanners die worden vermist en van wie de familie zeker meent te weten dat ze zijn ontvoerd en worden vastgehouden in Noord-Korea, sommigen al dertig jaar lang. Geen enkele actuele gebeurtenis gaf aanleiding tot dat artikel, waarvan je je kon afvragen waarom het op die dag verscheen in plaats van op een andere en zelfs dit jaar in plaats van in een ander: geen demonstratie georganiseerd door de families, geen speciale datum, geen nieuw gegeven in het dossier dat allang was gesloten, gesteld al dat het ooit was geopend. Het leek of de journalist bij toeval, in de metro, in een bar, in contact was gekomen met mensen van wie de zoon of broer in de jaren zeventig spoorloos was verdwenen. Om de verschrikking van de onzekerheid het hoofd te bieden hadden die mensen elkaar dat verhaal verteld, en vervolgens, lang daarna, hadden ze het verteld aan een onbekende, die het weer doorvertelde. Was het aannemelijk? Waren er, bij gebrek aan bewijzen, vermoedens om het te schragen, of op z'n minst een argumentatie? Ik heb het gevoel dat als ik zijn hoofdredacteur was geweest, ik de journalist had gevraagd een diepgaander onderzoek in te stellen. Maar nee, hij berichtte alleen dat mensen, families, meenden dat hun verdwenen verwanten gevangen werden gehouden in kampen in Noord-Korea. Dood of levend, hoe daarachter te komen? Dood waarschijnlijk, van honger, of doodgeslagen door hun cipiers. En als ze nog leefden, was er waarschijnlijk geen enkele overeenkomst meer met de jongelui die hun familie dertig jaar geleden voor het laatst had gezien. Als ze werden teruggevonden, wat zouden hun verwanten tegen hen kunnen zeggen? En zij, wat zouden zij zeggen? Moest je wel wensen dat ze werden teruggevonden?

De trein is weer vertrokken, rijdt door bossen. Geen sneeuw. De vier militairen zijn uiteindelijk gaan slapen. In de restauratiewagen, waar de nachtlampjes flakkeren, zijn Sasja en ik nu de enigen. Op een gegeven moment in de nacht wordt Sasja luidruchtig wakker, richt zich half op. Zijn grote verwilderde hoofd komt tevoorschijn van achter de rugleuning van zijn bank. Hij ziet dat ik aan een tafeltje zit te schrijven, fronst de wenkbrauwen. Ik maak een sussend gebaartje in zijn richting, als om te zeggen: ga maar weer slapen, we hebben nog tijd, en hij duikt weer weg, in de overtuiging waarschijnlijk dat hij heeft gedroomd.

Toen ik, vijfentwintig jaar geleden, ontwikkelingswerker was in Indonesië, deden er onder de reizigers angstaanjagende en voor het merendeel ware verhalen de ronde over gevangenissen waar lieden worden opgesloten die worden betrapt met drugs. In de bars op Bali was altijd wel een baardman in mouwloos T-shirt die vertelde hoe hij op het nippertje was ontkomen en dat een van zijn, minder fortuinlijke, makkers in Bangkok of Kuala Lumpur honderdvijftig jaar langzame dood uitzaten. Op een avond dat we het daar al uren met wrede achteloosheid over hadden, vertelde een vent die ik niet kende een ander verhaal, dat misschien verzonnen was, misschien niet. Het was nog in de tijd van de Sovjet-Unie. Wanneer je reist met de Transsiberië-Expres, vertelde de man, is het ten strengste verboden onderweg uit te stappen, de reis bijvoorbeeld bij een stopplaats te onderbreken voor een toeristisch uitstapje, in afwachting van de volgende trein. Nu schijnt het dat er in sommige afgelegen steden langs de spoorlijn heel bijzondere hallucinogene paddestoelen worden gevonden – de lokmiddelen in het verhaal kunnen, afhankelijk van het publiek, variëren: uiterst zeldzame, spotgoedkope tapijten, sieraden, edele metalen... Met het gevolg dat waaghalzen soms het risico nemen en het verbod trotseren. De trein stopt drie minuten op een klein station in Siberië. Bittere kou, geen stad, alleen barakken: een naargeestig, modderig oord dat uitgestorven lijkt. Zonder dat iemand het merkt stapt de avonturier uit. De trein rijdt weer weg, hij blijft alleen achter. Met zijn tas over de schouder loopt hij het station uit, dat wil zeggen het perron van vermolmde planken, baggert door plassen, tussen schuttingen en prikkeldraadversperringen, terwijl hij zich afvraagt of dit wel echt zo'n goed idee is geweest. Het eerste menselijk wezen dat hij tegenkomt, is een soort gedegenereerde hooligan die hem een weerzinwekkende adem in het gezicht blaast en een verhaal afsteekt waarvan de nuances verloren gaan (de reiziger spreekt maar een paar woorden Russisch, en wat de hooligan spreekt is misschien geen Russisch), maar de algemene strekking is duidelijk: hij kan niet maar zo rondwandelen, hij zal worden opgepakt door de politie. *Militsia!... militsia!* Volgt een onbegrijpelijke woordenstroom maar, met behulp van mimiek, begrijpt de reiziger dat de randfiguur aanbiedt hem onderdak te verschaffen tot de volgende trein. Het is geen bijzonder aantrekkelijk aanbod, maar er staat hem weinig anders te doen en misschien zal, uiteindelijk, de gelegenheid zich voordoen om het onderwerp paddestoelen of sieraden aan te snijden. Achter zijn gastheer aan betreedt hij een afgrijselijk krot dat wordt verwarmd door een rokerige kachel en waar andere nog onguurdere types bijeenzitten. Er komt een fles zeer sterk alcoholhoudend bocht op tafel, er wordt geklonken, gepraat terwijl alle blikken op hem zijn gericht, het woord *militsia* komt veelvuldig terug, het is het enige dat hij herkent en hij verbeeldt zich, terecht of onterecht, dat ze praten over wat er zal gebeuren als hij in handen valt van de militie. Hij zal er niet met een vette boete van afkomen, dat kun je net denken! – ze liggen allemaal in een deuk. Nee, niemand zal hem ooit nog terugzien. Ook al wordt er op hem gewacht bij het eindpunt, in Vladivostok, zijn afwezigheid zal worden gesignaleerd en dat is dan dat. Zijn vrienden, zijn familie kunnen zoveel ophef maken als ze willen, niemand zal ooit weten, niemand zal ooit proberen te weten te komen waar hij van de aardbodem is verdwenen. De reiziger probeert zichzelf tot rede te brengen: misschien zeggen ze dat helemaal niet, misschien hebben ze het over de jam zoals hun oma's die maken. Maar nee, hij weet best dat dat niet zo is. Hij weet best dat ze praten over het lot dat hem wacht, hij heeft al begrepen dat het beter was geweest in handen te vallen van die corrupte militieagent met wie zo opgeruimd wordt gedreigd, dat in feite **alles** beter was geweest dan dit hok van kierende planken, dan deze tandeloze vrolijke kwanten van wie de kring zich nu nauwer sluit om hem heen, die hem, nog steeds voor de grap, in zijn wang beginnen te knijpen, hem tikjes, opdoffers beginnen te geven, hem beginnen voor te doen hoe de militieagenten het aanpakken, tot het moment waarop ze hem neerslaan en hij later wakker wordt, in het donker. Hij ligt naakt op de grond van aangestampte aarde, rilt van kou en angst. Als hij zijn arm uitstrekt, begrijpt hij dat ze hem hebben opgesloten in een soort berghok, en dat het afgelopen is. Van tijd tot tijd zal de deur opengaan, de goedlachse boerenkinkels komen binnen om hem af te ranselen, over hem heen te lopen, hem anaal te misbruiken; om een beetje lol te trappen, kortom, die kans doet zich niet zo gek vaak voor, in Siberië. Niemand weet waar hij is uitgestapt, niemand zal hem te hulp komen, hij is aan hun genade overgeleverd. Waarschijnlijk hangen ze rond in de buurt van het station wanneer er een trein wordt verwacht, in de hoop dat een of andere idioot het verbod zal overtreden: dan hebben ze beet. Er wordt van alles en nog wat met hem uitgehaald, totdat hij crepeert, en het wachten is op de volgende. Zeker, hij overdenkt dat niet nuchter, maar zoals een man dat doet die bij kennis komt in een krappe doos waarin hij niets ziet, niets hoort, zich niet kan bewegen en er enige tijd voor nodig heeft om te snappen dat ze hem levend hebben begraven, dat alles wat hij zich van het leven had gedroomd hiertoe leidde, en dat dit de realiteit is, de laatste, de echte, de realiteit waaruit hij nooit zal ontwaken.

Op dat punt is hij aangeland.

Dat geldt ook voor mij, op een bepaalde manier. Dat is mijn hele leven zo geweest. Om me een beeld te vormen van mijn situatie heb ik altijd een beroep gedaan op dit soort verhalen. Als kind vertelde ik ze mezelf, later heb ik ze verteld. Ik heb ze in boeken gelezen, daarna heb ik boeken geschreven. Heel lang heb ik dat heerlijk gevonden. Ik zwolg erin, om te lijden op een manier die specifiek was voor mij en me tot een schrijver maakte. Nu wil ik dat niet meer. Ik verdraag het niet meer de gevangene te zijn van dat doodse, onwrikbare scenario, wat ook het uitgangspunt moge zijn om me er opnieuw op te betrappen dat ik bezig ben met het weven van een verhaal vol waanzin, bevriezing, opsluiting, met het ontwerpen van de valstrik die me zal vermorzelen. Een paar maanden geleden heb ik een boek gepubliceerd, *De tegenstander*, dat me zeven jaar lang tot een gevangene heeft gemaakt en dat al mijn kracht heeft opgeslokt. Nu is het afgelopen, heb ik gedacht, ik begin aan een nieuw hoofdstuk. Ik richt mijn blik naar buiten, naar de anderen, naar het leven. Weer reportages gaan maken, dat zou daarbij helpen.

Die wens heb ik in mijn omgeving te kennen gegeven en het duurde niet lang of ik kreeg een aanbod voor een reportage. Niet zomaar een: het ging om een Hongaar, een stakker die aan het eind van de Tweede Wereldoorlog gevangen werd genomen en meer dan vijftig jaar opgesloten heeft gezeten in een psychiatrisch ziekenhuis ergens in een verre uithoek van Rusland. We hebben allemaal tegen elkaar gezegd dat dat een onderwerp voor jou was, bleef mijn vriend de journalist maar geestdriftig zeggen, en uiteraard was ik daar niet blij mee. Dat ze telkens als er sprake is van een kerel die zijn hele leven binnen de muren van een gekkenhuis heeft gezeten, weer aan mij denken, dat is nou net wat ik niet meer wil. Ik wil niet langer degene zijn die dat verhaal interessant vindt. Dat neemt niet weg dat het me interesseert, dat spreekt vanzelf. En daar komt nog bij dat het zich in Rusland afspeelt, niet het land van mijn moeder want ze is er niet geboren, maar het land waar mijn moeders taal wordt gesproken, de taal die ik als kind een beetje heb gesproken en vervolgens totaal ben vergeten.

Ik heb ja gezegd. En een paar dagen nadat ik ja had gezegd, kwam ik Sophie tegen, wat me op een andere manier het gevoel heeft gegeven aan een ander hoofdstuk te beginnen. Tijdens het eten in het Thaise restaurant bij Maubert heb ik het over niets anders gehad, ik heb haar het verhaal van de Hongaar verteld, en vannacht, in de trein die me naar Kotelnitsj brengt, denk ik terug aan mijn droom, ik bedenk dat alles erin zit wat me verlamt: de blik van het militielid die op mij is gevestigd terwijl ik aan het vrijen ben, de dreiging of liever de zekerheid dat ik de gevangenis in zal gaan, dat de val zich zal sluiten, en dat alles in die droom toch lichtvoetig is, dynamisch, vrolijk, zoals de stoeipartij met Sophie en de mysterieuze mevrouw Fujimori. Ik zeg tegen mezelf dat ja, ik zal een laatste verhaal vertellen dat over opsluiting gaat, en dat zal ook het verhaal worden van mijn bevrijding.

Wat ik weet van mijn Hongaar, blijft beperkt tot een paar berichten van persbureau AFP, van augustus en september 2000. Als negentienjarige jongen, van eenvoudige boerenafkomst, werd hij door de Wehrmacht meegenomen toen deze zich terugtrok, en vervolgens in 1944 door het Rode Leger gevangengenomen. Aanvankelijk werd hij geïnterneerd in een krijgsgevangenkamp, daarna in 1947 overgebracht naar het psychiatrisch hospitaal van Kotelnitsj, een stadje 800 kilometer ten noordoosten van Moskou. Daar heeft hij drieënvijftig jaar doorgebracht, door iedereen vergeten, vrijwel zonder te praten, want niemand om hem heen verstond Hongaars en hij van zijn kant, hoe bizar dat ook moge lijken, leerde geen Russisch spreken. Deze zomer werd hij, louter toevallig, gevonden, en de Hongaarse regering heeft ervoor gezorgd dat hij werd gerepatrieerd.

Ik heb een paar beelden gezien van zijn aankomst, een item van dertig seconden op de televisie. De glazen deuren van het vliegveld van Boedapest wijken uiteen bij de nadering van de rolstoel waarin, ineengedoken, een doodsbange arme oude man zit. De mensen om hem heen dragen overhemdjes met korte mouwen, maar hij heeft een muts van dikke wol op en bibbert onder een plaid. Eén broekspijp is leeg, omhooggehouden door een veiligheidsspeld. De flitslampen van de fotografen knisperen, verblinden hem. Rond de auto waar ze hem in helpen, verdringen bejaarde vrouwen zich die wild staan te gebaren en allerlei voornamen roepen: Sándor! Ferenc! András! Ruim 80 000 Hongaarse soldaten zijn na de oorlog als vermist opgegeven, al heel lang wacht niemand meer op ze en kijk, zesenvijftig jaar later komt er een terug. Hij is goeddeels zijn geheugen kwijt, zelfs zijn naam is een raadsel. In de registers van het Russische hospitaal, de enige documenten waaruit zijn identiteit blijkt, wordt hij afwisselend András Tamas, András Tomas, of Tomas András genoemd, maar hij schudt het hoofd wanneer ze hem met die namen aanspreken. Hij wil of kan niet zeggen hoe hij heet. Dat verklaart dat op het moment van zijn repatriëring, die door de Hongaarse pers wordt verslagen als een gebeurtenis van nationaal belang, tientallen families in hem de vermiste oom of broer menen te herkennen. In de weken volgend op zijn terugkeer verschijnen er in de pers vrijwel dagelijks berichten over hem en over het onderzoek. Enerzijds worden de families die hem voor zich opeisen, ontvangen en ondervraagd, anderzijds wordt hijzelf ondervraagd, er wordt geprobeerd herinneringen bij hem wakker te roepen. Steeds weer worden in zijn bijzijn namen van dorpen en personen genoemd. Een persbericht meldt dat in het Instituut voor Psychiatrie van Boedapest, waar hij ter observatie wordt opgenomen, een reeks antiquairs en verzamelaars langstrekt om hem uniformpetten, distinctieven, oude geldstukken en voorwerpen te laten zien die geacht worden een beeld op te roepen van Hongarije in de tijd die hij heeft gekend. Hij reageert nauwelijks, bromt meer dan dat hij spreekt. Wat voor hem als taal fungeert, is niet meer echt Hongaars maar een soort eigen dialect, de taal van de innerlijke monoloog die hij gedurende zijn halve eeuw van eenzaamheid voortdurend heeft herhaald. Brokstukken van zinnen komen bovendrijven, waarin sprake is van de overtocht over de Dnjepr, van schoenen die hij door diefstal is kwijtgeraakt of waarvan hij vreest dat ze gestolen zullen worden, en vooral van het been dat ze hem hebben afgezet, daarginds, in Rusland. Dat zou hij terug willen hebben, of hij zou willen dat ze hem een ander been gaven. Kop boven het bericht: 'De laatste gevangene van de Tweede Wereldoorlog vraagt om een houten been'.

Op een dag lezen ze hem *Roodkapje* voor, en hij huilt.

Na een maand leidt het onderzoek tot een resultaat dat wordt bevestigd door DNA-onderzoek. De uit de dood herrezene heet András Toma, maar in Hongarije zeggen ze Toma András, Bartók Béla, de achternaam vóór de voornaam, net als in Japan. Hij heeft een broer en een zuster, beiden jonger dan hij, die wonen in een dorp in de oostelijke punt van het land, precies de plek die hij zesenvijftig jaar tevoren heeft verlaten om als soldaat de oorlog in te gaan. Ze zijn bereid hem op te nemen.

Als ik op informatie uitga, verneem ik enerzijds dat hij pas over enkele weken van Boedapest naar zijn geboortedorp zal worden overgebracht, anderzijds dat het psychiatrisch ziekenhuis in Kotelnitsj op 27 oktober zijn negentigjarig bestaan zal vieren. Dat zal, om te beginnen, de invalshoek moeten zijn.

In Kotelnitsj staat de trein maar twee minuten stil; dat is weinig om onze kisten met apparatuur uit te laden. Ik ben gewend om geschreven reportages te maken, dus om alleen te werken, soms met een fotograaf: een televisieploeg betekent meteen meer omhaal. Hoewel wij de enige passagiers zijn die uitstappen en niemand instapt, is er een niet gering aantal mensen op het perron, voornamelijk oude vrouwen in sjaals en op viltlaarzen die ons emmers gevuld met bosbessen willen verkopen en ons uitschelden wanneer we op onze uitrusting wijzen in de hoop hun aan het verstand te brengen dat we al zwaar genoeg beladen zijn. Om ons heen lijkt het sprekend op het station van de Transsiberië-Expres uit mijn verhaal: aangestampte aarde, modderplassen, afgebladderde houten schuttingen waarachter kerels met kale koppen je aankijken met een nieuwsgierigheid die weinig welwillendheid uitstraalt. Ik zeg bij mezelf dat het hier misschien beter is om met z'n vieren te zijn dan alleen. Jean-Marie neemt zijn camera ter hand, Alain bevestigt zijn microfoon op zijn hengel, waardoor de stemming van de oude vrouwen er niet beter op wordt. Sasja gaat op weg naar het station op zoek naar een auto en komt algauw terug in gezelschap van een zekere Vitali, die ons in zijn oeroude Zjigoeli naar het enige hotel van de stad brengt, het Vjatka. Vjatka is zowel de oude als de nieuwe naam van Kirov, de hoofdstad van de streek en de volgende halte langs de spoorlijn. Toen ik een paar dagen voor mijn vertrek bij mijn ouders lunchte en probeerde met hen de plaatsen van mijn reportage te lokaliseren, hoorde ik van mijn moeder dat Kirov in de Sovjetperiode zo heette om de grote bolsjewiek te eren die werd vermoord, een moord die het startsein en waarschijnlijk het voorwendsel is geweest voor de zuiveringen van 1936; en van mijn vader – die grote belangstelling heeft voor de familie van mijn moeder – dat in 1905, toen de stad nog Vjatka heette, de vader van mijn oudoom, graaf Viktor Komarovski, er ondergouverneur is geweest. Het Vjatka is in ieder geval zo'n hotel zoals Ruslandreizigers ze goed kennen, waar niets werkt, noch de verwarming noch de telefoon noch de lift, en dat niet alleen, maar waarvan je vermoedt dat niets het ooit heeft gedaan, zelfs niet op de dag dat het in gebruik werd genomen. Twee van de drie lampen zijn doorgebrand. Bossen slecht geïsoleerde elektrische snoeren lopen kriskras langs afgeschilferde wanden. De radiatoren, die uit zijn, zijn niet zoals overal elders dicht tegen de muren aangebracht, maar staan er loodrecht op, gericht naar het midden van het vertrek, aan het uiteinde van lange buizen die nergens recht zijn maar merkwaardige haakse bochten vertonen. Versleten, grauwe lakens die zo klein zijn dat ze nauwelijks van handdoeken zijn te onderscheiden, bedekken maar half de doorgezakte eenpersoonsbedden, alles wat als meubilair dient zit onder een plakkerige laag vettig stof. Geen warm water. Sasja, aan wie ik de vorige dag in mijn onschuld heb gevraagd of je het hotel met een creditcard zou kunnen betalen, kijkt me hoofdschuddend en spottend aan. Een creditcard... Nou ja... En aangezien ik een beetje Russisch spreek, *tsjoet tsjoet*, een heel klein beetje, voegt hij eraan toe: *Toet my vo dne*, we zijn hier in de negorij.

De pelgrimstocht naar de plaatsen waar András Toma heeft verbleven, begint in het kantoor van dokter Petoechov, geneesheerdirecteur van het ziekenhuis, en het zou prima zijn, is overduidelijk zijn mening, als die tocht daar ook ophield. Niet dat Joeri Leonidovitsj, zoals hij vraagt hem te noemen, journalisten vijandig gezind is, integendeel, trots gaat hij met zijn duim langs het pak visitekaartjes die zijn achtergelaten door de vertegenwoordigers van diverse Russische en buitenlandse media, *Izvestia*, cnn, Reuters... Maar hij heeft zijn verhaaltje over de kwestie klaar, en ziet niet goed wat we nog meer zouden willen. Op 11 januari 1947, dus, is de patiënt van het gevangenenkamp Bistrjag, veertig kilometer verderop en sinds de jaren vijftig opgeheven, overgebracht naar het psychiatrisch hospitaal van Kotelnitsj. Precies op deze plaats, in dit goed verwarmde, goed in de was gezette en in leuke pastelkleuren geschilderde houten huisje werd hij ontvangen door dokter Kozlova, een vrouwelijke arts die een dossier over hem heeft aangelegd. Met een lichtelijk theatraal gebaar slaat Joeri Leonidovitsj nu dat dossier open en noodt Jean-Marie om in te zoomen, zoals diens voorgangers dat waarschijnlijk hebben gedaan, op de eerste notities van dokter Kozlova. Vergeeld papier, verbleekte inkt, regelmatig kriebelschrift. De patiënt is geregistreerd onder de naam Tomas, Andreas, geboren in 1925, van Magyaarse nationaliteit. Die s en e te veel hebben bij zijn terugkeer in Hongarije voor veel verwarring gezorgd, maar dat kan dokter Kozlova moeilijk worden aangerekend want de patiënt geeft op geen van haar vragen antwoord, lijkt ze niet eens te horen, dus lijkt de veronderstelling gerechtvaardigd dat de antwoorden afkomstig zijn van de soldaten die hem begeleidden. Zijn kleren zijn smerig, gescheurd, te klein en vooral te dun voor de tijd van het jaar. Hij zwijgt hardnekkig, lacht soms zonder dat daar aanleiding toe is. In het militaire hospitaal dat bij het kamp hoort, weigerde hij te eten, sliep niet, huilde, en soms was hij gewelddadig. Op grond van dat gedrag wordt de diagnose 'psychoneurose' gesteld, die weer aanleiding vormde hem over te brengen naar een burgerziekenhuis. Zonder dat werkelijk voor mogelijk te houden vraag ik of dokter Kozlova nog in leven is. Joeri Leonidovitsj schudt het hoofd: nee, er is niemand meer die de komst van András Toma, of de eerste tijd van zijn verblijf, heeft meegemaakt. Toen hijzelf in functie trad, een jaar of tien geleden, was de patiënt in geen enkel opzicht interessant voor een psychiater. Vreedzaam en zwijgzaam, teruggetrokken in zichzelf. In 1997 moest een been bij hem worden afgezet. En toen, op 29 oktober 1999, precies een jaar geleden, bracht een hoge piet van de gezondheidsdienst een bezoek aan het ziekenhuis. Joeri Leonidovitsj, die zijn gast rondleidde, leidde hem ook langs de oude man met zijn ene been en presenteerde hem als de nestor onder zijn patiënten. Hij glimlacht, vertederd, als hij zich de scène herinnert. Ik zie het voor me, hoe hij hem in zijn oor knijpt, zoals Napoleon bij een van zijn gardesoldaten: een goedige oude baas die geen overlast bezorgt, die al in het ziekenhuis verblijft sinds de oorlog en alleen Hongaars spreekt, het is me wat! Toevalligerwijs versloeg een plaatselijke journaliste de gebeurtenis, en omdat het geen bijster boeiend verhaal zou opleveren, schreef ze haar ar-

tikel over het thema: de laatste gevangene uit de Tweede Wereldoorlog verblijft onder ons. Toen de kreet eenmaal was gelanceerd,
nam een persbureau het artikel over, toen nog een, en algauw deed
het de ronde langs alle redacties. De consul van Hongarije, wakker geschud, kwam uit Moskou, psychiaters uit Boedapest volg-
den, en die namen hem uiteindelijk mee, afgelopen zomer. Sindsdien heeft Joeri Leonidovitsj niets dan uitstekende berichten over
hem ontvangen en hij verheugt zich over de vooruitgang waarover
zijn Hongaarse collega's hem regelmatig op de hoogte houden.
De onverstoorbaarheid waarmee hij over die gunstige ontwikke-
lingen spreekt, verbaast me enigszins. Dat een man in twee maanden tot het leven kan terugkeren en weer gaat praten na drieënvijftig jaar in zijn instelling te hebben doorgebracht gereduceerd
tot een staat van totale onaanspreekbaarheid, brengt hem op geen
enkele manier in verlegenheid, en wanneer hij journalisten ontvangt, komt het niet bij hem op dat zij daar harde conclusies uit
zouden kunnen trekken over de psychiatrie in zijn land in het algemeen of in zijn ziekenhuis in het bijzonder. Niets defensiefs in
de manier waarop hij het dossier voor ons samenvat, en ik heb het
gevoel dat zijn weigering ons dat persoonlijk te laten inzien, minder voortkomt uit wantrouwen dan uit zijn wens het alleenrecht in
handen te houden van het enige voorwerp van mediabelangstel-
ling dat ooit in Kotelnitsj is opgedoken.

   Joeri Leonidovitsj, geneesheer-directeur en bestuurder van het
ziekenhuis, en lid van de plaatselijke Doema zoals we later zullen
vernemen, verlaat nauwelijks zijn knusse houten huisje en ziet de
patiënten maar zelden. Vladimir Aleksandrovitsj, aan wiens zorg
hij ons toevertrouwt nadat we lang hebben aangedrongen om wat
meer te zien te krijgen, is behandelend arts en verantwoordelijk
voor het paviljoen waar Toma de laatste decennia heeft doorgebracht. Hij is zeer lang, hoogblond, zeer bleek, en met zijn witte
jas en bril met licht getinte glazen heeft hij het kille uiterlijk dat in
een Russische roman uit de negentiende eeuw de observatie zou
hebben ingegeven dat hij eruitzag als een Duitser. In eerste instantie minder joviaal en coöperatief dan zijn baas, lijkt hij met ge-
mengde gevoelens terug te denken aan de diverse teams journalisten waarvan de eerste de visitekaartjes verzamelt. Hoe kunt u leven

zonder warm water? vroeg een cameraman. En hij, schouderophalend: Jullie, jullie leven. Wij hier, wij overleven.

Zaal nummer 2. Negen bedden. Het zijne was het eerste links van de deur, tegen de muur, in een hoek. Er is de laatste tijd niemand overgeplaatst, de anderen zijn gebleven waar ze waren sinds zijn vertrek, zij waren zijn zaalgenoten. Trainingspakken, pantoffels, holle gezichten van mensen wie alles is afgenomen. Degenen die door het pad lopen tussen de bedden, van het raam naar de deur, met sloffende tred en fladderende handen. Degenen die op de rand van het bed zitten, uren achtereen, en zij die hun bed niet uitkomen; een van hen onder zijn deken, van wie we het gezicht niet te zien zullen krijgen, een ander recht uitgestrekt, als een ligbeeld, de armen gekruist over de borst, het gezicht vertrokken tot een grijns, de enige gelaatsuitdrukking waartoe hij nog in staat is. Ze zijn hier aangespoeld omdat het leven buiten te hard was, de drank te sterk, hun hoofden te vol met bedreigende stemmen, maar ze zijn niet gevaarlijk, niet eens onrustig. 'Gestabiliseerd,' luidt de uitleg van Vladimir Aleksandrovitsj. De laatste tien jaar is het budget van het ziekenhuis voortdurend ingekrompen, ze hebben ook de personeelsbezetting moeten inkrimpen, zoveel patiënten moeten ontslaan als ze maar konden, al degenen met wie het beter ging en die familie hadden om ze op te vangen, maar deze mannen hier hebben kind noch kraai, dus wat wilt u? We houden ze hier. We behandelen ze niet echt, we praten niet echt met ze, maar we houden ze. Het is weinig. Maar meer dan niets.

Ze hebben András Toma gehouden. Toch had hij een familie, een land waarnaar ze hem hadden kunnen terugsturen, theoretisch gezien was het niet onmogelijk het Hongaarse consulaat in Moskou op zijn bestaan te attenderen maar niemand is op dat idee gekomen, Moskou, dat is zo ver weg, om van Hongarije nog maar te zwijgen. Hij was daar beland, hij is er gebleven, als een pakketje dat door niemand werd opgehaald, en langzamerhand is zelfs het lijden afgesleten.

Hij was geen ligbeeld, hij bracht zijn dagen niet door op zijn bed, maar in de meubelmakerij, de slotenmakerij, in de garage, en in de tijd waarin het hospitaal een boerderij buiten het terrein bezat, werd hij daar de hele tijd geparkeerd. Hij was heel handig, altijd druk in de weer, en hij was vrij om te gaan en te staan waar hij wilde, daarom vond Vladimir Aleksandrovitsj de kreet waarin hij werd voorgesteld als de laatste krijgsgevangene, lichtelijk overdreven. Hij was allerminst een gevangene, niet eens ziek: hij woonde hier, hij had er een thuis, dat was alles. Niet eens ziek, werkelijk? houdt Sasja aan. Sterker nog. Bij zijn aankomst was de diagnose schizofrenie gesteld, maar hij verkeerde in shocktoestand, hij was een man die de gruwelen van de oorlog aan den lijve had ondervonden en drie jaar in gevangenenkampen had doorgebracht. De periode waarin hij psychotisch was, was een reactie op die trauma's en heeft zich nooit meer herhaald. Waarschijnlijk had hij, min of meer bewust, bij zichzelf gedacht dat het om herhaling te voorkomen maar beter was om zich koest te houden, niet op te vallen, niet te praten, niet te begrijpen wat er tegen hem werd gezegd, op te gaan in de omgeving.

In het kantoor van Joeri Leonidovitsj al onderbrak ik, telkens als ik drie woorden snapte, de vertaling met *da, da, ja ponimajoe*, ja, ja, ik begrijp het, en toen we naar buiten gingen zei Sasja, geërgerd: Hoor 's, of je begrijpt alles en je hebt mij niet nodig, of je laat mij mijn werk doen, oké? Ik zei oké, maar met Vladimir Aleksandrovitsj kon ik het weer niet laten, en hem leg ik nu zo goed en zo kwaad als het gaat uit dat mijn moeder van origine Russische is, dat ik als kind Russisch heb gesproken, dat ik *Zaal 6* in het Russisch heb gelezen, het verhaal van Tsjechov dat speelt in een psychiatrische inrichting in de provincie. Sasja mokt, mijn vorderingen irriteren hem, Alain en Jean-Marie zijn zwaar onder de indruk, terwijl Vladimir Aleksandrovitsj volledig is ontdooid. Ik spreek Russisch, ik heb *Zaal 6* gelezen! Nu zijn we vrienden en, in één adem door, trek ik de stoute schoenen aan en vraag of het niet mogelijk zou zijn het dossier van de Hongaar in te zien, er, wat helemaal ideaal zou zijn, een kopie van te maken. Jawel, waarschijnlijk wel, dat moeten we Joeri Leonidovitsj vragen. Het probleem is dat Joeri Leonidovitsj het niet wil. Dan trekt Vladimir Aleksandrovitsj een bedenkelijk gezicht: als Joeri Leonidovitsj het niet wil, dan is het inderdaad een probleem.

Een paar woorden Russisch uitbrengen heeft me letterlijk in een roes gebracht en wanneer we 's avonds met ons vieren in het enige restaurant zitten dat open was dat we hebben gevonden, wil ik met alle geweld doorgaan. Het restaurant, Trojka geheten, is een soort gore bar, in een souterrain, waar zwaar beschonken jongelui samenkomen die we ervan verdenken, wat het mannelijk gedeelte betreft althans, potentieel gevaarlijk te zijn. Er worden alleen pelmeni geserveerd, Russische ravioli, waar we op mijn aandringen wodka bij drinken. Ons drinkgelag van de vorige avond ten spijt heb ik geen moeite Alain over te halen, die niet vies is van een stevige slok, evenmin als Sasja, die meteen zijn reserves ten opzichte van mij laat varen. Alleen Jean-Marie weigert met een glimlach: hij drinkt nooit. Ikzelf was al dronken van opwinding vóór het eerste glas en ik begin mijn vorderingen uit te testen op twee nogal onooglijke meisjes aan de tafel naast de onze, die niets liever willen dan met ons in contact komen. In mijn steenkolenrussisch hoor ik ze uit over onze held, die de beroemdheid van de stad is geworden. Ik durf er mijn hand niet voor in het vuur te steken dat ik hun antwoorden helemaal heb begrepen, maar volgens het ene, zoals ik in mijn boekje heb genoteerd, wilde hij niet weg en moesten ze hem met geweld afvoeren naar Hongarije, en volgens het andere was hij helemaal niet gek, hij had maar gedaan of hij gek was om niet naar Siberië te worden gestuurd. Er staat me nog vaag iets bij van het hoongelach van Sasja toen ik hem, wat later, vroeg of hij dacht dat je vanuit het hotel naar Frankrijk kon bellen – en dan betalen met je creditcard zeker? –, en dat ik daarna op wankele benen samen met hem door de lege straten heb gelopen, naar het postkantoor dat tot heel laat open blijft en waar de dronkenlappen terecht kunnen die zelfs niet welkom zijn in een bar als Trojka, waar ze het toch zo nauw niet nemen. Je kunt er wat menselijke warmte vinden, evenals gelegenheden om op de vuist te gaan, waar Sasja niet afkerig van lijkt te zijn, en eventueel opbellen. Zonder een conversatie te onderbreken die vanaf de eerste zin de verkeerde kant dreigt op te gaan, helpt Sasja me met frisse tegenzin om mijn gesprek aan te vragen, waarop ik ga wachten in een houten cabine waar iemand recentelijk heeft gepist, zodat ik kan kiezen tussen misselijkheid als ik de deur dichtdoe en, als ik die openzet, het rumoer uit de zaal dat het verre gerinkel van het belsignaal overstemt. Als Sophie eindelijk opneemt, heb ik die keus niet meer, ik moet de deur dichtdoen wil ik haar verstaan en ik begin haar meteen een beschrijving te geven van de cabine-urinoir, het postkantoor, de stad, het gesticht. Dat kan bij haar alleen maar de herinnering oproepen aan het verhaal over de Transsiberië-Expres dat ik haar heb verteld in het Thaise restaurant bij Maubert waar we samen hebben gegeten, de eerste avond. Toch ben ik euforisch, ik vermeld dat ik vandaag voor het eerst Russisch heb gesproken, dat ik daarmee zal doorgaan, dat ik de studie van het Russisch weer serieus ter hand zal nemen, dat dat voor mij net zo belangrijk is als het feit dat ik haar heb ontmoet, en dat het trouwens geen toeval is dat die twee gebeurtenissen zich zo kort na elkaar hebben voorgedaan. Ik vertel haar mijn droom over de trein waarbij ik wat nadrukkelijk uitweid over de belofte van een bevrijding die de droom inhoudt en, daarentegen, mevrouw Fujimori maar terloops noem, want hoewel ik Sophie pas twee weken ken, heb ik al gemerkt hoe jaloers ze is. Toen ik belde dacht ik dat het al laat zou zijn bij haar, dat ze misschien al in bed zou liggen, naakt, bereid zichzelf te strelen op mijn verzoek, maar ik heb me vergist in het tijdsverschil, in feite is het in Parijs zeven uur en zit ze nog op kantoor. In het begin van het gesprek vroeg ze zich af of ik niet in gevaar was, maar nu begrijpt ze dat ik gewoon zat ben, geëxalteerd, misschien zelfs wel gelukkig, en dat de kern van de zaak is dat ik van haar houd. Dan begint ze over mijn pik, begint te zeggen dat ze een pik lekker vindt, echt, en dat ze er een niet gering aantal voorbij heeft zien komen maar dat ze die van mij verkiest boven alle andere en dat ze die graag weer in zich zou voelen en zou willen dat ik me bij gebrek aan beter zou aftrekken. Zelf heeft ze de deur van haar kantoor dichtgedaan en haar hand onder haar rok geschoven, onder haar panty, nu ligt haar hand op haar slipje. Heel licht raakt ze de stof aan, met voorzichtige vingers. Ik denk aan de verrukkelijke blonde haartjes die haar broekje omsluit, maar ik zie me genoodzaakt te zeggen dat er, wat mezelf aangaat, geen sprake van kan zijn dat ik me nu meteen aftrek: mijn beschrijving van het decor was honderd procent realistisch, door de ruit zie ik Sasja en de kerel die hardnekkig op zoek zijn naar ruzie, zij kunnen mij ook zien, ik zal moeten wachten tot ik terug ben in het hotel. Daar is geen verwarming en de lakens zien er zo smerig uit dat ik me wel tweemaal zal bedenken voordat ik ertussen schuif, ik stel me dus voor geheel gekleed te gaan slapen en alles wat ik als deken zal kunnen gebruiken over me heen op te stapelen, maar ik beloof dat ik me niettemin zal aftrekken en dat is wat ik, als ik terug ben, ook heb gedaan.

Kotelnitsj is een negorij, maar een belangrijk spoorwegknooppunt en nooit gaan er meer dan tien minuten voorbij zonder dat het rumoer van een vaak ellenlange trein de ruiten van onze kamers doet trillen. Mij heeft dat niet uit de slaap gehouden. Alain wel, en vanmorgen, in het café-restaurant van het hotel, waar twee mannen zwijgend wat waarschijnlijk niet hun eerste biertje is naar binnen gieten en waar het ons grote moeite kost een kop thee te krijgen, vanmorgen ziet hij er nog slechter uit dan anders maar is desondanks in een uitstekende stemming. Om zichzelf afleiding te verschaffen tijdens zijn slapeloze nacht, heeft hij die doorgebracht met het opnemen van de langsrijdende treinen en hij laat me een paar stukjes horen. Ik hoor weinig verschil tussen het geluid van de ene trein en dat van een andere, en hij probeert mijn oor te trainen, zodat ik het tsjoek-tsjoek van de goederenwagon zal gaan onderscheiden van het tsjiek-tsjiek van de sneltrein; ik knik, ik zeg ja ja, en hij lacht: Je zult zien, bij het monteren ben je blij dat je dit allemaal hebt.

Sasja, die als laatste beneden komt, komt praktisch achteruit lopend naar ons toe, van ons wegkijkend, zich voortdurend omdraaiend, en als hij er eindelijk toe besluit zijn gezicht naar ons toe te keren, zien we dat hij zich fors op zijn bek heeft laten slaan. Blauw oog, opgezwollen wang, gespleten lip. Beschaamd begint hij aan een verwarde uitleg, die erop neerkomt dat hij na mij te hebben teruggebracht vanaf het postkantoor, nog een ommetje is gaan maken, een vorkje is gaan prikken, zoals hij het uitdrukt, in een café dat een café van boven bleek te zijn waar hij zich heeft laten ophitsen door types van wie ons uit zijn verhaal niet goed duidelijk wordt of het boeven waren of smerissen. Hoe het ook zij – maar dat heeft daar niets mee te maken en hij staat erop ons daarvan te overtuigen –, hij gaat vanochtend niet met ons terug naar het ziekenhuis omdat hij een afspraak heeft met een vent van de FSB naar aanleiding van onze paspoorten. De FSB, die vroeger KGB heette, en een Franse ploeg die voor een paar dagen haar tenten opslaat in een stadje als Kotelnitsj, dat vraagt vanuit de FSB gezien om een voorkeursbehandeling: het zou dus verstandig zijn wat baksjisjen achter de hand te hebben zodat de onregelmatigheden die ze onvermijdelijk in onze papieren zullen aantreffen, door de vingers zullen worden gezien. Ik verstrek Sasja honderd dollar, hij zegt dat dat in eerste instantie voldoende zou moeten zijn.

De hele dag lang filmen we het ziekenhuis. De maaltijden, de dagelijkse routine. Het kale terrein dat als binnenplaats fungeert en waar een militaire wagon uit de laatste oorlog staat weg te roesten. Het hek dat openstaat naar de regenachtige hoofdweg, en de bussen waarvan de ruiten beslagen zijn, die af en toe langsrijden over die weg. De patiënten die in de tuin werken, lummelen, sigaretten rollen en roken, uren achtereen op banken zitten. De bank waarop András Toma bij voorkeur zat omdat hij vandaar zicht had op een omheind terrein dat hem aan Transsylvanië deed denken. Dat zegt Vladimir Aleksandrovitsj, of dat is in ieder geval wat ik begrijp, want in afwezigheid van Sasja, die door zijn onderhandelingen met de FSB in de stad moet blijven, ben ik uitsluitend aangewezen op mijn taalkundige vaardigheden. Dronkenschap maakt mijn tong los, maar de kater maakt hem log. Vandaag weet ik niet meer wat ik moet zeggen, of hoe ik het moet zeggen, tegen die man die ik gisteren bereid was in mijn armen te sluiten. Gisteren was ik er trots op zijn achting te hebben verworven, vandaag sta ik met mijn mond vol tanden en ik luister hoe hij, in de timmermanswerkplaats waar Toma graag werkte, met eentonige stem afratelt wat me als een onbegrijpelijke litanie in de oren klinkt. Waarbij ik af en toe een lusteloos *da da* laat horen, soms een *konjesjno*, wat 'natuurlijk' betekent en tot niets verplicht. Hij van zijn kant lijkt teleurgesteld door mijn apathie, graag zou hij het weer over Tsjechov willen hebben, over Rusland en over Frankrijk. Hij droomt ervan ooit naar Frankrijk te gaan, maar het probleem is dat hij geen woord Frans spreekt, maar hij kent wel een beetje Latijn: *de gustibus non est disputandum*, reciteert hij. Daarmee zou je je vast wel kunnen redden, zegt Sasja bemoedigend, nadat hij zich weer bij ons heeft gevoegd, zichtbaar opgevrolijkt door zijn gesprekken met de FSB. De luitenant-kolonel die de staatsinstellingen in Kotelnitsj vertegenwoordigt, heet ook Sasja, vertelt hij, een coïncidentie die niets wonderbaarlijks heeft in een land waar voor elke sekse maar een vijftiental voornamen in gebruik zijn maar wel allemaal met een hele batterij verkleinwoorden, maar het bleek dat ze beiden de oorlog in Tsjetsjenië hebben meegemaakt, de luitenant-kolonel in het Russische leger, onze Sasja als tolk voor een Franse televisieploeg. Dat schept een band, die door een paar glazen kennelijk nog nauwer werd aangehaald, en Sasja is nu volkomen bereid om me bij te staan in mijn gesprekken met de door Vladimir Aleksandrovitsj toonbaar geachte patiënten. Allen vertellen dezelfde dingen over hun vroegere kameraad: een rustige, behulpzame vent, die nooit een mond opendeed. Verstond hij Russisch? Daar is niemand ooit achter gekomen, en eerlijk gezegd schijnt niemand het zich ooit te hebben afgevraagd.

Als we in de schemering het hospitaal verlaten, zegt Vladimir Aleksandrovitsj *da zavtra*, niet *da svidania*, tot morgen, niet tot ziens, en met dezelfde routineuze afstandelijkheid duwt hij me, vlak voordat ik het portier van de Zjigoeli dichtdoe en hijzelf zich snel uit de voeten maakt, een dikke kartonnen envelop in de hand. In de auto doe ik de envelop open: het is de kopie van het medisch dossier. Nou zeg, hij zag je wel zitten, grinnikt Sasja.

Vanavond gaan we vroeg naar bed, er wordt niet gedronken, we moeten fit zijn voor de dag van morgen, de dag van het jubileum van het ziekenhuis. Sasja heeft zijn licht opgestoken: er zal een banket zijn, in de eetzaal van ons hotel. Mijn verwachtingen over dat banket zijn hooggespannen, ik stel me voor ondergedompeld te worden in het kleurrijke authentieke Rusland, met eventueel als klap op de vuurpijl, tussen geestdriftige toosts en adembenemende dansen in, de ontmoeting met een oude gepensioneerde verpleegster, een pittoreske baboesjka die ons verslag zou doen van de aankomst van de Hongaar in 1947 en ons te verstaan zou geven, met schalks twinkelend oog, dat hij zijn kaken dan wel op elkaar hield, maar het was een sluwe vos, de ouwe schurk. In afwachting van de dingen die komen gaan, en aangezien de enige plek waar we terecht kunnen om iets te eten de bandietenkroeg lijkt te zijn waar Sasja zich heeft laten afrossen, gaan we weer naar Trojka voor een portie pelmeni en om onze buit te bekijken.

Het medisch dossier van András Toma telt 44 handgeschreven pagina's, in verschillende handschriften, het verslag van de drieënvijftig jaar doorgebracht in Kotelnitsj. De eerste notities zijn die van dokter Kozlova, die Joeri Leonidovitsj ons al heeft voorgelezen en van commentaar voorzien. De eerste weken zijn het er tamelijk veel en zijn ze nauwkeurig, algauw worden het er minder en we concluderen dat het ziekenhuisreglement de artsen voorschrijft om om de twee weken een aantekening te maken over de toestand van de patiënt. Op grond van die aantekeningen, die Sasja voor me begint te vertalen, is het mogelijk iemands hele levensloop te volgen, en die van András Toma, zoals ongetwijfeld van vele anderen, is gruwelijk: een onverbiddelijk proces van teloorgang dat in nietszeggende, banale en zich herhalende zinnetjes wordt opgedist. Bijvoorbeeld:

15 februari 1947: de patiënt ligt in bed, hij probeert iets te zeggen maar niemand begrijpt hem. Op de vraag: Hoe gaat het met u? antwoordt hij: Tomas, Tomas. Hij laat zich niet onderzoeken.

31 maart 1947: nog steeds ligt hij in bed met zijn deken over zijn hoofd. Hij zegt iets in zijn eigen taal, boos, en laat zijn voeten zien. Hij verstopt voedsel in zijn zakken. Lichamelijk verkeert hij in goede gezondheid.

15 mei 1947: de patiënt gaat naar buiten, de binnenplaats op, maar praat met niemand. Hij spreekt geen Russisch.

30 oktober 1947: de patiënt wil niet werken. Als hij gedwongen wordt naar buiten te gaan, schreeuwt hij en rent alle kanten op. Hij verstopt zijn handschoenen en zijn brood onder zijn hoofdkussen. Hij wikkelt zich in lappen. Hij spreekt alleen Hongaars.

15 oktober 1948: de patiënt is seksueel opgewonden. Hij ligt op bed en grijnst. Hij voegt zich niet naar de regels van het ziekenhuis. Hij maakt zuster Gilisjina het hof. Patiënt Boltoes is jaloers. Hij heeft Toma een klap gegeven.

30 maart 1950: de patiënt is volledig opgesloten in zichzelf. Hij komt niet uit bed. Hij kijkt door het raam.

15 augustus 1951: de patiënt heeft potloden van de verplegers weggenomen. Hij schrijft op de muren, de deuren, de ramen, in het Hongaars.

15 februari 1953: de patiënt is smerig, opvliegend. Hij verzamelt afval. Hij slaapt op plaatsen waar dat geen pas geeft: gang, bank, onder het bed. Zijn buren hebben last van hem. Hij spreekt alleen Hongaars.

30 september 1954: de patiënt is ziekelijk en negatief. Hij spreekt alleen Hongaars.

15 december 1954: geen verandering in de toestand van de patiënt.

We zijn op pagina 6 van het dossier, je voelt dat de artsen hun belangstelling verliezen, Sasja en ik ook. We beperken ons ertoe de rest vluchtig door te kijken. Sasja prevelt, neuriet, wat algauw overgaat in psalmodiëren: geen-verandering-in-de-toestand-van-de-patiënt-hij-spreekt-alleen-Hongaars-geen-verandering-in-de-toestand-van-de-patiënt-hij-spreekt-alleen-Hongaars... Aha, toch wel, acht pagina's verderop, we zijn in 1965 en er gebeurt iets. De patiënt heeft sympathie opgevat voor de vrouwelijke ziekenhuistandarts, en om de kans te krijgen haar nog eens te zien, laat hij voortdurend zijn tanden zien – 'met een onnozele glimlach', voegt het dossier eraan toe. Ze onderzoekt hem nog eens, niets aan de hand. Maar, wordt om de twee weken genoteerd, hij blijft zijn tanden laten zien. Door middel van gebaren geeft hij te verstaan dat hij wil dat zij ze trekt. Iets beters om met haar in contact te komen heeft hij niet bedacht. Ze weigert gezonde tanden te trekken. Dus verbrijzelt hij zijn kaak met een hamer. Pech, hij wordt behandeld maar niet door de tandarts op wie hij zo gesteld is. Arme drommel, verzucht Sasja. Arme drommel... Als het een beetje wil heeft hij in al die jaren niet één keer geneukt, en daarvóór, in Hongarije, is dat ook nog maar de vraag. Misschien heeft hij zijn leven lang nooit geneukt...

Nog twintig pagina's, nog dertig jaar.

11 juni 1996: de patiënt klaagt over pijn in zijn rechtervoet. Di-

agnose: aderontsteking. Er moet met de familie van de patiënt worden overlegd over amputatie. De patiënt heeft geen familie.

28 juni 1996: de patiënt is geamputeerd op tweederde van het rechterbovenbeen. Geen complicaties.

30 juli 1996: de patiënt heeft geen klachten. Hij rookt veel. Hij begint te lopen met krukken. 's Morgens is zijn kussen vochtig vanwege zijn tranen.

Wanneer we de volgende morgen in het hospitaal aankomen, zegt een verpleegster op strenge toon dat dokter Petoechov ons wil zien. Hij laat ons een hele poos wachten. Om iets te doen te hebben maakt Jean-Marie een paar panoramaopnames tussen de grauwheid buiten in de omlijsting van de ramen, en de Polynesische lagune op de computer die als screensaver fungeert. De secretaresse verzoekt hem daarmee op te houden, zijn camera weer in te pakken, en een paar minuten later, als ze de telefoon beantwoordt, begrijp ik niet precies wat ze zegt en Sasja is naar buiten gegaan om een sigaret te roken, maar haar stem dempend zegt ze een paar keer het woord *frantsoeski*, en je voelt dat ze genoeg begint te krijgen van de *frantsoeski*. Eindelijk komt Joeri Leonidovitsj zijn kantoor uit om een bezoeker die er officieel uitziet, uitgeleide te doen. Hij lijkt zowel verrast als geërgerd als hij ons ziet, we staan in de weg en heel snel geeft hij ons zonder omhaal te verstaan dat we moeten maken dat we wegkomen. Geen enkele andere brigade – dat is het woord dat zij gebruiken voor een ploeg – is langer dan een paar uur gebleven, wij zijn er al twee dagen, wat willen we nog? Sasja probeert het verschil uit te leggen tussen een item van twee minuten in een televisiejournaal en een reportage van tweeënvijftig minuten, maar dat is zinloos, het besluit van Joeri Leonidovitsj, of het besluit dat iemand anders voor hem heeft genomen, staat vast. Het is welletjes geweest, onze aanwezigheid verstoort het genezingsproces van de patiënten, en wat de feestelijkheden van het jubileum betreft, ook daar zijn we niet welkom. Het is een besloten aangelegenheid, een feest voor het personeel, en dat heeft niets te maken met de Hongaar.

Maar, Joeri Leonidovitsj, onze film probeert de sfeer in het ziekenhuis te laten zien...

Inderdaad ja, en morgen gaat u me vragen of u me mag filmen

als ik in bad zit zogenaamd omdat dat de sfeer in het ziekenhuis weergeeft? Het spijt me zeer, maar het is nee.

Nijdig, zonder iets om handen, hangen we rond in de stad. Aan de ene kant van de weg, waar je de stad inkomt, staat een ongeveer twee meter hoog beeld van de hamer en de sikkel, aan de andere een enorme kookpot, die sinds aanzienlijk vroeger tijden het embleem van Kotelnitsj is. Dat is wat *kotjol* in het Russisch betekent, legt Sasja uit: een kookpot of ketel. Een verblijf daarin betekent een verblijf in een soort deprimerend driesterrenoord van ontheemding, en er is alle reden te veronderstellen dat dat gevoel van aan de grond te zitten op de bodem van een pan met koude en gestolde soep waaruit sinds lang, gesteld dat ze er ooit in hebben gezeten, alle lekkere hapjes zijn verdwenen, dagelijkse kost is voor de steden met 20 000 inwoners op het afgelegen Russische platteland. Naar zulk soort steden ga je niet. Je spreekt er niet over. Op een goede dag hoor je dat er een negorij Tsjernobyl bestond, en dat is wat in minder gruwelijke vorm, op bescheidener schaal met Kotelnitsj is gebeurd sinds de laatste gevangene van de Tweede Wereldoorlog er werd aangetroffen.

Omdat het banket in ons hotel plaatsvindt en ze ons de toegang daartoe toch niet kunnen ontzeggen, heeft Alain besloten een laatste offensief te wagen. Als we, met ons vieren, de eetzaal binnenkomen, zitten er een man of vijftig rond in een U gerangschikte tafels. Alle plaatsen zijn bezet, en Petoechov, die met zijn gezicht naar ons toe staat, brengt net een toost uit. Hij ziet ons, doet of hij ons niet ziet, normaal gesproken zouden we de aftocht blazen, maar Alain loopt door naar het midden van de zaal en Jean-Marie en ik, die ons niet willen laten kennen, volgen hem op de voet. Ik herken een paar gezichten: de verpleegsters van de afdeling van de Hongaar, onze vriend Vladimir Aleksandrovitsj, de official die vanmorgen door Petoechov werd uitgelaten. Allen kijken naar ons zonder het te begrijpen en zonder een mond open te doen. Petoechov heeft zijn speech onderbroken. Dan ontrolt zich een scène uit een komische film: we lopen de zaal door met beleefde glimlachjes, zalvende, sussende gebaren waarmee we iets willen zeg-

gen als: we lopen alleen maar langs, trek je er maar niets van aan,
let maar niet op ons. Verschrikt volgt iedereen ons met de blik, en
ons gedrag is op dat moment zo absurd dat agressie geen enkele
kans krijgt. In een film zouden de personages er als een haas vandoor gaan precies op het moment waarop de hypnose was uitge-
werkt en de horde zich op hen zou storten om ze te lynchen. Tussen de hoofdtafel, waar Petoechov, met open mond, het glas nog
steeds geheven, presideert en de zijtafels is bij toeval een ruimte
waar we door kunnen. Alain gaat voorop, wij volgen. Ook weer
toevalligerwijs is aan het andere eind van de zaal nog een deur,
zodat we de zaal kunnen verlaten zonder het risico te hoeven nemen van een oversteek in tegengestelde richting. Een duister, on-
welriekend gewelf, en we staan op straat waar we Sasja oppikken
die het hoofd schudt: zijn jullie nou helemaal gestoord of hoe zit
het? Het is donker, het is koud. Achter de bewasemde ruiten wordt
de toost hervat, het ziekenhuispersoneel begint zich zoetjes vol te
gieten, voor ons zit er niets anders meer op dan koers te zetten
naar Trojka.

Het zal wel komen door de teleurstelling, de vermoeidheid ook,
maar als ik mijn kom pelmeni leegeet en zie hoe mijn kameraden
zwijgend hetzelfde doen, constateer ik dat we ons in drie dagen
tijd de plaatselijke tafelmanieren hebben eigen gemaakt: de rug
gekromd, de nek gestrekt om het eten naar binnen te slobberen,
één hand om de blikken lepel geklemd, de andere om de homp
brood, en de twee armen, tot aan de schouders, als een bolwerk
om het voedsel alsof iemand het van ons wilde stelen. Boven de
bar laat de televisie onafgebroken spots zien van het sprookjesle-
ven dat goedgeklede en -gekapte jongelui, met een roofzuchtige
glimlach, leiden in Moskou en Sint-Petersburg, jongelui die uit
luxewagens stappen en met gold cards restaurantrekeningen betalen die waarschijnlijk het equivalent vertegenwoordigen van een
paar jaarlonen hier. Wat voor uitwerking heeft het om daarmee te
worden bestookt als je hier woont? Zien de jonge kerels, onderuitgezakt aan die tafels kleverig van smerig gemorst bier, die tergen-
de exhibitie van weelde en arrogantie als een belediging of als een
sciencefictionfilm die zich afspeelt in een andere wereld?

Opeens worden we vanaf de tafel naast de onze aangesproken in het Frans. Als ik omkijk, zie ik een meisje van een jaar of vijfentwintig, spitse neus, enigszins uitpuilende ogen, maar niet onaantrekkelijk, met naast haar een veel oudere man, driedelig pak, kop van een alcoholische apparatsjik, die haar nogal dicht op het lijf zit. Ze heet Anja en is gek van blijdschap Frans te kunnen praten met Fransen. Ik weet nog dat ze die uitdrukking gebruikte: gek van blijdschap. Ze kijkt naar ons drieën met kinderlijke opwinding en glinsterende ogen, nog even en ze zou in haar handen klappen. Ze droomde ervan, zonder het te durven, ons te benaderen, sinds onze aankomst weet ze van onze aanwezigheid, trouwens, iedereen in de stad is op de hoogte van onze aanwezigheid, er wordt over niets anders gepraat, allerlei geruchten doen over ons de ronde. Geruchten? Zoals? Nou, dat we daarnet een schandaal hebben veroorzaakt op het banket van het ziekenhuis. Ze proest het uit, kennelijk vindt ze het leuk dat we een schandaal hebben veroorzaakt tijdens dat banket. En bovendien, zegt ze, ernstiger nu, filmen we dingen die niet zo mooi zijn. Welke dingen dan? Oude vrouwen, arme mensen, mensen die drinken, dat is niet mooi, dat geeft geen gunstig beeld van de stad. Er wordt ook gezegd dat om een niet al te slechte indruk op ons te maken ze ervoor hebben gezorgd dat er weer warm water was in het hotel, en dat waarderen veel mensen niet: bijna niemand heeft warm water in Kotelnitsj sinds het met het land bergafwaarts is gegaan – want iedereen hier spreekt, op een toon alsof het een vanzelfsprekende zaak was, over de laatste tien jaar als over een historische catastrofe –, dus waarom warm water voor ons en niet voor de Russen? Dit ene punt kunnen we categorisch tegenspreken: we zijn niet beter af dan de anderen. Anja praat maar door, in een merkwaardig Frans dat zowel onzeker als precies is en doorspekt met verouderde uitdrukkingen – 'ik ga een saffie roken' – maar niettemin opvallend goed als ze zo zelden in de gelegenheid is om het te spreken als ze zegt. Ze beweert dat ze het geleerd heeft op de militaire tolkenschool in Vjatka, waarop Sasja haar op ronduit scherpe toon begint te ondervragen: In welk jaar? Op welke afdeling? Dat brengt haar in verlegenheid, en om op een ander onderwerp over te gaan stelt ze ons haar metgezel voor die tijdens het hele gesprek, en alsof hij onze aanwezigheid niet had opgemerkt, is doorgegaan met zijn handtastelijkheden en zich af en toe tussen de bedrijven door op zijn donder te laten geven. Anatoli Ivanovitsj, een dierbare vriend van haar, de directeur van de broodfabriek in Kotelnitsj. Eén voor één drukken we Anatoli Ivanovitsj de hand die hij niet thuis kan houden. Hij bestelt wodka voor iedereen, staat erop dat we ons glas in één teug leegdrinken, schenkt ons meteen weer in, en nu hij eenmaal in onze kring is opgenomen, beaamt hij alles door krachtig met het hoofd te knikken, ongeacht wat er misschien wordt gezegd en hoewel het gesprek in het Frans wordt gevoerd. Dan komt even later een lange blonde, niet onknappe jongen aanzetten die Anja ons voorstelt als Sasja, en onze Sasja fluistert me in mijn oor dat dit zijn nieuwe vriend is, de luitenant-kolonel van de FSB die in de oorlog in Tsjetsjenië heeft gevochten en nu de dienst uitmaakt in Kotelnitsj. Aan de hand van Anja's confidenties blijkt dat deze Sasja eveneens haar minnaar is, dat hij voor haar vrouw en kind in de steek heeft gelaten, wat hem niet verhindert de vrijpostigheden van Anatoli zonder blikken of blozen gade te slaan, en deze laatste niet om er met steeds kleffer hardnekkigheid mee door te gaan. Als we meisjes willen, echte Russische minnaressen, dan neemt hij het op zich die voor ons te vinden. Het is de mensen in de stad opgevallen dat we serieuze kerels zijn, we gaan terug naar het hotel voor de nacht zonder vrouwelijk gezelschap, wel even iets anders dan de Amerikanen van CNN die er de vorige maand waren. Het is mooi, om serieus te zijn, maar mannen behoren ook mannen te zijn, en mannen, die drinken en die neuken. Dat vertelt hij in het Russisch, uiteraard, en we hebben nu twee tolken, de ene, Anja, die een kleur krijgt, het uitproest, zegt dat ze dat, nou nee, dat vertaalt ze maar liever niet, dat is niet netjes, en de andere, Sasja, die het nog ontuchtiger maakt dan het al is. De stemming van Sasja de FSB'er, wiens hartelijkheid aanvankelijk toeneemt naarmate het niveau in de karaf met wodka daalt, versombert pas wanneer hij ziet dat Jean-Marie het speciaal voor dergelijke gelegenheden meegenomen DV-cameraatje uit zijn zak haalt. Hem filmen, meldt hij, daarvan kan geen sprake zijn. De anderen, dat interesseert hem niet, maar hem niet. Of dit taboe wordt ingegeven door persoonlijke paranoia of door het dienstreglement, bij het handhaven ervan legt hij een voorbeeldige waakzaamheid aan de dag. De dronkenschap ten spijt verliest hij de camera geen moment uit het oog die Jean-Marie, met een oude beproefde truc om het vertrouwen van de mensen te winnen, van hand tot hand laat gaan. Iedereen richt het cameraatje op zijn buurman, kijkt naar zichzelf op het omgekeerde schermpje, en spoelt terug om de laatste opnames te zien... Terwijl deze amateurfilmsessie doorgaat, komt het gesprek op het onderwerp van onze reportage en ook daarover komt Anja met geruchten op de proppen die ons versteld doen staan. Als we haar moeten geloven, wist iedereen in de stad precies wie András Toma was. Er waren vrienden, beschermers, in feite was hij allerminst gek, ze houden de waarheid voor ons achter en zij lijkt bereid, beschermd door de Franse taal, die aan ons te openbaren. Ons voor te stellen aan mensen die heel andere dingen zullen zeggen dan de officiële door het ziekenhuis verstrekte versie: een oude dame die hem honing bracht, de directeur van het Oorlogsmuseum die een archief over hem heeft, en dan Sasja, natuurlijk: het is zijn vak om alles te weten over wat er hier gebeurt. Omdat hij begrijpt dat het over hem gaat, fronst Sasja de wenkbrauwen, eist een vertaling. Waarna hij een verhaal over de Hongaar afsteekt waarvan ik maar een kwart begrijp, maar dat exact overeen lijkt te komen met dat van Petoechov. En dan verbaast Anja me. Ze wordt geacht te vertalen, maar naarmate hij doorpraat, schudt ze het hoofd en zegt tegen ons dat ze zwaar teleurgesteld is: alles wat haar minnaar ons daar vertelt, is niets dan blabla en propagandapraat. Maar dat verwondert haar niet echt, want de zaak is werkelijk explosief. Gelukkig kunnen we op haar rekenen, alleen zullen we heel voorzichtig moeten zijn, morgenochtend zal ze ons komen afhalen van het hotel. Sasja knikt, als om de vertaling van zijn woorden te bevestigen, Anatoli is ineengezakt, met zijn hoofd tussen de lege karaffen, en wij, wij verkeren uiteraard in een staat van hoge opwinding. Later gaan we dansen, en ik ben zo zat dat ik het, op het punt dat we hebben bereikt, totaal niet vreemd vind dat we dansen op liedjes van Adamo: *Permettez, monsieur, Tombe la neige...* Nog later ga ik opnieuw naar het postkantoor om Sophie verslag te doen van onze avond en haar extatisch te vertellen dat

dat het nou is, een reportage, dat dat het zo boeiend maakt. Drie dagen achtereen slik je de kletspraat die aan iedereen wordt opgedist en dan op een avond, in een smerige kroeg, kom je min of meer bij toeval een meisje tegen dat met een heel ander verhaal komt. Min of meer bij toeval? herhaalt Sophie, die wil weten hoe die Anja eruitziet. Niet geweldig, maar, hoe zal ik het zeggen, bijzonder. Dat stelt haar niet gerust, en de mededeling dat, gezien de loop die de dingen nemen, we waarschijnlijk een paar dagen langer zullen blijven, nog minder.

Dit laatste vragen we ons de volgende morgen, wachtend op Anja, in gemoede af. Tien uur had ze gezegd, om twaalf uur is ze er nog steeds niet, en Sasja is van mening dat de andere Sasja, eenmaal ontnuchterd, haar heeft verboden te komen. Als dat het geval is, heeft het geen zin onze retourtickets te veranderen: we zouden vanavond terugreizen. We zijn teleurgesteld, maar de waarheid is dat als ons onderzoek geen nieuwe impuls krijgt, we een beetje genoeg hebben van Kotelnitsj, van zijn weerzinwekkende plees, van de pelmeni in Trojka en de banketten waar we niet welkom zijn. Omdat we min of meer op dood spoor zitten, besluiten we, om de tijd te doden, een bezoek te brengen aan het Oorlogsmuseum waarover Anja het heeft gehad. Sasja merkt op dat het vrij bizar is, een Oorlogsmuseum in een gat waar zich sinds de burgeroorlog van 1918 geen enkel conflict meer heeft afgespeeld, en in feite bestaan de collecties van het museum uit een ratjetoe van opgezette dieren, affiches waarop de Drieëenheid van Andrej Roeblev staat afgebeeld, landbouwwerktuigen die niet echt oud te noemen zijn, foto's van een plaatselijke schrijver, Savkov genaamd, van wie een pagina voor de eeuwigheid in de rol van zijn schrijfmachine zit, en diverse potten en pannen waaruit de eeuwenoude lotsbestemming van de stad moet blijken. De directeur, die ons graag te woord staat, weet niets over András Toma te vertellen, evenmin als de enkele voorbijgangers die we na hem op straat interviewen. Degenen die bereid zijn onze vragen te beantwoorden, hebben uitsluitend over hem gehoord via de televisiejournaals, ze vinden het een rare zaak en wat ze nog het raarst vinden, is dat hij in al die jaren geen Russisch heeft geleerd.

Zittend op onze bagage wachten we in de hal van het hotel, waar het een beetje minder koud is dan op onze kamers, tot het tijd is om weg te gaan. De deur gaat open, daar heb je Anja. Hè wat? Gaan we weg? Wat jammer nou! Ze had gedacht ons morgen de worstfabriek te laten zien waar Toma lang heeft gewerkt. De worstfabriek? Bij ons alle vier komt de gedachte op dat, als we langer zouden blijven, ze ons elke avond opnieuw in de boot zou nemen en ons elke ochtend opnieuw een blauwtje zou laten lopen. Om dat van die morgen goed te maken biedt ze aan een lied voor ons te zingen, daarvoor heeft ze haar gitaar meegebracht. Eerst in de hal, daarna op de trappen waarlangs gasten naar boven en naar beneden gaan voorzien van plastic tassen waarin lege flessen rinkelen, zingt ze een uur lang sentimentele en patriottische liederen en dan zijn we werkelijk onder de indruk. Ze zingt goed, maar dat niet alleen: ze imiteert niemand, ze zingt met haar ziel, ze legt er haar ziel en zaligheid in. Haar weinig aantrekkelijke gezicht begint te stralen. En ze zingt voor ons, dat is echt een cadeau. Tijdens het recital komt Sasja aanzetten in een toestand die onze Sasja ons beschrijft als 'chaotisch'. Zonder de lens van de camera een moment uit het oog te verliezen begint ook hij te zingen, maar beduidend minder goed, stelt voor een laatste glaasje achterover te slaan en, tot slot, ons weg te brengen naar het station, zodat als we Kotelnitsj verlaten, onze verstandhouding met de FSB recht hartelijk is. Dat zal misschien nuttig zijn, zeg ik, voor als we hier terugkomen. Die kans lijkt me niet erg groot, zegt Sasja spottend. Hoe weet jij dat? vraag ik.

In de trein laat Jean-Marie zien wat hij de vorige avond in Trojka heeft gefilmd. Op het piepkleine controlescherm vallen bij mij die rommelige, trillende, onderbelichte beelden van het drinkgelag in zeer goede aarde. De kans is klein, uiteraard, dat we ze zullen gebruiken in onze reportage, maar ze zouden een ingang kunnen zijn voor een heel ander verhaal, een heel andere film. We zouden, zoals ik mijn vrienden uitleg, naar Kotelnitsj moeten teruggaan en er niet vier dagen maar een of twee maanden moeten blijven. En dan zonder van tevoren vastliggend onderwerp, met geen ander doel dan zulke ontmoetingen oppikken, ze uitbouwen, de draden ontwarren van betrekkingen waarvan we niets begrijpen. Wie zijn die mensen eigenlijk? Wie doet wat in deze stad? Wie heeft macht en over wie? Wat is die FSB'er en halve pooier voor iemand? Dat meisje dat zingt als een engel, er waarschijnlijk van droomt om weg te gaan en ergens haar vlijtige en overjarige Frans in praktijk te brengen, en dat intussen vegeteert in een gat waar treinen doorheenrijden die niemand neemt? Bovendien, de bewoners zullen verbaasd zijn als ze zien dat we zijn teruggekomen, en nog verbaasder als we inburgeren. Weer andere geruchten over ons zullen de ronde gaan doen, en het zou leuk zijn die te volgen en er verslag van uit te brengen. In de meeste reportages wordt gedaan alsof de ploeg niet ter plaatse was. Wij zouden precies het tegenovergestelde moeten doen, het onderwerp zou niet de stad zijn maar ons verblijf in de stad, de reacties die ons verblijf oproept. Een buitenlandse filmploeg die twee maanden in Kotelnitsj blijft, dat is een unieke gebeurtenis in de annalen van Kotelnitsj: laten we die gebeurtenis filmen, dat kan fantastisch worden.

Ik raak in vervoering, ik besluit de studie van het Russisch weer op te vatten om de uitdaging aan te kunnen en bijna heb ik mijn vrienden, aangestoken door mijn enthousiasme, zo ver dat ze beloven bij terugkomst de Assimil-cursus aan te schaffen. We konden zo goed met elkaar overweg, zou het niet een genoegen zijn opnieuw met elkaar te werken? En om dat te vieren gaan we naar de restauratiewagen om met een paar wodka's onze nieuwe film ten doop te houden: *Terug naar Kotelnitsj*.

Twee weken daarna zijn we erbij als András Toma terugkomt in zijn geboortedorp. 'U bent in Hongarije, kom maar!' zegt herhaalde malen de jonge psychiater die hem vergezelt. De jonge psychiater, met zijn ronde bril, lijkt op John Lennon. Hij is zeer zachtaardig, praat tegen zijn patiënt als tegen een klein kind. Maar de oude man wil niet uit de minibus komen. Hij weet het zo zeker nog niet of dit Hongarije is. Degenen die sinds zijn repatriëring voor hem zorgen, moeten het voortdurend opnieuw zeggen, hem geruststellen. Daarginds, in Rusland, hebben ze tegen hem gezegd dat Hongarije niet meer bestond. Van de kaart geveegd. Dus wie zijn die mensen die tegen hem praten in die verdwenen taal? Die doen alsof ze hem kennen, hem boeketten aanreiken, hem kushandjes toewerpen? Schuilt niet ook daar weer een adder onder het gras?

Het gezicht, onder de pet, is een ruïne. Het gezicht van een *zek*, zoals de mensen in de goelag zichzelf noemden, het gezicht van de mannen van wie Solzjenitsyn en Sjalamov de verwoeste levens hebben beschreven. De jonge psychiater reikt hem zijn krukken aan, helpt hem om ze vast te klemmen onder zijn armen. Hij doet er ruim vijf minuten over om zijn enige voet op de grond te zetten. Tanden heeft hij ook niet meer, dus hij kwijlt en spuugt veelvuldig. Al hinkend wordt hij naar het huis van zijn zuster en zwager geleid bij wie hij zal gaan wonen. Zij hebben een feestmaal georganiseerd. Er worden toosts uitgebracht. De flitsen van de fotografen maken hem angstig. Zijn broer, die nog een kind was toen hij de oorlog inging, stelt hem geduldig allerlei vragen, waarschijnlijk om ons te laten zien dat hij in staat is die te beantwoorden. Hij herhaalt namen van vroeger, in de hoop een herinnering wakker te roepen: Sándor Benkö, de schoolmeester... Smolar, zijn vroegere schoolkameraadje... En de ander, onder zijn pet, spuwt, wendt het hoofd af, bromt soms brokstukken van zinnen die niemand begrijpt, die niet langer horen bij enige taal. Ik heb het gevoel een Kaspar Hauser van vijfenzeventig jaar te zien.

Het is afschuwelijk triest.

Tijdens de maaltijd praat ik met Smolar, de vroegere schoolkameraad. Hij zegt dat András Toma op zijn achttiende een heel knappe jongen was, dat alle meisjes een oogje op hem hadden. Maar hij was geen dorpscasanova: hij was gevoelig, ridderlijk, heel verlegen. Smolar hing de beest uit, hij niet. En volgens Smolar ging hij waarschijnlijk de oorlog in zonder een vrouw te hebben gehad.

Hij vertelt over dat vertrek, en wat hij vertelt, wijkt enigszins af van de officiële versie, die luidt dat hij met geweld zou zijn geronseld. In de herfst van 1944, toen het Rode Leger Hongarije binnentrok en de Wehrmacht begon zich uit het land terug te trekken, heerste er enkele weken totale verwarring waarin de pro-nazipartij de Pijlkruisers, nog aan de macht, de mobilisatie van hun leeftijdsklasse verordonneerde. Smolar en Toma, opgeroepen op het rekruteringscentrum, zouden zich allebei hebben gemeld, maar Smolar, die begreep dat het om iets anders ging dan om schietoefeningen en marsen op het platteland, zou toestemming hebben gevraagd om naar de wc te gaan en zich via het raam uit de voeten hebben gemaakt terwijl Toma, minder stoutmoedig, gedisciplineerder, wachtte tot hem zijn uniform werd verstrekt.

Hij is uit eigen beweging in het Duitse leger gegaan, komt het daarop neer? Smolar haalt de schouders op. Ze waren allebei boerenjongens die geen benul hadden van wat er in de oorlog op het spel stond, en eigenlijk pro-Duits omdat hun land die kant had gekozen. De een gehoorzaamde, de ander was 'm gesmeerd, en vanaf dat moment hadden ze beiden volledig andere levens geleid, maar de politiek speelt daar geen enkele rol in, hun karakters hadden het zo gewild. Wanneer ze moesten nablijven op school, maakte Toma plichtsgetrouw zijn strafregels terwijl hij, Smolar, over de muur klom. Dat heeft zijn redding betekend, maar hij is er niet trots op.

Terwijl ik naar hem luister, denk ik terug aan een gesprek dat ik voor mijn vertrek met Sophie had. Zij maakt zich kwaad over de

verhalen die, zoals *Lacombe Lucien**, laten zien dat het op toeval berust, of voortkomt uit onwetendheid, als iemand zich aansluit bij
de militie – of bij het verzet. Ze zegt dat die verhalen vals en ver-
valst zijn, dat ze de vrijheid ontkennen, dat ze rechts zijn. Ik denk
dat ze juist zijn. Zij zegt dat dat is omdat ik rechts ben, en dat ze
van me houdt, maar dat ze het ergerlijk vindt dat ik rechts ben.

Tussen de dag van zijn vertrek, op 14 oktober 1944, en die van
zijn aankomst in Kotelnitsj, op 11 januari 1947, is zijn spoor niet
meer te volgen. Een hiaat van twee jaar en drie maanden. Na Smolar hoor ik de jonge psychiater uit die op John Lennon lijkt en
die, met hulp van het Hongaarse leger, heeft geprobeerd zijn route te reconstrueren. Hij denkt, omdat dat aannemelijk is, dat Toma in Polen gevangengenomen is, is geïnterneerd in een gevangenenkamp in de buurt van Leningrad en vervolgens, naarmate
het kamp vol raakte en er plaats moest worden gemaakt voor de
nieuwaangekomenen, is gedeporteerd naar het oosten. Maar van
die exodus is geen getuige. Toch was hij niet alleen. Het kan niet
anders of er waren anderen bij hem, strijdmakkers in Polen, kamp-
genoten in de Sovjet-Unie. Dat na de oorlog niemand naar zijn
dorp is gegaan om zijn verwanten over hem te vertellen, om de
hoop levend te houden dat hij misschien zou terugkomen, dat verwondert me. En dat een halve eeuw later, toen zijn naam, zijn verhaal, zijn oudemannengezicht en zijn jongemannengezicht in alle
kranten stonden, er niet een vroegere strijdmakker bleek te bestaan die kon zeggen: ik herken hem, we zaten in hetzelfde ba-
taljon, in dezelfde barak, op een dag was ik ziek, ik kon niet meer
op mijn benen staan, ik zou dood zijn geweest als hij me niet een
beetje van zijn soep had gegeven, op een andere dag was ik degene die iets te eten had gevonden, ik had een zak bevroren aardappels bemachtigd, we gingen erop liggen om te proberen ze warm
te maken, en de laatste keer dat ik hem heb gezien, herinner ik me

*Film van Louis Malle (1974), scenario van Patrick Modiano, over een
18-jarige boerenjongen uit een Frans dorp die in de oorlog, afgewezen door
het verzet, door een toeval voor de Duitse politie gaat werken. (Noot v.d.
vert.)

nog als de dag van gisteren, we dachten dat we samen weg zouden gaan, waarheen wisten we niet, we wisten nooit waarheen, maar samen blijven, daar ging het om, wij de Hongaren, als we bij elkaar bleven zouden we het er levend afbrengen, dat stond voor ons vast, en op het laatste nippertje werden we uit elkaar gehaald, in andere wagons gestopt, we kregen niet eens de kans elkaar het beste te wensen, en toen ik drie dagen later uit de wagon kwam, in het andere kamp, daarginds, in de Oeral, was hij er niet. Ik heb overal gevraagd maar niemand wist iets, ik weet nog dat ik die dag heb gehuild, ik dacht dat het afgelopen was, dat ik niet terug zou keren, nu we niet langer samen waren wist ik zeker dat ik niet terug zou komen, en hij ook niet, en toch ben ik teruggekomen. En hij ook, hij is nu ook terug. En ziet u, ik ben oud, ik ben ziek, maar ik ben blij dat ik dit nog kan meemaken, ik ben blij dat we elkaar terugzien voordat we doodgaan, mijn kleinkinderen hebben gezegd dat ze me mee zouden nemen, in de kranten wordt gezegd dat hij gek is geworden, dat hij de mensen niet herkent, maar ik weet zeker dat hij mij zal herkennen, András zal ik tegen hem zeggen, hij zal Géza tegen mij zeggen, en ook hij zal zich de bevroren aardappels herinneren, hij zal zich de laatste keer herinneren voordat hij in de wagon stapte, en uiteindelijk, zal ik tegen hem zeggen, zie je wel, was dat de laatste keer niet...

Het is alsof hij al die tijd alleen is geweest.

Al heel vroeg werd hij naar de kamer gebracht die zijn zuster voor hem in orde had gemaakt en waar hij kon rusten, maar de maaltijd en de gesprekken gingen door tot de nacht inviel. Als we terugkomen in het hotel, een beetje aangeschoten en na te veel te hebben gegeten, zijn we vooral dieptriest. Niemand van ons heeft zin om te praten, we gaan meteen slapen. Het is niet zoals in Kotelnitsj, de kamers zijn oververhit, het is er om te stikken. Ik lig te woelen in mijn bed. Om de slapeloosheid te verdrijven lees ik de enige gedrukte tekst door die ik bij de hand heb: de vertaling van het medisch dossier. En ik ontdek iets wat me tot dusverre was ontgaan.

De eerste tien jaar van zijn opname was András Toma een nijdige, gewelddadige en tegendraadse patiënt. En potige jonge vent die ruzie zocht, op de muren schreef zoals iemand flessen in zee gooit, wanhopige berichten, aan niemand gericht, een patiënt die zijn cipiers scheldwoorden naar het hoofd slingerde. Een moeilijk geval. Maar halverwege de jaren vijftig veranderde hij, en die verandering valt samen met iets wat bij hem, in Hongarije, is gebeurd, iets wat de jonge psychiater me heeft verteld.

In zijn dorp, in het hele land was het leven weer op gang gekomen. De krijgsgevangenen waren teruggekeerd, druppelsgewijs. En wat degenen betrof die niet waren teruggekeerd, had men moeten besluiten hen dood te verklaren. Dat is een smartelijke, maar psychisch noodzakelijke rechtshandeling: een vermiste is een fantoom, de bron van een naamloze angst die in staat is zich aan een paar generaties mee te delen, terwijl er om een dode kan worden gerouwd, getreurd, het mogelijk is hem te vergeten. Op 14 oktober 1954, op de dag af tien jaar na zijn vertrek, wordt de overlijdensakte bij zijn familie afgeleverd. Dat heeft hij niet geweten, op de plek waar hij zich bevond, maar vreemd genoeg is alles gegaan alsof hij het had geweten. Van de ene dag op de andere, of bijna, heeft hij de strijd opgegeven. Hij is een gedweeë patiënt geworden. Altijd opgesloten in zichzelf, zonder met iemand om te gaan, mompelend in het Hongaars, maar rustig. Van het paviljoen met de onrustige patiënten werd hij overgebracht naar dat van degenen wier toestand stabiel was, de afdeling die we hebben bezocht met Vladimir Aleksandrovitsj, en vanaf die tijd valt er, tot de amputatie, niets meer te vermelden in zijn dossier.

Hij werd dood verklaard, en hij is gestorven.

2

Mijn drieënveertigste verjaardag heb ik gevierd tijdens de montage. Die dag, 9 december 2000, zei mijn moeder tegen me: Dat voelt raar, hoor, dat je de leeftijd van mijn vader hebt bereikt. Zoals je zegt: de leeftijd van Christus, en dan bedoel je de leeftijd waarop hij stierf. Ik heb niet gereageerd, niet meteen. Daarna heb ik de aantekeningen over mijn grootvader doorgekeken die ik sinds enige tijd verzamelde. Hij werd geboren in Tiflis, nu Tbilisi, op 3 oktober 1898, niemand weet of zal ooit weten wanneer hij is gestorven, maar 10 september 1944 is hij vermist geraakt in Bordeaux, kort voordat hij de leeftijd van zesenveertig jaar bereikte. Ik bedacht dat die rekenfout van mijn moeder me uitstel gaf: ik had nog haast drie jaar voor me, tot de herfst van 2003, om de schim die hij is een graf te geven, en daarvoor moest ik weer Russisch gaan leren.

Kort samengevat: mijn grootvader van moederszijde, Georges Zoerabisjvili, was een Georgische emigrant die begin jaren twintig in Frankrijk aankwam na in Duitsland te hebben gestudeerd. In Frankrijk heeft hij een moeilijk leven gehad, dat er door een eveneens moeilijk karakter niet gemakkelijker op werd. Hij was een briljant man, maar hij was ook somber en verbitterd. Zijn vrouw was een jonge Russische aristocrate die even arm was als hij, en hij had allerlei baantjes zonder er ooit in te slagen ergens in te burgeren. De laatste twee jaren van de bezetting werkte hij in Bordeaux als tolk voor de Duitsers. Bij de bevrijding kwamen onbekenden hem thuis arresteren en zij hebben hem afgevoerd. Mijn moeder was vijftien, mijn oom acht. Ze hebben hem nooit teruggezien. Zijn lichaam is nooit gevonden. Hij is nooit dood verklaard. Op geen enkel graf staat zijn naam vermeld.

Ziezo, dat is dan gezegd. Eenmaal gezegd stelt het niet veel voor. Een tragedie, ja, maar een banale tragedie waarover ik onder vier ogen zonder moeite kan praten. Maar het is niet mijn geheim, het is het geheim van mijn moeder, dat is het probleem.

Eenmaal volwassen is het onbemiddelde meisje met de onuitspreekbare naam onder de naam van haar man – Hélène Carrère d'Encausse – docente aan een universiteit geworden, en daarna de schrijfster van bestsellers over communistisch en postcommunistisch Rusland en over het Rusland van de tsaren. Ze werd gekozen als lid van de Académie française, waarvan ze momenteel secretaris voor het leven is. Aan deze uitzonderlijke integratie in een samenleving waarin haar vader als paria heeft geleefd en is gestorven, liggen een zwijgen ten grondslag en, zo niet een leugen, dan toch een ontkennen.

Dat zwijgen, die ontkenning zijn voor haar letterlijk van levensbelang. Die doorbreken betekent haar van het leven beroven, daarvan is zij op z'n minst overtuigd, en ik van mijn kant ben ervan overtuigd dat het, voor haar en voor mij, noodzakelijk is het toch te doen. Vóór haar dood, en voordat ik de leeftijd van de gestorvene heb bereikt; anders vrees ik dat ik zoals hij moet verdwijnen.

Mijn grootvader zou nu over de honderd zijn, en het is zeer waarschijnlijk dat hij een paar uur, een paar dagen of een paar weken na zijn verdwijning is afgemaakt. Maar jarenlang, tientallen jaren, heeft mijn moeder krampachtig geprobeerd – of het zich verboden dat te doen, maar dat komt op hetzelfde neer – zich het onvoorstelbare voor te stellen: dat hij nog ergens in leven was, dat hij misschien gevangenzat, dat hij op een dag terug zou komen. Nu, dat weet ik omdat ze het me heeft gezegd, droomt ze soms nog dat hij terugkomt.

Ik heb begrepen dat het verhaal van de Hongaar me zo heeft aangegrepen omdat het die droom belichaamt. Ook hij verdween in de herfst van 1944, ook hij schaarde zich aan de kant van de Duitsers. Maar hij kwam terug, na zesenvijftig jaar. Hij kwam terug uit een plaats die Kotelnitsj heet, waar ik naartoe ben gegaan en waarnaar ik, zo vermoed ik, nog eens terug zal moeten. Want voor mij is Kotelnitsj de plek waar iemand verblijft wanneer hij is verdwenen.

Beweren dat ik als kind Russisch heb gesproken, zou schromelijk overdreven zijn, maar ik heb die taal gehoord, ik ben erin ondergedompeld geweest en ik heb er een accent aan overgehouden dat de mensen met wie ik praat unaniem voortreffelijk vinden. Bij de eerste zin denken ze dat ik vloeiend Russisch spreek. Die eerste zin luidt vaak: *Ja otsjen plocho gavarjoe pa roesski* – ik spreek heel slecht Russisch –, en omdat mijn uitspraak zo goed is, worden die woorden opgevat als koketterie. Meteen bij de tweede zien ze zich genoodzaakt me gelijk te geven. Op het lycée heb ik Russisch gedaan, ik was er bar slecht in, en twintig jaar lang heb ik er niet meer aan willen denken. Russisch en Rusland waren het territorium van mijn moeder, dat ik maar liever niet wilde betreden. Maar sinds een paar jaar heeft de overtuiging postgevat dat Russisch leren of ophalen de sleutel zou zijn tot een beslissende verandering. Dat ik, door Russisch te spreken of weer te spreken, de schaamte achter me zou laten die mijn stem verstikt en eindelijk in de eerste persoon zou kunnen spreken. Om te zeggen dat je een taal vloeiend spreekt, zeg je *svobodno*, vrijuit, en dat is precies wat ik me voorstel: dat Russisch spreken me zal bevrijden.

Vijf jaar geleden heb ik al eens een poging ondernomen. Ik was aan een verhaal begonnen over een kind van wie de vader een misdadiger is. Het heeft me een jaar gekost om er eindelijk toe te komen het te schrijven en het grootste gedeelte van die moeizame totstandkoming heb ik, zonder precies te weten wat me dreef, besteed aan het leren van Russisch. Ik was er niet echt op uit om te praten, of dat durfde ik niet, maar ik las. Al vrij snel was ik in staat niet al te lastige teksten te ontcijferen. Verhalen van Tsjechov eerst, zoals *Zaal 6*, toen *Een held van onze tijd* van Lermontov, dat ik meenam naar het Karakoramgebergte in het noorden van Pakistan. Daar was ik naartoe gegaan om te wandelen met mijn vriend Hervé. We sliepen in kleine herbergen voor wandelaars, elektriciteit was er niet, ik las 's avonds bij het licht van een kaars en dat sloot precies aan bij dat verhaal over een reis door de Kaukasus in het begin van de negentiende eeuw. Eén zin herinner ik me in het bijzonder, een voorbeeld van meesterschap in het beschrijven zonder omhaal van woorden: de bergen, zegt de verteller, zijn zo hoog

49

dat, ook al richt je je blik naar omhoog, je nooit ziet dat de vogels zich aftekenen tegen de lucht.

Niet alleen de beroemde roman stond in het boek dat ik met me mee sjouwde, maar ook een bloemlezing versregels waartussen ik, op goed geluk bladerend, op deze stuitte:

Spi mladenets, moj prekrasny,
Bajoesjki bajoe...

Slaap m'n kind, m'n lieve kleine,
Slaap maar, slaap maar gauw...

Ik herkende die regels onmiddellijk. En ook de melodie kwam terug, want het is niet alleen een gedicht, maar een wiegelied. Een kozakkenliedje dat alle Russische kinderen kennen en dat, toen ik klein was, iemand voor me zong. Mijn moeder? Mijn *njanja*? Ik weet het niet, alles wat ik weet is dat ik nu nog steeds bijna ga huilen als ik het hoor – of eigenlijk, niet wanneer ik het hoor, want er is niemand meer om het voor me te zingen, maar wanneer ik het zing, zachtjes voor me uit. En ik weet dat ik nu probeer gestalte te geven aan de emotie die me overspoelt wanneer ik dat wiegelied neurie, dat wil zeggen wanneer de kindertijd waarvan ik me niets herinner, in me weer tot leven komt.

Ik wilde het uit mijn hoofd leren. Steeds weer oefende ik, dag in dag uit, ik paste er mijn voetstappen aan aan al wandelend in de Himalaya, en het lukte me niet. Toch is het niet zo lang: zes coupletten van zes regels, dat wil zeggen zesendertig regels waarvan ik begrijp wat er staat en die, met behulp van de melodie, een gemiddeld geheugen niet te boven zouden moeten gaan. Het mijne is uitstekend, maar het bleek dat in het Russisch, nee, het lukte me niet. Iets, of iemand, diep in mezelf, weigerde dat geschenk.

En dan haal ik dus, vijf jaar later, uit een andere boekenkast, in een andere flat, met een andere vrouw, de Tsjechov, de Lermontov en de oefeningen tevoorschijn waarnaar ik niet meer heb omgekeken sinds ik *De sneeuwklas* heb voltooid. De grammaticathema's, de eerste tot en met de laatste, had ik indertijd met potlood gemaakt, en om het boek te kunnen hergebruiken moet ik mijn antwoorden uitgommen. Dat doe ik in bed, pagina na pagina, soms kreukelen ze, de korreltjes vlakgom regenen op de lakens. Sophie, geamuseerd, ziet me bezig. Ik voel me levend onder haar blik.

Na mijn terugkeer uit Hongarije is Sophie in de rue Blanche komen wonen. Zij had liever gewild dat we samen een nieuwe flat hadden gezocht, maar daar bracht ik tegen in dat mijn appartement heel comfortabel is, heel ruim, niet ver van waar mijn zoons wonen, en zonder verleden of schim want sinds ik bij hun moeder ben weggegaan, woon ik er alleen, en 'mijn huis' is probleemloos 'ons huis' geworden. Sophie zegt graag 'bij ons', 'thuis'. In het telefoonboek van haar mobiele telefoon, waarin mijn nummer voortaan ons nummer is, heeft ze 'Emmanuel' vervangen door 'huis'. Ik was bang dat het me na dertien jaar huwelijk moeite zou kosten me weer in een gemeenschappelijk leven te begeven, maar met haar vind ik dat heerlijk. Ik houd van de liefde met haar, en ook van het samen met haar inslapen, het met haar wakker worden, met haar lezen in bed, het voor haar klaarmaken van het ontbijt, het tegen haar praten wanneer ze in bad gaat als ze terugkomt van haar werk, ik zit graag met haar op een terras in de rue Lepic, doe graag boodschappen met haar op de markt. De markt samen met haar blijft wat mij betreft een van de heftigste erotische ervaringen ooit. We staan samen bij de groentekoopman, we zijn allebei bezig met iets anders, ik met het uitkiezen van vruchten, zij van een krop sla, en wanneer ik opkijk, kruisen onze blikken elkaar, ik begrijp dat ze me gadesloeg, we glimlachen naar elkaar en ze zegt dat het is of ik in haar kwam, daar, waar iedereen bij is. Ik zie graag hoe de kooplui, de bezoekers van het café naar haar kijken, naar haar schoonheid. Ze is groot, blond, met een zwanenhals, haar dat krult in haar nek, een sublieme houding, en tegelijkertijd heeft ze iets zo opens, zo gewoons dat iedereen haar graag bloemen zou geven of speelse complimentjes maken. Ik vind dat het bijvoeglijk naamwoord 'stralend' haar op het lijf is geschreven. Ik vind het leuk dat ik word benijd omdat ik degene ben van wie ze houdt. Tot dusverre ben ik nooit echt opgebloeid in de liefde, maar dit keer heb ik het gevoel dat dat wel zo is.

Toch is het niet zo. Zo is het nooit, bij mij, nooit blijvend. Een liefde hoeft maar hetzij mogelijk, hetzij gelukkig te zijn of na drie maanden kom ik tot de ontdekking dat die liefde onmogelijk is. Ik begin te geloven dat de vrouw van wie ik houd niet de ware voor me is, dat ik op de verkeerde weg ben, dat er elders iets beters te vinden zou zijn, dat door met haar te leven alle andere vrouwen onbereikbaar voor me geworden zijn. En Sophie op haar beurt voelt zich onmiddellijk vernederd. En vernedering, dat is voor haar een oud zeer. Ze is vorstelijk, maar tegelijkertijd een meisje van het volk. Haar vader is pas lang na haar geboorte met haar moeder getrouwd. In de kliniek was haar moeder alleen en ze huilde omdat er niemand was aan wie ze haar baby kon laten zien. Sophie voelt zich een onecht kind, afgewezen. Het duurt even voordat ik dat begrijp, en ook dat ik in haar ogen behoor tot de zowel sprookjesachtige als verfoeilijke kring van degenen die, zegt ze, bij hun geboorte alles hebben meegekregen: beschaving, sociale vaardigheden, het beheersen van de codes, waaraan het te danken is dat ik in vrijheid mijn weg heb kunnen kiezen en in mijn leven mijn eigen dingen heb kunnen doen, in mijn eigen tempo. Onze levens zijn anders, onze vrienden ook. De meeste van mijn vrienden doen iets op het gebied van de kunst, en als ze geen boeken schrijven of films maken, als hun werk bijvoorbeeld te maken heeft met het uitgeven van boeken, betekent dat dat ze aan het hoofd staan van een uitgeverij. Terwijl ik vriendje ben met de baas, is zij het met de telefoniste. Zij, en voor haar vrienden geldt hetzelfde, maakt deel uit van het deel van de bevolking dat elke ochtend de metro neemt om naar kantoor te gaan, dat een maandabonnement heeft voor het openbaar vervoer, kantinebonnen, dat cv's rondstuurt en vakantie moet aanvragen. Ik houd van haar, maar ik houd niet van haar vrienden, ik voel me niet op mijn gemak in haar wereld, die de wereld is van de eenvoudige werkende klasse, mensen die 'groter als' zeggen en die naar Marrakech gaan met de ondernemingsraad. Ik ben me er terdege van bewust dat ik met dat oordeel een oordeel over mezelf uitspreek, en dat het een onaangenaam beeld van me schetst. Ik ben niet alleen maar dat norse mannetje dat grootmoedigheid ontbeert. Ik kan openstaan voor anderen maar steeds vaker zet ik mijn stekels op, en dat neemt ze me kwalijk.

We gaan eten bij vrienden van mij, in de Marais. Iedereen kent elkaar, iedereen zit min of meer in de filmwereld en is min of meer even geslaagd en bekend. Als ik aankom met mijn nieuwe verloofde, gebeurt er iets, iets wat telkens weer gebeurt en waarvan ik intens geniet. Alsof iemand de ramen wijd open heeft gezet, alsof voordat zij binnenkwam het vertrek kleiner was, somberder, bedompter. Ze staat meteen in het middelpunt. In haar buurt lijken alle meisjes, zelfs de knapste, dicht te klappen. Ik voel dat de mannen me benijden, zich afvragen waar ik dat exemplaar vandaan heb, en uit het feit dat ze niet helemaal gewend is aan de normen van ons kleine kringetje, dat ze wat te luid lacht, wat te veel de aandacht trekt, blijkt hoe vrij ik ben, me niets aantrek van de endogamie die bij ons regel is.

Maar dan komt het moment, aan tafel, waarop iemand aan Sophie vraagt wat ze voor werk ze doet en waarop zij moet antwoorden dat ze bij een uitgeverij werkt die schoolboeken maakt, nou ja, onderwijs ondersteunende boeken. Ik voel dat het haar zwaar valt dat te zeggen, en ook ik had liever gehad dat ze kon zeggen: ik ben fotografe, of vioolbouwster, of architecte, niet per se een deftig of prestigieus vak, maar een vak waarvoor ze gekozen zou hebben, een vak dat je uitoefent omdat je het leuk vindt. Zeggen dat je onderwijs ondersteunende leerboeken maakt of dat je achter het loket zit bij de sociale dienst, betekent: ik heb niet gekozen, ik werk om mijn brood te verdienen, ik ben onderworpen aan de wet van de materiële noodzaak. Dit geldt voor de overweldigende meerderheid van de mensen, maar allen rond deze tafel ontsnappen aan die wet, en hoe langer het gesprek voortduurt, hoe meer ze zich buitengesloten voelt. Ze wordt agressief. En voor mij die zo verschrikkelijk afhankelijk ben van de blik van de ander, is het alsof ze zienderogen aan waarde inboet.

Over deze maatschappelijke kwestie die ons leven vergalt, zeg ik tegen mezelf en tegen haar iets wat een beetje hypocriet is. Ik zeg dat het niet mijn probleem is, maar het hare. Dat ik van haar houd zoals ze is, het stoort me niet dat ze nadat we bij mensen gegeten hebben waar iemand met aanstekelijk enthousiasme over de romans van Saul Bellow praatte, met haar wat kinderlijk handschrift in haar agenda noteert: 'Solbelo lezen.' Wat ik wel ergerlijk vind is haar rancune, dat ze zich voortdurend gekwetst voelt. Dat wordt moeizaam, op den duur. Ik heb er genoeg van om in de rol te worden geduwd van de welgestelde die nooit voor iets heeft hoeven knokken, en dat ze zichzelf de rol toebedeelt van het meisje uit het proletariaat dat eeuwig en altijd de kous op de kop krijgt. In de eerste plaats is het niet waar. Ook ik heb moeten knokken, en hard ook, al is het dan niet op het maatschappelijke vlak. Sophie is niet van proletarische afkomst, ze komt uit een wat eigenaardig bourgeoisgezin, haar vader is een soort rechtse anarchist die leeft als een natuurmens in een gebied van driehonderd hectare in het departement Sarthe. En, voeg ik eraan toe: ook al was het waar, er bestaat zoiets als vrijheid, het lot van een mens ligt niet bij voorbaat volledig vast, wat is dat voor flauwekul à la Bourdieu?

Op dat punt lieg ik tegen haar en tegen mezelf, in de eerste plaats omdat ik er diep in mezelf niet in geloof, in vrijheid. Ik voel me in dezelfde mate bepaald door psychisch ongeluk als zij het is door maatschappelijk ongeluk, en iedereen mag me komen vertellen dat dat ongeluk zuiver denkbeeldig is, dat neemt niet weg dat het een zware last is in mijn leven. En ik lieg nog op een ander punt: wanneer ik zeg dat zij de enige is die zich schaamt. Helemaal niet.

Op een dag zegt ze dit zinnetje dat me diep raakt: ik ben niet het soort vrouw met wie je trouwt. En ik zeg bij mezelf: ik zal met je trouwen.

Dat heb ik tegen mezelf gezegd, ja, maar niet tegen haar. Integendeel, op een dag heb ik iets anders gezegd waarop ik niet trots ben. Dat was bij ons thuis, een geïmproviseerde maaltijd na een borrel. Een stuk of tien mensen die met ons mee waren gekomen, liepen heen en weer tussen de zitkamer en de keuken, waar ik pasta klaarmaakte. Achter me zei iemand, terwijl hij een fles opentrok, dat we werkelijk een mooi paar waren, dat je je prettig voelde bij ons, en vervolgens deed een of andere idioot er nog een schepje bovenop: Nou, wanneer gaan jullie een kind maken? Ik had die opmerking kunnen negeren maar zonder aarzeling, zonder me om te draaien, antwoordde ik: O nee, vergeet het maar. Ik zou het best begrijpen als Sophie een kind wilde, maar daarvoor zal ze bij iemand anders moeten zijn, niet bij mij. – Nou, dat is dan op z'n minst duidelijk, zei, enigszins verbluft, de idioot, die trouwens geen idioot was maar een raar, onguur type met de kop van Guy Georges, de moordenaar in het oostelijk deel van Parijs, en van wie je je best kon voorstellen dat hij een seriemoordenaar was. Concluderend uit mijn antwoord dat Sophie niet werd bemind zoals ze dat verdiende, begon hij haar meteen de volgende dag hardnekkig het hof te maken, wat naarmate de weken verstreken ontaardde in stalking. Hij belde haar iedere dag, wachtte uren op haar in het café tegenover haar kantoor. Tegenover mij beklaagde ze zich daarover, maar ze beklaagde zich vooral over het feit dat ik hem zo duidelijk te verstaan had gegeven dat de kust vrij was.

Ik vertel mijn moeder dat ik weer Russisch ga doen, dat ik een vaag project heb waarin mijn Russische wortels centraal zouden staan. Mooi zo, zegt ze, maar ik voel dat het haar verontrust. Het zou inderdaad mooi zijn om het over mijn Russische wortels te hebben, over mijn Russische voorouders die, van mijn moeders zijde, allemaal prinsen, graven, opperkamerheren, hofdames van de tsarina zijn. Hun portretten, waarop ze staan afgebeeld behangen met onderscheidingen, heb ik van jongs af gezien aan de wanden van het appartement in de rue Raynouard waar ik ben opgegroeid, en nu mijn ouders verhuisd zijn naar de quai Conti, gaan die portretten heel goed samen met die van de leden van de Académie uit het verleden. De schandalen en fratsen van de geportretteerden zijn pittoresk. Prinses Panina baarde opzien door in de salons van Sint-Petersburg met wolven rond te lopen. Graaf Komarovski, die ondergouverneur van Vjatka is geweest, had de gewoonte zijn gesprekspartners uit het raam te gooien als hij zich kwaad maakte. Een andere graaf Komarovski, een vechtjas die in alle oorlogen heeft gevochten, in de Transvaal, in Mantsjoerije en op de Balkan, en van wie de foto's, waarop hij doorgaans op een paard zit, bij mij altijd veel sympathie hebben gewekt, kwam aan zijn einde doordat hij door de revolutionairen in een put werd gegooid. Zijn lot is tragisch, maar roemrijk. Met die kleurrijke figuren, die allen voorkomen in het adelboek, zou je een geweldige historische roman kunnen schrijven, maar mijn moeder vermoedt wel dat ik die geweldige historische roman niet wil schrijven, dat mijn belangstelling uitgaat naar wat onbesproken moet blijven.

Ik ga bij Nicolas, mijn oom, op bezoek. Ik heb het gevoel, maar misschien is dat niet echt zo, dat ik alles wat ik over mijn grootvader weet, door hem te weten ben gekomen. Wat ik van mijn moeder heb doorgekregen, is wat ik niet weet, wat beschamend is en angstig en wat me doet verstijven wanneer mijn blik de hare ontmoet. Van mijn hele familie staat Nicolas me het naast. Daarbij speelt een rol dat hij veertien was toen zijn moeder stierf, dat zijn zusje en hij verder niemand hadden op de wereld en dat zij hem heeft grootgebracht. Ze is niet alleen zijn zuster geweest maar evengoed zijn moeder, en dat maakt dat hij mijn oom is maar evengoed mijn broer. Samen hebben we het vaak genoeg over die grootvader gehad, over het geheim, over wat daarvan doorschemert in de boeken die ik heb geschreven, zodat hij niet verbaasd is als ik het daar nu nog eens over wil hebben. Hij zet de schoenendoos vóór me neer waarin hij alles bijeen heeft gebracht en geordend wat hij aan familiearchief bezit, en in het bijzonder de *perepiska roditelej*, de briefwisseling van de ouders. Ik begin die documenten nauwkeurig te bestuderen. Ik maak aantekeningen.

Georges Zoerabisjvili werd geboren in Tiflis, in een gezin uit de ontwikkelde bourgeoisie. Zijn vader, Ivan, is rechtsgeleerde, zijn moeder, Nino, heeft Georges Sand in het Georgisch vertaald. De familiefoto's laten snorren en tulbanden zien, je vermoedt rozenkransen van barnsteen tussen hun vingers. Het riekt naar de Orient, maar ook naar de ernst die intellectuelen in de gekoloniseerde landen kenmerkt. Georgië, lange tijd twistappel tussen Turken en Perzen, maakte sinds een eeuw deel uit van het Russische tsarenrijk. Tijdens de revolutie van 1917 maakten de mensjewieken er de dienst uit, in 1918 kondigt Georgië zijn onafhankelijkheid af, die de jure door de westerse democratieën wordt erkend. De familie Zoerabisjvili juicht. Als vurige patriotten zijn ze doordrongen van de verantwoordelijkheden die die onafhankelijkheid hun oplegt. De eerste daarvan is de beheersing van hun nationale taal. 'Een vreemde taal spreken in een onafhankelijk land zou smadelijk zijn,' schrijft Nino in een brief aan de oudste van haar drie zonen, Artsjil, die een opleiding voor ingenieur volgt in Grenoble. En in dezelfde brief vermeldt ze de vernedering van Georges, de jongste, toen deze als tolk optrad tijdens een Brits-Georgische conferentie en zich genoodzaakt zag alles in het Russisch te vertalen omdat hij het Georgisch niet voldoende beheerste. In feite lijkt zij, en niet hij, dit voorval als vernederend te hebben ervaren. De Georgische taal en cultuur, het Georgische patriottisme, in zijn ogen was het allemaal provinciaal. Zijn hele familie schrijft in het Georgisch, maar hij in het Russisch. Er is een eveneens aan zijn broer Artsjil gerichte brief van hem uit die tijd. Over alles, de de jure erkenning die voor zijn familie zoveel betekent incluis, spreekt hij met een ironie die gekunsteld aandoet. Op zijn drieëntwintigste speelt hij de cynische diplomaat, de lichtzinnige dandy die wars is van elke vorm van pathos en sentimentaliteit, en die van zichzelf vindt dat hij 'gecompliceerd, weinig oprecht, oppervlakkig' is. Die houding stuitte zijn ouders uiteraard tegen de borst. Wanneer Nino haar zoon die in Grenoble zit schrijft, herhaalt ze voortdurend hoe groot haar vertrouwen is in haar lieveling, haar aanbiddelijke Artsjiliko (vader en moeder richten zich tot hun zoon met ontroerende tederheid en een overdaad aan verkleinwoorden): hij is een serieuze, betrouwbare jongen. Maar ze maakt zich zorgen om Georges, vanwege zijn zelfzuchtige, luie en spotzieke aard. De jongeman over wie het gaat en die over zichzelf spreekt in die bewoordingen, is ook nog eens trots op zijn slechte reputatie, waarin hij een teken ziet dat duidt op een bijzondere persoonlijkheid. Hij voelt zich, dat merk je, verheven boven zijn broers, verheven boven iedereen. Nog geen tien jaar later wordt bewaarheid wat zijn ouders al voelden aankomen: de briljantste van de drie zal het niet verder brengen dan mislukkeling van de familie.

Ten tijde van de onafhankelijkheidsverklaring van Georgië geloven de Sovjets in de wereldrevolutie en de emancipatie van de naties. Het bloedige echec van de spartakisten in Duitsland zal Lenin ertoe brengen van doctrine te veranderen: de revolutie zal zich voltrekken in één enkel land, dus dat kan dan maar beter een groot land zijn. In 1921 wordt Georgië weer ingelijfd. De democratieën laten een zwak protest horen. De Zoerabisjvili's kiezen de weg van de ballingschap. Ze brengen drie jaar door in Istanbul. Georges gaat studeren in Berlijn. Politieke economie, handelswetenschap, filosofie, dat blijft duister, en zijn briefwisseling met zijn moeder heldert niets op. Ze weten niet wat hij precies doet, of hij zijn examens wel of niet haalt, zij verwijt hem dat, waardoor hij zich nog meer op de vlakte gaat houden. Ook Nabokov was in die tijd in Berlijn en als ik de brieven van mijn grootvader lees, denk ik dat Nabokov het soort personage is dat hij, zonder hem, Nabokov zelf, of zijn boeken, te hebben gekend, trachtte te zijn: een man die naar alles kijkt met hooghartige blik, een spottende dandy. Maar Nabokov was overtuigd van zichzelf en van zijn genialiteit, en welke de beproevingen ook mochten zijn die hij tegenkwam op zijn pad, je voelt duidelijk dat hij elke ochtend als hij wakker werd God dankte voor het unieke voorrecht te zijn geboren in de huid van Vladimir Nabokov, terwijl je bij mijn grootvader, zelfs in zijn jonge jaren, een onzekerheid en een gebrek aan zelfvertrouwen vermoedt die mij bekend voorkomen: ik heb die ook.

In 1925 voegt hij zich bij zijn verwanten in Parijs. De vader heeft werk gevonden als rayonchef bij Le Bon Marché, ze leven, met hun vijven in twee kleine vertrekken, het leven van arme emigranten, maar de twee andere broers voltooien hun ingenieursstudie en staan algauw aan het begin van een echte loopbaan: de ene zal dammen gaan bouwen, de andere gaat werken bij Ford. Hoewel ze trouw blijven aan de Georgische gemeenschap, waarvan ze tot hun dood steunpilaren zullen zijn, raken ze volledig opgenomen in de Franse samenleving. Georges niet. Nog steeds weet ik niet precies welke diploma's hij in Duitsland gehaald heeft, maar welke dat ook mogen zijn, in Frankrijk zijn ze niet geldig, zodat hij niet verder komt dan onbelangrijke baantjes. Zijn broers probeerden hem te helpen, maar hij liet zich niet gemakkelijk helpen: te trots, te lichtgeraakt, te gevoelig.

Een poosje was hij taxichauffeur, en dat is een van de weinige dingen die mijn moeder graag over hem vertelt, een van de weinige dingen die ik als kind over mijn grootvader te weten ben gekomen. Taxichauffeur in Parijs in de jaren twintig, dat is nog wel chic, dat is Russische vorst. In zijn taxi, zegt ze, bracht hij het grootste deel van zijn tijd door met lezen, filosofische werken, en als iemand vroeg of hij vrij was, antwoordde hij op geërgerde toon dat dat niet het geval was, dat hij zijn hoofdstuk wilde uitlezen. Hij hield van ideeën, van essays meer dan van romans, en het lezen van een boek betekende voor hem in discussie gaan met de auteur. Met wie hij het eens was of die hij uitschold, de kantlijnen krabbelde hij vol met opgewonden notities ('Heb je dat helemaal zelf bedacht, gevaarlijke idioot?'), en wanneer hij iemand van vlees en bloed, en van zijn niveau, trof met wie hij kon praten, deed hij niets liever dan de hele nacht lang felle politieke en filosofische discussies voeren onder het drinken van liters thee en het roken van de ene sigaret na de andere: een echte Russische intellectueel, die hautain neerkeek op de realiteiten van alledag.

Onder het Ancien Régime was het van een huwelijk tussen mijn grootouders van moederszijde nooit gekomen en hadden ze elkaar waarschijnlijk nooit leren kennen. Hij was een niet-adellijke Georgiër, zij behoorde tot de hoge Europese aristocratie. Haar vader was Pruisisch, haar moeder Russisch, en mijn vader vindt niets zo heerlijk als het opnoemen en becommentariëren van hun stambomen vol titels, enorme landgoederen en kleurrijke namen. Baron Viktor von Pelken en zijn echtgenote, geboren gravin Komarovskaja, woonden noch in Pruisen noch in Rusland, maar in Toscane, in een prachtig huis dat ik ooit heb bezocht. Naar het schijnt is het een ongelukkig huwelijk geweest en toen mijn overgrootmoeder een tweede kind ter wereld bracht, dat niet van haar man was, maar van de eerste tuinman, zijn ze gescheiden, wat in hun tijd en in hun kringen niet echt gebruikelijk was. Baron von Pelken ging terug naar Berlijn, wat betekende dat hij zijn dochter nogal vreugdeloos liet opgroeien tussen een hardvochtige moeder, een halfbroer die werd voorgetrokken boven haar en een leger bedienden. Dit clubje leefde van de opbrengst van uitgestrekte landerijen in Rusland, en toen die landerijen ten gevolge van de revolutie werden geconfisqueerd zodat die inkomsten wegvielen, stuurde mijn overgrootmoeder eerst de bedienden weg, verkocht daarna het huis, en doordat ze de opbrengst van de verkoop onverstandig had belegd, was ze binnen een paar jaar volledig geruïneerd. Aangezien de drie leden van het gezin elkaar niet mochten, scheidden hun wegen zich en Nathalie von Pelken, die als jong meisje niet gelukkig was geweest maar op z'n minst een rijke erfgename had zullen zijn, kwam in 1925 aan in Parijs, zowel volledig berooid als alleen op de wereld. Haar voornaamste troef om het in Parijs te kunnen redden was dat ze vijf talen sprak: Russisch, Italiaans,

Engels, Duits en Frans. Verder had ze voornamelijk aquarelleren geleerd. Door hoe ze eruitziet, haar gezicht een volmaakte ovaal omlijst door het in het midden gescheiden haar, lijkt het adellijke maar arme Russische meisje met zwakke gezondheid zo weggelopen uit een familiepension voor jonge meisjes zoals beschreven door Katherine Mansfield: 'Onze Natalja Viktorovna...'

Hij schreef haar brieven van vijfentwintig, dertig kantjes. Daarin vergelijkt hij hun liefde met een tuin waar hij zich beschermd weet tegen de wisselvalligheden van een leven doorgebracht met rondrennen als een redeloos dier op zoek naar voedsel in een stoffige, vijandige stad waar een oorverdovend rumoer heerst. In die verrukkelijke tuin, bij zijn Natasja, vindt zijn ziel korte momenten van rust, maar die opwellingen van vervoering en vertrouwen beletten hem niet zich tegenover zijn verloofde af te schilderen als 'iets onherroepelijk verrots', overgeleverd aan een dodelijke apathie, ten prooi aan verschrikkelijke golven van verdriet die in hem opwellen, opwellen, de zon verduisteren, de klanken en kleuren verstikken, het leven verzieken. Nicolas heeft hele bladzijden van die brieven voor me vertaald en ik heb die overgenomen. Het is moeilijk er stukken uit te citeren omdat het gaat om de koortsige, steeds terugkerende emotie. Toch laat ik hier een fragment volgen: 'Mijn hart is hard en koud geworden als staal, en als er niet de aanraking was van jouw handje, het enige wat het nog in staat is te voelen, zou het zelfs de gedachte aan strijd volledig zijn vergeten. Als het, dat hart, levend en warmbloedig was zoals het hart van andere mannen, en niet koud en hard als staal, zou het al lang geleden gebroken zijn, was het bloedeloos geworden en had het bloed zich verspreid door de afgrijselijke woestenij die het heeft gewurgd in haar grauwe, kille greep. Wat, Natotsjka, zou er worden van het hart van een gewone man die levend is en warm, als hij gevangenzat in die grauwe en kille wurggreep waaruit alleen horden afzichtelijke spookbeelden opdoemen – lelijke spookbeelden die zwijgen, maar die juist door hun zwijgen, hun gesmoorde hoongelach, hun knipogen, hun zo schaamteloos spottende manieren, zulk een duidelijke en begrijpelijke taal spreken –, de schimmen van alle vermoorde of verminkte verwachtingen, de schimmen van alles waarin de zuivere ziel van mijn jonge jaren geloofde, de schimmen van alle leugenachtige laagheden van het leven –, die schimmen die me met hun klankloze lippen zo duidelijk zeggen: Nou, wat heb je bereikt? Heb je ook maar iets gekregen van wat je wenste? Dat zul je nooit krijgen. Nooit, hoor je me, nooit. Begrijp je dat woord: nooit? Wat heeft het voor zin dat je schreeuwt: Kom maar tevoorschijn, kom allemaal maar tevoorschijn, ik ben bang voor niemand, ik wil jullie zien, één voor één, gezicht na gezicht! Er zal niemand tevoorschijn komen, waarom zouden we? Wij zijn de kleinen, de onbeduidenden, we zijn niet trots, we zoeken geen twist, wij hebben dat niet nodig om je levend op te peuzelen, m'n valkje. We hebben er te pakken gehad die heel wat sterker waren dan jij. Eén voor één? En waarom zouden we daaraan gehoor geven? Waarom dan? Daarin ligt niet onze kracht, wij gaan behoedzaam te werk, stapje voor stapje. Wij zijn de menigte, wij zijn met legioenen legioenen, wij zijn de hele wereld, en jij, wie ben jij? Jij bent alleen – wij zijn de hele wereld en jij, jij bent alleen, begrijp je dat? Zwaai maar met je armen, zwaai maar zoveel als je wilt – wij wachten, wij hebben geen haast, wij zijn kleine luiden. Schreeuw dus maar, m'n valkje, schreeuw en gebaar – wij wachten, wij zijn niet trots, wij zijn niet zoals jij, jij die je verbeeldde dat de wereld was geschapen om jou je dromen te laten verwezenlijken. Hij denkt dat hij slim is! Daarin, jochie, ligt niet onze kracht, wij gaan behoedzaam te werk, kalm – eerst sturen we er één op je af, dan nog een, dan een derde, dan een tiende, en opeens merk je dat er een hele menigte is. Wel, zo zetten we ons op je, allemaal samen, in groten getale, om je te vermorzelen. En iedereen zal zich bij ons aansluiten – zelfs degenen die je het naast stonden, ook zij zullen met ons zijn. En met jou, jochie, wie zal er met jou zijn? Niemand. Want met fraaie, verheven dromen vul je niemands maag – en ook al geloofde je er zelf in, in je dromen? –, geloof je er op z'n minst in? Geloof je werkelijk dat je een rivier van de zee naar de bergen kunt laten stromen, kunt maken dat de zon zich verplaatst van het westen naar het oosten? Geloof je dat? En je verdriet, nou, waar komt dat vandaan? En de dodelijke uitputting van je ziel? En die vouw van wanhoop in je mondhoek? Weet je het niet, dat alles wat je met je hand hebt aangeraakt is veranderd in vernietiging en rampspoed? Heb je het nog steeds niet begrepen, valkje? Je bent alleen, helemaal alleen, niemand begeleidt je en niemand volgt je. Gebaar je nog steeds? Toch weet je het al, dat wanneer je niet meer in staat zult zijn om te gebaren, wij dan met ons allen paraat zullen staan, fris en monter, om je te vermorzelen met ons gewicht en ons aantal. En wie zal je verdedigen? Niemand zal je verdedigen – omdat je hen werkelijk te veel hebt beledigd met je duivelse arrogantie. Je bent helemaal alleen, met je verheven dromen. Terwijl wij, wij zijn misschien klein, maar wij zijn de massa – o, welk een massa! En jij, valkje, jij gebaart maar...'

De man die dit schrijft in een liefdesbrief aan zijn verloofde, is dertig jaar. Hij ziet zichzelf al als een mislukkeling, een verloren man, en verloren niet alleen vanwege de tegenspoed die hem belet in de samenleving een plaats te vinden die hem waardig is, maar ook doordat er iets zieks, iets verrots in hem zit wat hij 'mijn constitutioneel gebrek' noemt of, minder plechtstatig, 'mijn gekte'. Pech achtervolgde hem, de wereld was hem vijandig gezind, maar hij was vooral de vijand van zichzelf, dat wordt hij niet moe te herhalen op een toon en in een ritme, zoals ik vaststel wanneer ik deze regels overneem, die precies de toon en het ritme zijn van de man uit het ondergrondse wiens angst, spitsvondige wanen en rabiate zelfhaat Dostojevski heeft opgeschreven.

De briefwisseling tussen mijn grootouders strekt zich uit over een langere periode dan alleen hun verlovingstijd, wat nogal merkwaardig is. Ze trouwen in oktober 1928, hun dochter Hélène, mijn moeder, wordt op 6 juli 1929 geboren, en nog geen jaar later beginnen de brieven opnieuw, en met nog grotere frequentie. De reden daarvan is dat ze al heel snel uit elkaar zijn gegaan. Die scheiding wordt ten dele door materiële oorzaken verklaard. Ze waren te arm om een, zelfs klein, appartement te kunnen huren, en het kwam vaak voor dat menslievende vrienden Nathalie en haar dochter onderdak boden in een rommelkamer waar voor Georges geen plaats was. Hij vond elders een onderkomen, in een hotel of op de bank van weer andere vrienden, en zijn rampzalige baantjes voerden hem op lange rondreizen door de provincie, waarvan hij met verbitterde ironie uitvoerig verslag doet. De kern van de zaak evenwel is dat hij het gezinsleven niet verdroeg, en zeker het gezinsleven in armoede niet. De dagelijkse sleur ervoer hij als krenkend, hij voelde zich erdoor beknot. Door de last van verantwoordelijkheden moest hij zijn aspiraties laten varen en om een karig loon te verdienen een benepen en afmattend leven leiden.

Maar wat waren die dan, zijn aspiraties? Die verheven dromen waarvan de vijandigheid van de wereld en zijn eigen aard de verwezenlijking in de weg stonden? Wat had hij gewild, idealiter gezien? Literatuur, politiek, journalistiek? Dat blijft duister, en ik heb niet het gevoel dat het leven hem heeft verhinderd een duidelijk omschreven roeping te volgen. Zijn armoede betekende vernedering, maar hij droomde er niet van om fortuin te maken. Hij schreef koortsachtig eindeloze brieven, maar voor zover ik weet heeft hij nooit een tekst aan een uitgever aangeboden en zelfs niet aan een krant. Ik denk dat hij vooral gerespecteerd had willen zijn. Belangrijk. Zichtbaar. Bestaan in de ogen van anderen. Niet worden gezien als een mislukkeling, een man die zijn leven lang op een houtje zal bijten.

Hij schreef niet alleen aan zijn vrouw, noch alleen in het Russisch. De doos met de *perepiska roditelej* bevat een pak brieven in het Frans, geduldig achterhaald door Nicolas bij correspondenten die vooral correspondentes waren: twee of drie dames uit de gegoede Franse bourgeoisie tot wie hij zich soms richt op de toon van de schuchtere aanbidder, soms op die van de tiranieke raadsman, vaak in beide toonaarden tegelijk. Mijn moeder erkent, zonder hem dat kwalijk te nemen, dat hij een rokkenjager was, maar hij lijkt niet zozeer op zoek te zijn geweest naar maîtresses maar vooral naar confidentes bij wie hij zijn hart kon uitstorten, naar tedere vriendschapsbanden met vrouwen die allen gemeen hadden dat ze minder dan hij gebukt gingen onder het onterend juk van de noden van het dagelijks leven. Hij hield van hun verfijnde manieren, van hun appartementen die, zonder per se weelderig te zijn, geen krotten waren. Hij was aan lagerwal geraakt, en dat leven woog hem verschrikkelijk zwaar. Van die last bevrijdde hij zich in brieven die in het Frans algauw even labyrintisch en gewrongen werden als in het Russisch. Lange, kronkelige zinnen vol herhalingen en met een overdaad van gedachtestreepjes en haakjes hollen achter de gedachte aan en lijken kreupel totdat hij ze weer op hun pootjes terecht laat komen in een uitbarsting van wrede zelfspot.

Die brieven, met potlood neergekrabbeld aan cafétafels, na de taxi-periode, zijn zo ongeveer overal in Frankrijk en België op de post gedaan. Welk vak oefende hij nu eigenlijk uit? Handelsreiziger? Standwerker? Hij heeft het over kramen die hij opbouwt en afbreekt op markten, over bazen die hem uitbuiten. Aanvankelijk is hij vastbesloten die penibele en slecht betaalde ervaringen te zien als, inderdaad, ervaringen, als een sport die het karakter staalt. Hij wil graag daadkrachtig zijn, nietzscheaans, maar algauw steekt ontmoediging de kop op. Alles is gecompliceerd. Wanneer hij in Parijs is, verblijft hij in een gribus in de rue de Malte. Nathalie en de kleine Hélène hebben onderdak gevonden bij vage kennissen in Meudon, maar die vage kennissen zeggen dat dat niet eeuwig kan duren, hij vreest het gemeenschappelijke leven weer te moeten opnemen – en dat, vertrouwt hij een van zijn correspondentes toe, zou 'voor iedereen de onaangenaamste oplossing' zijn.

Wat weet ik van de kleine Hélène, mijn moeder, in die periode? Ze wordt Poussy genoemd, iedereen is verrukt van haar levendigheid. Foto's zijn schaars, dat was destijds een luxe, maar op die schaarse foto's is ze schattig. Tot haar vierde jaar – dit zijn haar eigen woorden – spreekt ze geen Frans. In de emigrantengemeenschap waarin ze opgroeit, wordt Russisch gesproken, alleen Russisch. Ze verkeert zelfs in de veronderstelling dat ze in Rusland woont. Meudon wordt uitgesproken als *Mjèdonsk* en Clamart als *Kljèmar*. Op een dag, herinnert ze zich, neemt haar vader haar mee naar het Bois de Boulogne, waar ze gaan roeien in gezelschap van een Franse dame. De dame spreekt geen Russisch, het meisje geen Frans, ze kunnen alleen maar naar elkaar glimlachen. Als ze weer thuis zijn, vertelt haar vader de kleine Hélène dat ze binnenkort met vakantie zal gaan met die aardige Franse dame. Hélène is het al gewend om vakanties door te brengen bij mensen die ze nauwelijks of in het geheel niet kent, omdat haar ouders niet over de middelen beschikken om haar ergens mee naartoe te nemen, maar doorgaans zijn dat Russen. Ze protesteert niet, brengt de zomer door in Bretagne, te midden van mensen die een taal praten waarvan ze aanvankelijk geen woord verstaat maar die ze zich al snel eigen maakt, en goed ook. Met het gevolg dat als ze in september terug-komt, ze het Russisch vrijwel helemaal is vergeten – dat ze evenwel binnen enkele dagen weer onder de knie heeft.

Als kind vond ik het altijd heerlijk als mijn moeder me dat ver-haal vertelde, en ze vertelde het maar al te graag. Elk detail ervan vond ik prachtig. Toch kan ik nu maar moeilijk geloven dat ze he-lemaal geen woord Frans sprak vóór dat verblijf in Bretagne en dat ze werkelijk dacht dat ze in Rusland woonde. Hoe zou het een in-telligent en leergierig kind ontgaan kunnen zijn dat er op straat, in het park, in de winkels, overal, een andere taal werd gesproken dan thuis?

Terwijl Georges in obscure provinciesteden en voor een honger-loon stands opbouwt en afbreekt, is Nathalie triest, bezorgd over de toekomst. Haar enige vreugden zijn haar dochter en het kerk-koor waarin ze zingt. 'Helemaal boven in mijn toren,' schrijft ze, 'zie ik niemand, niemand komt bij me thuis, ik kom bij niemand thuis. Ik word steeds mensenschuwer en ook, tussen ons gezegd en gezwegen, steeds vermoeider.' Toch is ze in 1936 in verwach-ting van een tweede kind, en wanneer Nicolas geboren wordt, gaat Georges weer bij zijn gezin wonen. Hij vindt werk in Parijs, als verkoper bij Vilmorin op de quai de la Mégisserie. Het gezin woont in een klein tweekamerappartement in Vanves. Als een van haar vriendinnen een paar dagen vakantie gaat houden in Nice, vraagt Nathalie haar om van die gelegenheid gebruik te maken voor een bezoek aan haar, Nathalies, moeder, die in Nice woont in een sjofel hotel met de merkwaardige naam Ric et Rac. Moeder en dochter zijn elkaar al jaren uit het oog verloren: 'Vergeet niet dat ze natuurlijk de waarheid over mijn leven en over Nicolas niet kent, ze zou het niet begrijpen en het zou haar nodeloos pijn doen. Dus, officiële lezing: gelukkig huisgezin.'

Officiële lezing: gelukkig huisgezin...

Op 18 juli 1936 komen de legers van Franco in opstand tegen het Spaanse Volksfront. Internationale Brigades worden gevormd om het te hulp te komen. Maar als hij, zoals hij zegt, niet 'Natasja en de kleine meid had *to take care of*', dan zou het zijn, Georges', ideaal zijn om zich aan te sluiten bij een andere brigade: de Bandera, die de Franquisten steunt en die, volgens hem, 'de laatste liefhebbers van alles wat fatsoenlijk en ridderlijk is, van hiërarchie en orde, van belangeloze toewijding in zich verenigt'. Sinds een paar jaar al is hij een bewonderaar van Mussolini en Hitler, drukt hij zijn correspondentes op het hart dat ze Béraud, Kérillis, Bonnard moeten lezen, de fellow-travellers van het Franse fascisme. Hij noteert citaten voor hen die bol staan van woorden als ongedierte, rottenis, ontaarding, en wanneer hij, letterlijk, de uitdrukking 'het onreine dier' gebruikt, doet hij dat om de democratieën aan te duiden die in 1921 werkeloos hebben toegezien toen de bolsjewieken zijn landje binnenvielen. Alle thema's uit het fascisme komen voor in zijn brieven: afkeer van het parlementaire stelsel, van Amerika, van het materialisme, de handel, de kleinburgerij; bewondering voor gezag, kracht, doorzettingsvermogen. Maar wel valt het me op dat aan wie zijn brieven ook zijn gericht, je er nooit één spoor van antisemitisme in aantreft. Toch zou dat a priori de ideale uitlaatklep zijn geweest voor zijn obsessieve, verbitterde en in een kringetje ronddraaiende denktrant. Maar kennelijk heeft hij, wat al met al vrij bijzonder is, de Joden nooit de schuld gegeven van zijn tegenslagen. Misschien voelde hij zich, als staatloze Georgiër, wel solidair met die opgejaagden. Maar het had ook omgekeerd kunnen uitvallen: een man die zich helemaal onder aan de maatschappelijke ladder bevindt, door iedereen vernederd, vindt meestal troost als hij iemand anders tegenkomt die nog lager staat dan hij en die hij op zijn beurt weer kan vernederen. Dat is niet hoe het ging.

Politiek gezien wordt hij tegen het einde van de jaren dertig steeds rabiater en al zijn hoop op een wedergeboorte – zij het niet van hemzelf, wiens teloorgang zich al heeft voltrokken – van Europa is gevestigd op de Spaanse, Italiaanse en vooral Duitse dictaturen. Maar tegelijkertijd flirt hij met het christelijke geloof, als uiterste redmiddel voor een ziel zoals die van hem. Het geloof waarin hij zich graag zou willen verliezen, is niet het overgeërfde, vreedzame, berustende geloof van zijn vrouw, het geloof waaraan ze uitdrukking geeft als ze zingt in het koor van de orthodoxe kerk, en dat het enige is waaraan Nathalie steun ontleent in de wisselvalligheden van haar bestaan. Maar zijn geloof, tenminste het geloof waarvan hij droomt, is een mystiek elan, een branden meer dan een balsem, en wanneer een brave ziel hem een uitspraak van Claudel citeert over 'de omgekeerde uitverkiezing' van de afgewezene, over 'de zieke en de heilige om wie God zich blijft bekommeren', volgt er een stroom van sarcasmen gericht tegen de schrijver en verwijt hij hem er 'niet van binnenuit' over te spreken.

'Wat weet hij van de echte wanhoop die is als een zuur dat druppelsgewijs in je ziel wordt gegoten en dat in je doordringt tot in het merg. Hij zegt het goed, heel goed, want hij is een groot kunstenaar en als zodanig in staat zich met ongeëvenaarde waarachtigheid en geloofwaardigheid een voorstelling te maken van dat "iets", precies zoals hij zich de gemoedstoestand zou kunnen indenken, en die zou kunnen beschrijven, van iemand die voor de rest van zijn levensdagen in een onderaardse kerker zou zijn opgesloten. Maar wat weet hij er werkelijk van? Laat hij me zijn vingertoppen maar eens tonen. Als ik geen welverzorgde nagels zie maar door het krabben in de kale steen bloederige stompen, en de beenderen van zijn polsen die bloot zijn gelegd door zijn eigen tanden, dan zal ik hem geloven, niet eerder.'

Hij meent dat hij recht van spreken heeft als het over wanhoop gaat, en hij tracht wanhoop tot basis te maken van zijn geloof. Die uitspraken, en nog andere die zowel de kenmerken vertonen van een apologie als van een indringende vorm van zelfoverreding, klinken mij vertrouwd in de oren. Ze doen me denken aan een periode waarin ik verschrikkelijk ongelukkig was en heb geprobeerd om christen te worden. Ik vind erin terug wat ik heb ervaren: hetzelfde verlangen om te geloven, om je angst te kunnen ophangen aan een zekerheid, dezelfde paradoxale redenering die inhoudt dat de onderwerping aan een dogma waartegen de intelligentie en de ervaring in opstand komen, een daad van ultieme vrijheid is. Dezelfde manier om zin te geven aan een ondraaglijk leven, dat zo een opeenvolging van door God opgelegde beproevingen wordt: een superieure vorm van pedagogie, die iemand het licht laat zien door lijden.

Nathalie, zijn vrouw, vatte zijn verhaal als volgt samen: 'Een man in wiens leven God zich krachtdadig een plaats heeft verworven en de verwarring die daaruit voortvloeit.'

Waar haal ik dit tafereel vandaan? Mijn moeder, als klein meisje, zit met haar vader in de metro. Naast hem op het bankje, of elk op een klapstoel. Hij draagt kleren die armoedig en tegelijkertijd netjes zijn: een donker colbert, een das, een schoon, versleten overhemd, een trui van dikke wol, misschien met jacquardpatroon, waardoor hij precies lijkt op wat hij is: een berooide emigrant, wat nog niet een gastarbeider wordt genoemd – maar door zijn door de zorgen smalle, holle gezicht, zijn vale gelaatskleur, zijn donkere haar en donkere ogen, zijn zwarte snor had hij twintig of dertig jaar later gemakkelijk voor een Arabier kunnen doorgaan. Zijn gezicht is ook somber, en zijn stem dof. Hij vertelt zijn dochtertje over zijn leven, met woede en schaamte. Hij heeft in alles gefaald, hij is een mislukkeling. Toch is hij intelligent, ontwikkeld, hij heeft filosofie gestudeerd aan Duitse universiteiten, vijf talen spreekt hij vloeiend, en dat brengt hem allemaal geen stap verder, integendeel, het brengt hem nog verder van huis. Zijn broers hebben het wel gered. Zij zijn allebei ingenieur, ze hebben diploma's die wat waard zijn, banen in solide bedrijven, zij hebben geen problemen om in het levensonderhoud van hun gezinnen te voorzien. Het zijn verstandige kerels, betrouwbare kerels. Geen genieën, beslist niet. Hij was anders. De talentvolste, de briljantste, daar was iedereen het over eens, en ondanks dat of waarschijnlijker daardoor heeft hij niets bereikt. In de Franse samenleving is hij niemand. Niemand. Letterlijk, hij bestaat niet. Een verlopen metrokaartje, een fluim op de grond, tussen de micaglimmertjes. Hij behoort onherroepelijk tot het grauw van de mensen die je in de metro ziet, grijze armoedzaaiers met doffe ogen, de schouders gebogen onder het gewicht van een leven dat in geen enkel opzicht hun keuze is geweest, lieden die weten dat ze onbeduidend zijn, niet meetellen, sneu menselijk vee dat onder het juk is gebracht... Ondanks alles hebben die mensen kinderen, dat is nog het treurigst. Afschuwelijk is dat. Voor zijn kinderen zou een man op z'n minst sterk moeten zijn, intelligent, gerespecteerd. Een jongetje of een meisje dat het woord 'papa' zegt, zou er zeker van moeten zijn dat Papa een held is, een dappere held, en een vader die niet in staat is dat in de ogen van zijn kinderen te zijn, is het niet waard Papa genoemd te worden.

Ik denk me die woorden, en misschien die scène in. Toch heb ik het gevoel dat mijn moeder me ooit iets dergelijks heeft verteld. Ik zie haar voor me, in de metro zittend naast haar vader, al luisterend naar die verbitterde en toonloze monoloog en vechtend tegen haar tranen. Ik zie haar voor me, armoedig gekleed, met slechte schoenen met gaten in de zolen, net als in larmoyante romans, en ik stel me zijn schaamte voor omdat hij geen nieuwe schoenen voor haar kan kopen, eindeloos moet rekenen, elke sou moet omdraaien om voor zijn dochter schoenen te kunnen kopen die hoe dan ook lelijk en van slechte kwaliteit zullen zijn, omdat lieden zoals hij voor hun kinderen alleen lelijke dingen van slechte kwaliteit kunnen kopen. Dit tafereel staat messcherp in mijn bewustzijn gegrift, maar ik ben niet bij machte me te herinneren wanneer mijn moeder – als het inderdaad mijn moeder is – het me heeft verteld. Ik kan geen armoedzaaier met zijn kind in de metro zien zonder me zijn schaamte en zijn vernedering voor te stellen, zoveel is zeker, me voor te stellen hoe het kind zich van de schaamte en de vernedering bewust is, en zonder dat mezelf het huilen nader staat dan het lachen.

71

In het vroege voorjaar ben ik uitgenodigd in Amsterdam om over mijn boeken te praten. Doorgaans sta ik argwanend tegenover dat soort uitnodigingen, maar dit was een gelegenheid om drie romantische dagen door te brengen met Sophie: ik nam de invitatie aan. De dag voor mijn vertrek hebben we hevige ruzie, zoals dat steeds vaker voorkomt, en ik reis alleen af. Meteen na aankomst heb ik daar al spijt van, als ik in mijn idyllische hotel op het kingsize bed zit waar het zo aangenaam vrijen geweest zou zijn. Sukkel, arme sukkel, *bedny doerak*!

Alle schaamte voorbij bel ik Sophie, zeg dat ik ongelukkig ben zonder haar, dat ze alsnog naar me toe kan komen, ik zal per telefoon een ticket voor haar reserveren. Zwijgend hoort ze me aan, zegt dan, kalm, dat ze van me houdt maar er niet voor voelt speelbal te zijn van mijn wispelturigheden. Ik weet niet wat ik wil, voortdurend word ik heen en weer geslingerd tussen het verlangen naar de grootst mogelijke intimiteit en de meest kwetsende manier om haar af te wijzen. Ze is zoals ze is, met haar luidruchtige lach en haar vrienden uit de banlieu, ik zal haar niet veranderen, en hoe de grappige, innemende, moedige man op wie ze verliefd is geworden, verandert in een nors, verbitterd en wreed mannetje dat door zo hardvochtig over haar te oordelen zichzelf beoordeelt en veroordeelt, dat ziet ze met lede ogen aan. Daar kan ik het mee doen.

Het is zeven uur, ik heb geen enkel plan, de organisatoren van de lezing hebben pas voor de volgende dag een programma voor me opgesteld en het beangstigende vooruitzicht doemt op van een eenzame avond doorgebracht op mijn bed, terwijl de mensen op straat lopen, elkaar in cafés ontmoeten, kletsen, glimlachen, elkaar kussen, doen, kortom, wat mensen op een zaterdagavond doen in een grote stad, gesteld dat het normale mensen zijn. Mijn leven lang heb ik mezelf beschouwd als niet normaal, uitzonderlijk, als een wonder en als een monster, wat voor een puber doodgewoon is maar zorgelijk op mijn leeftijd, en ik mag dan wel drie keer in de week de psychoanalyticus bezoeken, ik zie steeds minder redenen waarom daar verandering in zou komen.

Als ik uit het hotel kom dat, zoals het hoort, aan een gracht ligt die qua romantiek niets te wensen overlaat, zie ik dat zich op de begane grond van het naburige huis een massagesalon bevindt en, als ik naderbij kom, dat die massagesalon niet alleen in massages voorziet maar ook in floating sessies, wat inhoudt dat je in een tank met zout water dobbert zonder dat je een pink hoeft te bewegen om je drijvende te houden. De tank, waarvan foto's te zien zijn in een vitrine, heeft de afmetingen van een flinke badkuip, maar dan voorzien van een deksel, en hermetisch afgesloten, zodat geen licht- of geluidsindrukken afkomstig van buitenaf de ontspanning in de weg staan. Je hoeft niet erg snugger te zijn om te constateren dat zo'n tank grote overeenkomst vertoont met een graf, en om te raden dat het vooruitzicht even in zo'n graf door te brengen me onmiddellijk opvrolijkte: ik heb het probleem hoe deze avond door te komen opgelost.

Omdat er op dat moment geen tank vrij is, reserveer ik er een voor later en ga de stad in. Ik eet wat in een restaurant waar alleen ik alleen ben, wat me slecht bekomt. Nog eens bel ik Sophie, die niet verrukt is van mijn plan voor de komende uren. Wat is precies het idee? vraagt ze. Terug naar de moederschoot? Denk je niet dat het beter zou zijn als je daar eens uit kwam?

Het vertrek waar de tank staat, houdt het midden tussen een jacuzzi, een solarium en een rouwkamer. Ik neem een douche, stap dan in de tank. Ik doe het deksel boven me dicht.

Naakt drijf ik aan het oppervlak van het lauwe, wat slijmerige water. Totale duisternis, totale stilte, op het kloppen van het bloed in de aderen na. Als je new-agemuziek en gedempt licht wenst, kun je knoppen indrukken, maar ik doe liever zonder. Vind ik dit prettig of niet? Moeilijk te zeggen. De buitenwereld houdt op te bestaan. Ik vermoed dat dat een verrijkende ervaring is voor mensen die hun dagen slijten in de ononderbroken jachtigheid van een beroepsleven vol stress, zakenlieden die – ergens – dromen van rust en innerlijk leven. Maar mijn probleem is precies tegenovergesteld. Mijn omgang met de buitenwereld, het echte leven, is beperkt, en ik breng het grootste gedeelte van mijn tijd door in mijn eigen binnenwereld, die ik nu juist beu ben en waarin ik me een gevangene voel. Ik droom van niets anders dan om die gevangenis achter me te laten, maar dat lukt me niet, en hoe komt dat dan? Omdat ik dat eng vind en ook, dat is het onaangenaamst om te erkennen, omdat ik het daar eigenlijk wel prettig vind.

Sophie heeft gelijk. Ik ben volwassen, ik ben drieënveertig en toch leef ik alsof ik de schoot van mijn moeder nog niet heb verlaten. Ik kruip weg, ik maak me klein, ik vlucht in de slaap, de apathie, de warmte, de roerloosheid. Gelukzalig en doodsbenauwd. Dat is mijn leven. En opeens wordt dat leven me onverdraaglijk. Het is menens, ik houd het niet langer vol. Het moment om eruit te komen is aangebroken, bedenk ik. Zoals de lamme in het evangelie die zijn leven liggend heeft doorgebracht met zinloos geweeklaag, en zie wat er tegen hem wordt gezegd: sta op en wandel. En hij staat op en wandelt.

Ik sta op. Ik duw het deksel omhoog en stap uit de tank. Opnieuw neem ik een douche, ik kleed me weer aan, en omdat het meisje van de receptie vreemd opkijkt als ze me zo snel weer buiten ziet staan, zeg ik dat nee, ik vond het niet echt prettig, waarschijnlijk had ik mijn dag niet, hiervoor, misschien een andere keer.

Misschien, zegt ze, zoals u wilt.

Buiten regent het, maar ik loop over van energie. Steeds weer zeg ik tegen mezelf dat ja hoor, eindelijk, ik ben vrij. Ik ben opgestaan, ik heb de deur van de gevangenis opengezet – waarbij ik in de gauwigheid tot de ontdekking kom dat ze nooit dicht was geweest – en nu wandel ik door de straten. En terwijl ik zo loop, met lichte, kwieke tred, bedenk ik dat ik na een heel leven doorgebracht met liggen, net als de lamme, nu de schade moet inhalen. Lopen, lopen, recht vooruit, zonder te blijven staan, zonder op adem te komen, en vooral zonder ooit op mijn schreden terug te keren. Dat zal voortaan mijn leefregel zijn: recht vooruit lopen, naar daar waar mijn schreden me brengen, voor altijd en zonder spijt.

Recht vooruit, ja, maar waar naartoe? Naar de rand van de stad? Naar de zee? Naar de haven? Het idee van de haven staat me wel aan, omdat er andere ideeën, vaag gevaar mee verbonden zijn. Iedereen weet dat je bij havens gemakkelijker dan elders ongure individuen tegenkomt, dronken zeelui die vlot zijn met het trekken van een mes, en ik merk met verbazing dat ik haast naar zo'n soort ontmoeting uitzie.

Let wel, ik ben geen vechtersbaas. Ik ben als de dood voor elke fysieke confrontatie en toen ik tien jaar geleden besloot om een vechtsport te gaan beoefenen, viel mijn keuze als bij toeval op tai chi chuan, waarbij je in je eentje traint, zonder tegenstander; een soort krijgshaftige zelfbevrediging. Maar die avond heb ik zin in een knokpartij, en in wezen maakt het me weinig uit of ik de klappen uitdeel of incasseer. O zeker, het zou me liever zijn als ik niet werd vermoord, of zelfs maar ernstig verwond, maar ik ben volledig bereid me op mijn bek te laten slaan, zonder enig masochisme, dat denk ik oprecht, vol opwinding wacht ik af tot er zal gebeuren wat ik mijn leven lang heb vermeden: een handgemeen. Dat is alles. Voor het eerst verlang ik ernaar het gevaar tegemoet te treden, recht erop af, en pas te blijven staan als ik de confrontatie ben aangegaan.

De lezer kan gerust zijn – of zijn teleurstelling temperen: er is die nacht niets gebeurd. Ik heb alleen maar door diverse wijken van Amsterdam gelopen zonder dat enig avontuur mijn pad kruiste, en zonder andere zorg dan dat het lastig is om recht voor je uit te lopen in een stad waar de straten en grachten de windingen van een slakkenhuis vertonen. Ik heb gedaan wat ik kon om de weg kwijt te raken, maar ik moet erkennen dat ik daarvoor te dicht bij huis ben gebleven. Mijn nachtelijke zwerftocht heeft maar een paar uur geduurd, leidde door vredige buitenwijken, en toen ik bij het aanbreken van de dag een taxi aantrof, heb ik me terug laten rijden naar het hotel. Daar moest ik weer denken aan Kotelnitsj.

Dat Kotelnitsj een plaats was die zich leende voor een gevecht, dat dacht ik; Rusland, dat doorgaat voor een gevaarlijk land, in het algemeen, maar Kotelnitsj in het bijzonder. Na onze reportage had het idee om er voor langere tijd terug te gaan voor een documentaire zonder duidelijk omschreven onderwerp, mij, Jean-Marie en Alain in grote opwinding gebracht. Het is het soort plan waarmee je speelt zoals je, voordat je uiteengaat, adressen uitwisselt en belooft dat je elkaar nog eens zult zien. De kans was klein dat het plan een langer leven beschoren zou zijn dan de duur van onze slemppartij in de trein terug, en zie, een halfjaar later, na een nachtelijke wandeling door de straten van Amsterdam, dringt het zich aan me op met de glans van wat evident is. Natuurlijk ga ik terug naar Kotelnitsj. Om een film te maken misschien, een boek te schrijven misschien, en misschien wel voor niets van dat alles. Misschien dat er gewoon maar te zijn al net zo goed was.

Als ik terug ben, vertel ik alles aan Sophie. De tank, het uit het vruchtwater stappen, het lopen recht voor me uit, het verlangen erop los te slaan, en de logische conclusie: Kotelnitsj. Anderen zouden vinden dat dat laatste er met de haren bijgesleept is; voor haar is het net zo vanzelfsprekend als voor mij. Ze zegt dat het oké is, dat het klopt. Tegelijkertijd maakt het haar angstig. Het betekent dat ik opnieuw weg zal gaan, misschien voor lange tijd, zonder haar. Dat ik onder de bekoring zal raken niet alleen van een taal, maar van een land, een wereld waar zij me niet zal kunnen volgen. Nog afgezien van het feit dat de Russische vrouwen geduchte rivales zijn. Ze is jaloers, ze steekt de draak met haar jaloezie. Ik ook. Toch gaat het, over het geheel genomen, veel beter tussen ons ná de tank dan ervoor.

Ik probeerde iets te schrijven met als uitgangspunt mijn aantekeningen over mijn grootvader; het lukte me niet en ik voel me beter nu ik dat laat varen. Omdat ik, normaal gesproken, niet zo'n held ben als na het verlaten van een vruchtwatertank, laat ik ook het idee varen in mijn eentje mijn tenten op te slaan in Kotelnitsj. Ik bel Alain en Jean-Marie, zoals d'Artagnan in het begin van *Twintig jaar later* de musketiers die zich hebben verspreid, weer optrommelt. Beiden zijn bereid, in principe, maar we moeten een kader hebben, een opdracht, en ik besef al snel dat het niet zo eenvoudig is de opdracht voor een documentaire binnen te halen wanneer je niet weet waar die over zal gaan. Ik spreek mensen van de televisie, uit de filmwereld. Ik laat hun onze reportage zien, leg uit dat ik terug zou willen naar een gat met de naam Kotelnitsj om een maand te filmen wat daar gebeurt, zo er al iets gebeurt, wat allerminst zeker is. Er wordt me te verstaan gegeven dat ik mijn aanpak gedetailleerder zou moeten uitwerken, een invalshoek zou moeten vinden. Dat ik een synopsis zou moeten maken, daar komt het op neer, dat wil zeggen een korte samenvatting van wat er in de film zal komen. Ik antwoord dat ik niet weet wat erin zal komen, dat ik dat niet wil weten, dat ik de film wil maken om dat uit te vinden. De mensen met wie ik spreek, zuchten: het is een heikel project.

Er zal meer tijd mee heen gaan dan ik gedacht had. Wat maakt het uit: ik zal die tijd benutten om vorderingen te maken met Russisch, en zoals je met het oog op een serieuze bergbeklimming oefent op een keukentrap, zo besluit ik de maand augustus door te brengen in Moskou, waar een vriend me zijn flat leent. Sophie heeft, zoals zij zegt en zoals ik niet graag hoor dat ze het zegt, een verzoek ingediend voor drie weken 'vrijaf' vanaf 14 juli, dus ik decreteer dat we samen twee weken zullen doorbrengen op Formentera, waarna ik naar Rusland zal vliegen, en omdat zij heeft gezegd dat ze graag een voettocht zou willen maken, raad ik haar een tocht aan die ik al eens heb gemaakt, in de Queyras. Ze zou met haar vriendin Valentine kunnen gaan. Vind je niet, zegt ze, dat je een beetje dwingend bent? Ik kijk naar haar, verwonderd: het lijkt me dat ik alles zo goed mogelijk regel.

Op een avond, eind juni, komt Valentine eten. Ik heb bij Le Vieux Campeur de stafkaarten en de gids met langeafstandspaden gehaald. De rondtocht van zes dagen die ik de meisjes aanraad, heb ik in juni gemaakt, ik kwam niemand tegen, het was fantastisch. De eerste week van augustus zal uiteraard wat minder zijn, maar dat spreek ik niet uit, ik heb er geen zin in Sophie weer op haar praatstoel te krijgen over de bevoorrechten zoals ik die vrij zijn om op stap te gaan wanneer ze daar zin in hebben en de verworpenen der aarde zoals zij die er genoegen mee moeten nemen dat te doen tegelijkertijd met al hun lotgenoten. Wat ik daarentegen wel zeg, is dat ze moeten reserveren in de gîtes. Ik heb een route voor ze uitgestippeld, met als hoogste punt de Col Agnel.

Daar is een hut waaraan ik een goede herinnering bewaar. Als we de tweede fles saint-véran soldaat maken, improviseer ik op het thema: de avonturen van Sophie en Valentine op de wandelpaden van de Queyras. Ik zie ze voor me, de twee beeldschone meisjes, de brunette en de blondine, met rugzak, hun T-shirt doornat van het zweet en hun fraaie gebruinde benen onbedekt tussen de onderkant van de gerafelde short en de bovenkant van de badstof sokken – ik sta op badstof, dat is het beste om blaren te voorkomen. Ze bereiken het hoogste punt van een lange helling, in de brandende zon, er is een fontein of een drinkbak, ze houden hun nek onder de waterstraal, drinken gulzig, spatten zich nat, ze lachen van plezier in de zon, de sneeuw op de bergtoppen glinstert, de koebellen rinkelen, je hebt nog maar één wens: in het gras van de alpenwei gaan liggen en wanneer je dan je ogen dicht doet, ben je in het paradijs. De meisjes die je op zo'n voettocht tegenkomt, zijn meestal het aanzien niet waard; twee schoonheden zoals zij, dat is de droom van elke wandelaar. Terwijl Valentine joints rolt, fantaseer ik door, ik laat gespierde herders opdraven, de hut op de Col Agnel krijgt een erotische lading die niet onderdoet voor die van de nachttrein Moskou-Kotelnitsj, in mijn dromen zoals bekend het toneel van niet-misse orgiën. Sophie en Valentine lachen zich tranen om mijn verhaal, waarvan ik me de details niet meer herinner. En intussen, zegt Sophie, versier jij Russische fotomodellen. Ze zegt het zonder bitterheid, alles is grappig, die avond. Ik vind het fijn, besluit ze, als je je om me bekommert.

Aan het begin van het zwarte notitieboekje dat ik heb meegenomen naar Moskou met het plan er mijn dagboek in bij te houden, heb ik twee foto's geplakt. Op de linkerpagina mijn grootvader, met gebogen hoofd, zorgelijk voorhoofd, duistere blik. En rechts Sophie, naakt op het terras van het huis op Formentera. Het is een van de foto's van haar die me het liefst is. Ze is vrolijk, open. Ze glimlacht naar me. Als ik die foto's met elkaar vergelijk, vertegenwoordigt de ene de schaduwzijde van mijn leven en de andere het licht.

Op de volgende bladzij heb ik het nummer van de hut op de Col Agnel genoteerd evenals de datum waarop mijn twee wandelaarsters die zullen aandoen. Die avond bel ik, gokkend op de tijd van het avondeten. Wanneer ik, als verklaring voor de ruis, zeg dat ik bel vanuit Moskou, is de bewaarder van de hut onder de indruk en ik moet lachen als ik hem met luide stem hoor roepen dat er telefoon is uit Moskou voor mademoiselle Sophie L. Ik stel me de gasten aan tafel voor, de blik die Sophie en Valentine wisselen, hoe de andere wandelaars naar Sophie kijken als ze opstaat en door de zaal loopt, en als ze aan de lijn komt, voel ik dat ze er trots op is het meisje te zijn naar wie de man van haar leven opbelt uit Moskou terwijl zij in een berghut in de Queyras verblijft. Ik vraag of alles is zoals ik het heb beschreven, of Valentine en zij harten breken bij bosjes. Ze lacht, zegt dat het fantastisch is, dat haar knieën afschuwelijk pijn doen in de afdalingen, dat ze het fijn vindt dat ik bel en dat ze van me houdt.

Met het notitieboekje in de hand kijk ik naar haar foto terwijl ik met haar praat, en ineens lijkt het of mijn grootvader, op de bladzij ernaast, ook naar haar kijkt met zijn o zo sombere blik die zowel sardonisch als opgejaagd is. Hij benijdt me, hij draagt me een kwaad hart toe, maar op dat moment denk ik dat we van hem niets te vrezen hebben. Ik bemin een vrouw, die vrouw bemint mij. Ik ben niet langer alleen.

Ik herlees het dagboek van die augustusmaand. Over het geheel genomen ben ik tevreden. De mensen tot wie ik me heb gewend, zijn noch nieuwe Russen noch oude Sovjets, maar voornamelijk intellectuelen of kunstenaars, vertegenwoordigers van de midden-klasse in opkomst – het beste wat het land zou kunnen overkomen –, dertigers die de Russische editie van *Elle* lezen en hun meubilair aanschaffen bij Ikea. Uiteraard zijn we op veilige afstand van de knokpartijen met hooligans in de smerige buitenwijken, maar dat vind ik niet erg. Ik tref mijn nieuwe vrienden in cafés die ook boek-winkel en galerie zijn, op zondag nemen ze me mee naar de datsja en, omdat ik schrijver ben, naar Jasnaja Poljana, het landgoed van Tolstoj. Met dit regime gaat mijn Russisch vooruit, en daar is het me in de eerste plaats om te doen. De paar momenten van gede-primeerdheid waarvan het dagboek melding maakt, houden regel-recht verband met momenten waarop ik me wat taal betreft min-der zeker voel. Meestal versta ik wat er tegen me wordt gezegd, ik slaag erin me uit te drukken, ik breng toosts uit die overlopen van hartelijkheid. Iedereen, ikzelf voorop, vindt me charmant ge-zelschap. Ik stel me mijn toekomstig leven voor als een opeenvol-ging van vreugden en overwinningen. Maar soms voel ik me met bepaalde mensen minder op mijn gemak. Ik houd me gedeisd, zeg af en toe *konjesjno*, ja natuurlijk, om te laten zien dat ik het gesprek kan volgen, en ik begin bij mezelf te denken dat ik stilsta of, erger nog, achteruitga, dat mijn enthousiasme van de vorige dag maar een illusie was, dat mijn leven regelrecht zal uitlopen op een ramp. In feite is het niet ingewikkelder dan dat: Russisch spreken is goed voor me, en daarin niet slagen slecht.

Tolstoj, vertelt de gids die de rondleiding doet op Jasnaja Poljana, heeft in twee maanden Oud-Grieks geleerd, en na die twee maan-den kon hij het niet alleen lezen en vertaalde hij Aesopus, maar sprak hij het ook vloeiend. Die prestatie vergalde het leven van de dichter Fet, die al tien jaar zijn best deed op hetzelfde. Ik voel me nog het meest verwant met Fet.

Toch spreek ik Russisch zoveel ik kan, en zelfs wanneer ik alleen ben. Ik loop door Moskou en intussen herhaal ik Russische woorden. Voordat ik in slaap val lees ik niet alleen verhalen in het Russisch, maar ook het woordenboek. Ik probeer op grond van een gemeenschappelijke wortel alle varianten op te sporen die met behulp van voorvoegsels gevormd kunnen worden. Dat is vaak ontmoedigend, gezien het feit dat het moeilijk is een logisch verband vast te stellen tussen, bijvoorbeeld, *nakazyvat*, straffen, *otkazyvat*, weigeren, *pokazyvat*, tonen, en *prikazyvat*, bevelen. Toch houd ik vol en ik heb er toch vooral aardigheid in. De Russische woorden voelen zich thuis in mijn mond, waar ik ze met wellust laat rondtollen. Ik heb het gevoel met het Frans nooit die zinnelijke verhouding te hebben gehad.

Galja is drieëntwintig. Ze is journaliste en kampioen basketbal bij de amateurs. We wandelen vaak samen, ze neemt me mee naar Melikovo om de datsja van Tsjechov te zien. Wanneer ik haar kus op beide wangen, leg ik even mijn hand om haar arm of op haar schouder, en telkens weer verbaas ik me als ik voel hoe stevig, hoe compact haar lichaam is. Op een zondagmiddag belt ze me. Vraagt wat ik doe. Ik zeg dat ik thuis aan het werk ben, maar dat ik het leuk vind als ze langs wil komen. Zij zegt dat ze ook werk te doen heeft, een artikel dat de volgende morgen ingeleverd moet worden, maar dat ze het bij mij thuis zou kunnen schrijven. Als ze komt deelt ze mee dat ze haar spullen voor de nacht bij zich heeft. Ik installeer haar in de zitkamer, waar ze haar laptop aanzet, en ik ga terug naar de slaapkamer, waar ik op bed lag te lezen. Door de deur die halfopen staat, hoor ik hoe ze gestaag doortikt. Later ga ik thee maken in de keuken, ik breng haar een kopje en leg, terloops, mijn hand op haar schouder die zo stevig aanvoelt. Zij legt even haar hand op de mijne, ook als terloops, gaat dan weer door met haar werk. In de flat heerst een echtelijk soort vredigheid die de situatie voor mij veel sexyer maakt dan als we ons in elkaars armen hadden gestort toen ik de deur voor haar opendeed. We weten allebei wat er zal gebeuren: als zij haar artikel af heeft, zal ze het document afsluiten, de laptop zal een vaarwel-jingletje laten horen en ze zal kalm bij me komen liggen op het bed. Zonder ongeduld wacht ik op haar. Ik sla mijn notitieboekje open, ga door aan mijn dagboek. Maar na een paar regels komt er een gedachte bij me op die me onrustig maakt. Ik stel me voor dat Sophie dit dagboek zou lezen en deze passage zou aantreffen: de kans bestaat dat ik nog lang over haar zal horen, over de kleine Galja. Dus doe ik iets waarvan ik het belang nog niet vermoed: ik begin wat ik daarnet heb verteld te noteren in het Russisch. Ik schrijf: *I vot, Galja pisjet statjoe v salone, a ja v komnate jejo zjdoe, i my skoro boedjem zanimatsja ljoebovjoe* – en ja hoor, Galja schrijft haar artikel in de zitkamer, en ik wacht op haar in de slaapkamer en dadelijk zullen we met elkaar naar bed gaan.

Als ik haar in mijn armen houd, ervaar ik waarschijnlijk hetzelfde als wat een zwemmer ervaart die voor het eerst zwemt in de Dode Zee: een verandering van dichtheid. Ze heeft het lichaam van een basketbalspeelster, en dat lichaam is zo onwaarschijnlijk compact dat het voelt of ik een standbeeld omhels. Met dien verstande dat ze tegelijkertijd warm is, levend, van een grote tederheid. Alles wat dan komt, is verrukkelijk, maar het meest brengen me haar woorden in verrukking. Het is de eerste keer dat ik de liefde bedrijf in het Russisch, dat ik een meisje hoor klaarkomen in het Russisch. De klanken die ze uit, brengen bij mij een hevige emotie teweeg. Ik zeg haar hoe dankbaar ik ben, en dat is voor haar weer prettig om te horen.

Maar na twee dagen, zo zit ik nu eenmaal in elkaar, voel ik me schuldig. Als Galja en ik een wandeling maken, wisselen we lieve zoentjes uit aan de rand van de Patriarchvijver, waar het eerste hoofdstuk van *De Meester en Margarita* zich afspeelt, waarna ik zeg dat ze op een bank moet gaan zitten en plompverloren een braaf verhaaltje afsteek over het feit dat ik in Frankrijk met een vrouw samenleef en dat ons charmante en aangename avontuur dus geen toekomst heeft... Ze kijkt me aan of ik gek ben geworden. Ik heb ook een vriendje, zegt ze, maar die zit in Amerika, jouw vrouw in Frankrijk, ze hoeven hier helemaal niets van te weten, zij hebben er geen last van en wij beleven er plezier aan, dus wat is het probleem? Ik bewonder haar gezonde opvattingen, maar zeg nog eens dat het voor mij ingewikkelder ligt en, stomkop die ik ben, ik maak het uit. Hoe aantrekkelijk haar al te stevige lichaam en haar tedere liederlijkheden in het Russisch ook zijn, ik kijk toch maar liever naar de foto van Sophie.

Het is nu een gewoonte geworden: ik blijf in het Russisch schrijven. Slecht, maar in het Russisch. Wat ik schrijf, is aanvankelijk nog niet meer dan een dagboek, maar algauw begin ik daartussen te noteren wat ik gedroomd heb, evenals kinderherinneringen en aantekeningen over mijn grootvader – dingen die van heel ver weer komen bovendrijven en die ik, denk ik, in het Frans niet had kunnen schrijven.

In het Russisch schrijf ik niet wat ik wil, maar wat ik kan: mijn ontoereikendheid komt me te hulp. Ik vraag me niet langer af wat ik zal schrijven, maar hoe. Een zin construeren die goed loopt, dat vind ik al prachtig. En ik schrijf die zin graag in de eerste persoon enkelvoud: *v pervom litse jedinstvennovo tsjisla*, in het eerste gezicht van het enige getal. Ik ben dol op die uitdrukking. Ik heb het gevoel dat me, dankzij het Russisch, mijn eerste gezicht wordt geopenbaard.

Mijn vriend Pavel vertelt me een joods verhaal. Het gaat over Abraham die een smeekbede richt tot Jahweh: Jahweh, Jahweh, ik zou zo graag ooit een keer winnen in de loterij! Ik smeek u, Jahweh, alstublieft, ik vraag het al zo lang, vergun me dat, alleen dat, één keertje maar, en dan zal ik je nooit meer iets vragen. Jahweh, maak dat ik win in de loterij. Hij huilt, hij ligt op zijn knieën, handenwringend. Uiteindelijk doemt Jahweh op uit de wolken en zegt: Abraham, ik heb je gehoord, ik wil je smeekbede wel verhoren. Maar wat ik je bidden mag, geef me een kans. Voor eens in je leven, koop een lot!

En ik die voortdurend vraagt om verlost te worden, ik bedenk dat schrijven in het Russisch betekent het kopen van mijn loterijbriefje, God een kans geven me te redden.

Meteen na mijn terugkeer in Parijs, de eerste avond al, liet ik Sophie trots mijn notitieboekjes zien die vol staan met cyrillische letters. Het avontuurtje met Galja, dat na twee weken al niet meer zo belangrijk was, zat er veilig in verstopt. Dat Sophie mijn prestatie zou bewonderen, dat wilde ik. Ik sloeg de bladzijden om, merkte op hoe mijn handschrift veranderde toen ik overging van het Frans naar het Russisch, breder werd, losser. Een jaar later was ik degene die koortsig het notitieboekje doorbladerde waarin zij van tijd tot tijd haar dagboek bijhield, en waarin ik haar versie van het weerzien aantrof. Ik was alleen maar vervuld van mezelf, zegt ze, over wat de Russische taal in mijn leven betekende, over mijn plan om in het Russisch over mijn kinderjaren te schrijven, en het was of zij niet bestond. Wat zij die zomer had meegemaakt, dat zou me een zorg zijn. Ik zag haar niet staan.

Maar dat is pas later.

Vandaag, 10 oktober 2001, begraven we Martine B., op wie ik als puber zo smoorverliefd ben geweest. Ze was een vriendin van mijn ouders, getrouwd, om precies te zijn, met een vriend van mijn ouders en jonger dan hij. Ze was blond, stralend, soms doet Sophie me aan haar denken. Veel later, lang na haar scheiding, heb ik even een verhouding met haar gehad, en toen ik die beëindigde, voelde ik me schuldig, zoals gewoonlijk. De laatste keer dat ik haar heb gezien, had ze al kanker, de kaakkanker waaraan ze zou sterven en die, voordat ze eraan stierf, haar oogverblindende schoonheid zou vernietigen ('Vijfenveertig jaar van mijn leven heb ik in de huid van een mooie meid gezeten, dat is al niet niks, toch?' zei ze tegen mijn moeder vóór een van de vele en zinloze operaties die, de ene na de andere, haar gezicht verwoestten). Ik wist me met mijn houding geen raad, zij wel: nog altijd even ongekunsteld, goedhartig, aanwezig, verbaasd dat ik de situatie niet kon hanteren, wat ze me zeker vergaf. Het lijkt of ik haar idealiseer, maar ik ben ervan overtuigd dat zij niemand op aarde iets kwalijk nam. Ze keek naar me met genegenheid, belangstelling, begrip, en ik, in plaats van die blik gewoon te beantwoorden, ik bleef maar bij mezelf zeggen dat het mijn noodlot was iedereen die van me houdt teleur te stellen, dat ik ontegenzeglijk en onherroepelijk een onbetrouwbaar sujet was, een verrader, een gluiperd; het oudje liedje, kortom. Onherroepelijk? Als ik bidden kon, zou ik Martine die gestorven is bidden me iets van haar tederheid te geven, van haar vreugde, van de liefde die ze uitstraalde, want als die ontbreekt, zoals Paulus zo treffend zegt, kan een mens al het andere hebben, hij is niets. Ik herinner me de eerste keer nog dat ik haar heb gekust, in de bossen bij Pontoise, dat was in de herfst; en ik herinner me haar, naakt, in mijn bed, in de rue de l'Ancienne-Comédie. Maar liever nog herinner ik me haar lang daarvóór, in Grasse, waar ze een huis had. Daar brachten mijn moeder, mijn zusjes en ik eens een week door. Hoe oud was ze? Nog geen dertig? En ik, veertien, vijftien? We luisterden samen naar platen van Billie Holiday en ik greep elke gelegenheid aan om met haar alleen te zijn. Op een avond waren we met ons allen gaan eten in een dorpje en hoe weet ik niet, maar wij raakten de anderen kwijt en liepen samen, alleen wij tweeën, door de bochtige, steile straten. In de portiek van een huis bleven we staan. Ik keek naar haar, naar haar gezicht, haar glimlach, haar vrolijkheid. Mijn hart ging wild tekeer en ik wil graag denken dat dat bij haar ook zo was. Natuurlijk durfde ik haar niet in mijn armen te nemen maar de dagen daarop, en in zekere zin de rest van mijn leven, ben ik erover blijven fantaseren dat ik dat wel had gedaan, ben ik blijven dromen van haar lichaam dat we vandaag hebben begraven.

Terwijl we wachtten tot de rouwdienst zou beginnen, zei mijn moeder dit: weet je, Philippe is de hele laatste nacht bij haar geweest, dat is mooi.

Philippe is de oudste zoon van Martine. Zolang de dienst duurde moest ik mijn tranen bedwingen, niet zozeer omdat zij in die kist lag, een paar meter van me vandaan, maar bij de gedachte aan de dood van mijn moeder en aan wat ze me daarnet impliciet had gevraagd. Niet dat ik daar nooit aan heb gedacht: ik vermoed al heel lang dat ze ondanks de verwijdering die er tussen ons is gekomen, op mij rekent voor het moment van haar dood, en ik hoop alleen daaraan toe te zijn als het zover is. Ik schrijf dit om me erop voor te bereiden, om te leren mijn moeder recht in de ogen te kijken, om niet meer zo bang te zijn voor de liefde tussen ons.

Op de dag van de begrafenis heb ik Sophie over Martine verteld, en ook wat mijn moeder zei. Ze vond dat vreselijk, een soort chantage. Ik was het daar niet mee eens. Ik nam geen aanstoot aan wat ze had gezegd. In mijn moeders laatste nacht bij haar zijn, ik weet niet of ik dat aan zou kunnen, maar nee, ik zou het mooi vinden. Mijn plaats zou bij haar zijn.

De volgende dag belde ze op om een praatje te maken, wat haar niet heel vanzelfsprekend afging, en op een gegeven moment zei ze plompverloren dat ze me een brief van haar vader wilde laten lezen. Dat zal goed zijn, als begin, voegde ze er zelfs aan toe. Ik antwoordde dat, ja, dat zou goed zijn.

Die brief heeft hij in 1941 aan zijn moeder geschreven. In het Frans en niet in het Russisch, waarin hij haar doorgaans schreef – waarschijnlijk vanwege de censuur. Zij was in Parijs, hij in Bordeaux. Het is een ellenlange brief, zoals de meeste van zijn brieven, waarin hij alleen maar uitlegt waarom hij niets meer van het leven verwacht. Hij behandelt dit onderwerp op de voor hem kenmerkende wijze, herhaalt zich voortdurend, tot in den treure. Door zijn karakter en zijn opleiding heeft hij zich nooit en zal hij zich nooit een plaats kunnen veroveren in de hedendaagse maatschappij. Hij is onherroepelijk veroordeeld tot een moeizaam, benepen leven zonder hoop, dat niet verder gaat dan te proberen het hoofd boven water te houden. Hij zegt dit nu wel tegen haar, maar niet met de bedoeling zich te beklagen of zijn moeder verdriet te doen, alleen om haar een helder en onopgesmukt beeld te geven van de realiteit van zijn leven, zodat ze zal weten hoe dat ervoor staat. Nee, dit is geen klaagzang, herhaalt hij voortdurend, alleen een constatering, de constatering van een realiteit waaraan voor hem geen ontkomen mogelijk is en waarin niets verandering zal kunnen brengen.

Ik zit tegenover mijn moeder op een bank in haar luxueuze werkkamer op de quai Conti. Ik lees de brief. Ze kijkt naar me terwijl ik lees. Ik heb al soortgelijke brieven gelezen, maar zij denkt dat het de eerste is die ik onder ogen krijg en ik durf haar niet uit de droom te helpen. Ik heb haar niets verteld over de schoenendoos die Nicolas voor me heeft geopend. Ook zij bewaart haar schatten in een schoenendoos. Ze heeft de doos weer gevonden, zegt ze, bij de verhuizing van de rue Raynouard naar de Académie. Weer gevonden? Wist ze werkelijk niet waar die doos was? Ze verzekert van niet, en al met al is dat best mogelijk. Tegenwoordig, als ze 's avonds laat terugkomt van de grote deftige diners die voor mijn ouders aan de orde van de dag zijn, maakt ze de doos wel eens open en leest een paar brieven. Dan huilt ze, en als ze me dat bekent, staan haar ogen vol tranen.

Ze is dertig jaar ouder dan haar vader toen die verdween. En wanneer ze aan hem denkt, denkt ze: arme jongen.

Hoe meer jaren er verstrijken, zegt ze, hoe meer ik op hem ga lijken. Dat is echt zo. Mijn gezicht is steeds smaller geworden net zoals dat van hem. En ik ben bang dat mijn lot hetzelfde is als dat van hem.

Ik heb haar voorgesteld dit voort te zetten, om één keer in de week naar haar toe te komen en een paar uur samen in die brieven te lezen. We hebben het er niet over gehad wat ik er later precies mee zal doen, maar het kan niet anders of ze moet wel vermoeden dat ik van plan ben ooit een boek over haar vader te schrijven. Heel lang heb ik gedacht dat dat uitgesloten zou zijn zolang zij leefde, en als ik die dag uit de Académie kom, denk ik het tegenovergestelde: dat ik dat boek moet schrijven en publiceren vóór haar dood. Dat ik het schrijf voor haar. Om niet mezelf maar haar van een last te verlossen.

Ik herinner me het volgende: een paar jaar geleden was mijn moeder serieus in de verleiding gebracht om de politiek in te gaan. Ze had erin toegestemd om bij de Europese verkiezingen de lijst van de RPR aan te voeren, en het werd niet onwaarschijnlijk geacht dat ze minister van Buitenlandse Zaken zou worden. En toen verscheen er in *Présent*, een blaadje van extreem-rechts, een artikel waarin haar vader werd genoemd. Er stond iets in de trant van: met een vader die collaborateur was, slachtoffer van de zuivering, zou ze aan onze kant behoren te staan, niet aan die van hypocriet rechts. Niemand leest *Présent*, er kwam geen vervolg, maar ik heb mijn moeder als een klein meisje zien huilen toen ze dat artikel onder ogen kreeg. Ze overwoog om een proces te beginnen, begreep dat dat juist de aandacht zou vestigen op wat zij nu net in de doofpot wilde stoppen. Het idee om de politiek in te gaan heeft ze laten varen en ik denk dat het daarom is. Iedereen kan haar wel vertellen dat zelfs al was haar vader de collaborateur geweest die zich meer dan alle anderen had gecompromitteerd, zij daar absoluut buiten stond, zij blijft denken dat dat verleden dat niet het hare is, haar kan fnuiken.

En ik denk: arm meisje...

Zij was elf en Nicolas vier toen het gezin in de herfst van 1940 in Bordeaux aankwam. In het begin werkte mijn grootvader er als 'tolk in een grote garage'. De eerste keer dat ik die omschrijving tegenkwam, in een brief van Nathalie, klonk ze me absurd in de oren, als iets gehoord in een droom. Wat houdt dat in, tolk zijn in een grote garage? In feite was het doodsimpel: die garage, garage Malleville et Pigeon, werkte voornamelijk voor de bezetter – zoals eerlijk gezegd de meeste garages – en hij was aangenomen voor de correspondentie in het Duits. Voor het eerst was zijn talenkennis hem van nut. Begin 1942 evenwel raakte hij zijn baan kwijt, en toen bood de heer Mariaud aan hem voor te stellen aan vrienden die werkten voor de Duitse economische dienst.

Mariaud was getrouwd met een Russische vriendin van Nathalie. Hij was een louche, hartelijke zakenman die de bezetting als middel zag om zich zonder enig gewetensbezwaar te verrijken op de zwarte markt. Mijn moeder en Nicolas weten nog dat als ze bij de Mariauds aten, ze zich te goed deden aan brood met boter, chocola en andere heerlijkheden die schaars waren. Hun ouders waren daar blij om, voor de kinderen, die doorgaans zo slecht te eten kregen, maar zelf keurden ze de zwarte markt af en weigerden er hun voordeel mee te doen. Bij de Mariauds kwamen Duitse officieren over de vloer, het hele kringetje vierde vrolijk feest en Mariaud heeft uiteraard bij de bevrijding wat problemen gehad – maar ze hebben hem niet ter dood gebracht, alleen gevangengezet.

Heeft mijn grootvader twijfels gehad? Mogelijk. Naar het schijnt hebben zijn broers en zijn vrouw hem op andere gedachten willen brengen. Je werkte niet voor de bezetter van je tweede vaderland, dat was in strijd met de wetten van de gastvrijheid. Maar dat waren de principes van de mensen die in staat waren geweest te integreren in dat land dat voor hem niets dan teleurstellingen in petto had gehad. Bovendien had hij achting voor de Duitsers. En minachting voor de westerse democratieën die werkeloos hadden toegezien toen de bolsjewieken zijn geboorteland onder de voet hadden gelopen. Was oprecht de mening toegedaan dat Hitler, tussen parlementaire corruptie en communistische terreur, Europa de weg zou wijzen die naar een wedergeboorte zou leiden. Door te collaboreren handelde hij uit overtuiging, niet uit opportunisme, en wat hem waarschijnlijk het meest tegenstond, was dat hij zich in hetzelfde kamp bevond als speculanten zoals de oude Mariaud, die in zijn ogen de personificatie was van alle eigentijdse vulgariteit en die natuurlijk wél op alle fronten succesvol was.

In tegenstelling tot al zijn Franse werkgevers behandelden de Duitsers hem met respect. Niet alleen sprak hij goed Duits, hij kende de grote Duitse schrijvers en denkers. Zijn hoedanigheid van ontwikkeld man, die hij in de Franse samenleving gaandeweg als een handicap was gaan zien, maakte hem bij de Duitsers geacht. Is hij met sommigen van hen bevriend geraakt? Er bestaat een foto van een kerstdiner met, aan de familietafel, een Duitse officier in uniform die een goedige indruk maakt. Dat zal de tongen in beweging hebben gebracht, in het flatgebouw. Op de begane grond woonde een gezin dat, om duistere redenen, niets van het gezin op de derde verdieping moest hebben. De kerel op de begane grond zou mijn grootvader hebben gevraagd de nodige stappen te ondernemen om de lui van de derde etage eruit te krijgen – eventueel om ze te laten oppakken. Mijn grootvader zou verontwaardigd hebben geweigerd en de buurman hebben gedreigd hem te laten arresteren, als hij aandrong. Die buurman zou hem bij de bevrijding hebben aangegeven. Niets van dat alles is bewezen, of onwaarschijnlijk, trouwens. De hypothese zal mijn grootmoeder en mijn moeder wel enigszins hebben getroost in hun ellende: hun echtgenoot en vader zou zijn aangegeven niet omdat hij iets slechts had gedaan, maar juist omdat hij zou hebben geweigerd een onschuldige aan te geven – was diegene Joods, ik heb geen idee.

Wat deed hij precies? Hij was tolk, en voor de economische dienst, niet voor de politie. Dat sluit, denk ik, elke deelname aan hardhandige verhoren uit. Maar, zelfs op een kantoor waar men zijn handen niet vuil maakte, moet hem toch wel ter ore zijn gekomen wat er gebeurde met de Joden van wie de dienst waarvoor hij werkte, de goederen confisqueerde. Hij moet wel begrepen hebben wat zijn geliefde Duitsers deden, die de beschaving verdedigden tegen het communisme. En op grond daarvan, zegt mijn moeder, is hij veranderd in een schim. De twee laatste jaren, herinnert zij zich, was hij een gebroken man, een man die wist dat hij verloren was en voor wie dat het logische eindpunt was van zijn ontspoorde bestaan, zijn enig mogelijke lot.

Hij had weg kunnen gaan, kunnen overlopen naar het andere kamp, zich kunnen aansluiten bij het verzet. Dat heeft hij niet gedaan. Hoewel hij geen schoft was, daar ben ik van overtuigd, was hij als verlamd, alsof hij hoe dan ook en altijd al schuld aan iets had en hem niets anders te doen stond dan wachten op het moment waarop de straf op hem zou neerdalen.

Op 15 juni 1944 schrijft hij een kaart aan een van zijn correspondentes, met deze aanhef: 'Aangezien ik zo mijn redenen heb om te menen dat de herfst me niet levend meer zal aantreffen...'
Dat zijn de laatste woorden van zijn hand die ik heb gelezen.

Het laatste beeld dat mijn moeder van hem is bijgebleven, is aan het Bassin d'Arcachon, waar Nathalie en haar kinderen voor de laatste vakantieweken een huisje hadden gehuurd. Hij was in Bordeaux gebleven dat, net bevrijd, en dus voor hem gevaarlijk was, en hij was op één dag heen en weer gereisd om hen in zijn armen te sluiten. Wist hij dat het de laatste keer was, wie zal het zeggen, maar mijn moeder vertelt dat toen hij naar haar toe kwam, ze hem in eerste instantie niet had herkend. Daarna keek ze naar hem met een gevoel van intense ongemakkelijkheid, alsof hij een vreemde was geworden.
Sinds zijn twintigste had hij altijd een snor gehad. Die had hij nu afgeschoren. Ze had hem nooit zonder die snor gezien.
Ik weet niet wat die zekerheid waard is, maar toch ben ik er zeker van dat verhaal over die snor nooit eerder te hebben gehoord. In ieder geval kende ik het niet bewust toen ik twintig jaar geleden een verhaal schreef waarin de hoofdpersoon geleidelijk elk contact met de werkelijkheid verliest en uiteindelijk zichzelf kwijtraakt na

zijn snor te hebben afgeschoren. Vaak is me gevraagd hoe ik op het idee was gekomen voor dat verhaal, en het antwoord op die vraag ben ik altijd schuldig gebleven.

Nu kijk ik naar mijn moeder en zeg: Nou ja, doet je dat nergens aan denken?

Nee, zegt ze.

Maar mamma, dring ik aan, *La Moustache!** Mijn roman!

Ze lijkt verbaasd, schudt het hoofd.

Die psychoanalyse heeft je werkelijk gedeformeerd, luidt haar conclusie.

Toen hij diezelfde avond in Bordeaux terugkwam, zou hij naar de militaire inlichtingendienst zijn gegaan, waar een officier hem zou hebben ondervraagd over zijn activiteiten en tot slot zou hebben voorzien van een blanc-seing, terwijl hij hem tegelijkertijd waarschuwde voor het gevaar dat hij liep als hij zich in die chaotische dagen door de stad zou bewegen. Hij zou hem hebben geadviseerd zich voor enige tijd onzichtbaar te houden op een rustige plaats, en de rustigste plaats die hij van zijn kant hem kon bieden, was de gevangenis, waar hij hem een plaats ter beschikking stelde. Mijn grootvader zou het aanbod hebben aanvaard, maar hij wilde eerst langs huis om wat spullen op te halen. Een vriend die hem vergezelde en van wie de familie dit verhaal heeft gehoord, heeft nog geprobeerd hem daarvan af te houden, omdat hij vreesde dat buren hem hadden aangegeven, maar hij is toch gegaan. Mannen gewapend met machinepistolen stonden hem op te wachten – of zijn opgetrommeld toen de buren-verklikkers zagen dat hij in huis was. Die mannen hebben hem gearresteerd, hij moest samen met hen in hun Citroën Traction Avant stappen, en vanaf dat moment, in de namiddag van 10 september 1944, heeft niemand hem nog gezien.

Nicolas, die toen acht jaar was, herinnert zich vaag de daaropvolgende dagen. Zijn moeder huilde, en praatte zacht met zijn zusje. Elke ochtend ging ze weg om haar opwachting te maken bij

* Titel Nederlandse vertaling: *Op drift* / De Arbeiderspers, 2004

diverse bureaus en instanties in de hoop iets te weten te komen over haar man, en vaak nam ze de kleine jongen mee. Samen zaten ze uren achtereen in gangen, wachtkamers. Ze hield de deuren in de gaten waardoor bezige ambtenaren, van wie ze tevergeefs de aandacht probeerde te trekken, in en uit stormden. Omdat ze hen niet regelrecht durfde aanspreken, hoopte ze dat een van hen de bedeesde, trieste en toch gedistingeerde dame zou opmerken die daar de hele dag met haar zoontje op een stoel zat, en haar spontaan zijn hulp zou aanbieden. Wanneer je echtgenoot verdwijnt, is het normaal om naar de politie te gaan. Maar in haar situatie lag het gecompliceerder. Ze wist wel dat haar beklag doen gevaarlijk kon zijn en haar in elk geval aan schaamte zou blootstellen. Haar man was geen goede Fransman, was trouwens niet eens Frans. Meneer hoe? Zoerabisjvili? Wat is dat? Georgisch? Is hij meegenomen? En door wie dan wel? Gewapende mannen? Partizanen? Verzetsmensen?... Een collaborateur, dus.

En de kleine jongen? Wat werd hem verteld? Waarschijnlijk kreeg hij geen enkele uitleg, want op z'n minst in het begin viel er niets uit te leggen. Niemand wist iets en het zou wreed zijn geweest om, zolang ze niets wisten, hem in die gruwelijke onzekerheid te laten delen. De versie dat Papa was weggegaan voor een lange reis had nog geen vorm gekregen, omdat de hoop dat hij gevangenzat of zich ergens schuilhield en snel weer zou opduiken, nog niet was vervlogen. De eerste dagen, de eerste weken was het wachten kwellend, maar niet hopeloos, en om die reden hadden moeder en dochter nog geen coherent plan opgesteld om het kind te beschermen. Het ergste moment kwam daarna, toen ze zich erbij moesten neerleggen dat het leven weer op gang zou komen en doorging zonder dat ze iets wisten.

Om hen heen, overal in Bordeaux en in Frankrijk, gold een waarheid waarover iedereen het eens was: verzetsmensen waren helden, collaborateurs schoften. Maar voor hen was er een andere waarheid: verzetslieden hadden het hoofd van het gezin, die had gecollaboreerd en van wie zij heel goed wisten dat hij geen schoft was, meegenomen en waarschijnlijk vermoord. Hij had een lastig karakter, ontstak vaak in woede, maar hij was een rechtschapen, eerlijk en edelmoedig man. Wat zij dachten, moest binnenskamers blijven. Ze moesten zwijgen, zich schamen.

Wanneer Nicolas na de oorlog de vakantie doorbracht bij vrienden van de familie of in een padvinderskamp, schreef hij elke week een prentbriefkaart aan zijn moeder, en aan het eind van elk van die kaarten stond steevast hetzelfde kleine verhaaltje.

'Als Papa terugkomt, horen we klop-klop.

Wie is daar?

Het is Papa die heel blij is om mamma, Hélène en mij weer te zien!'

Klop-klop. Klop-klop. Tot wanneer is hij daarin blijven geloven?

Aan onze leessessies kwam plotseling weer een eind; mijn moeder klapte opnieuw dicht en ik vraag me af of mijn opmerking over de snor daar niet gedeeltelijk debet aan is. Dan besluit ik terug te gaan naar Moskou, om daar de maand december te besteden aan Russisch spreken en in het Russisch schrijven.

Vlak voor mijn vertrek heeft Sophie een operatie ondergaan aan een knie, die haar in de steek had gelaten tijdens haar voettocht in de Queyras. Het is een tamelijk zware en pijnlijke operatie, waarna ze een maand moet revalideren in een revalidatiecentrum in Bretagne. Omdat ik haar daarginds hoe dan ook geen gezelschap zou houden, had ik bedacht dat dit het goede moment was om zelf ook weg te gaan. We zouden in dezelfde tijd terugkomen, ik zou voor haar kunnen zorgen terwijl ze herstellende was, thuis. Dit lijkt, als ik het zo zeg, allemaal heel redelijk, maar toen ik haar twee dagen na de operatie met de auto wegbracht naar dat naargeestige oord bevolkt door patiënten die in meerdere of mindere mate slecht ter been zijn, begreep ik wel dat ze zich naar voelde en, zonder me dat met zoveel woorden te verwijten, meende dat een man die werkelijk verliefd is op een vrouw, haar niet zo aan haar lot zou hebben overgelaten. Als hij dan niet de volle tijd bleef, zou hij haar wekelijks twee of drie dagen hebben bezocht, iets waarvoor ik in tegenstelling tot het merendeel van de mensen alle vrijheid had. In de 24 uur die ik bij haar doorbracht, en waaraan ik geen vervolg kon geven omdat ik mijn vliegticket en visum al had geregeld, heb ik haar talloze malen gevraagd of het wel ging, of het wel zou gaan, omdat als het niet ging, ik natuurlijk mijn plannen kon omgooien, waarop zij antwoordde ja, natuurlijk, het zou best gaan, op een afschuwelijk weinig overtuigende toon.

Mijn map met aantekeningen over mijn grootvader heb ik meegenomen naar Moskou en ik stel me voor een soort verslag te schrijven over wat ik weet van zijn leven; de feiten, data, veronderstellingen op een rij te zetten, brieffragmenten over te nemen en, parallel daaraan, het verhaal van de Hongaar te vertellen, dat alles in het Russisch. Ik meende dat het een haalbaar programma was, het verzamelen van gegevens om het monster te temmen. Maar het is helemaal niet haalbaar, het is letterlijk onmogelijk. Ik sta als verlamd, oog in oog met het monster.

Bovendien gaat mijn Russisch achteruit. 's Avonds ontmoet ik Franse vrienden, of Russen die beter Frans spreken dan ik Russisch, en ik zie bevestigd wat ik in augustus al had vastgesteld: dat mijn stemming regelrecht afhankelijk is van mijn linguïstische vorderingen. Ik lees en ik schrijf Russisch, maar Russisch spreken lukt me niet. Meteen als ik het woord tot iemand moet richten, gaan de woorden op de loop.

Ik bel Sophie elke dag. Die gesprekken verlopen moeizaam. Het revalidatiecentrum beklemt haar, ze is bang dat de operatie niet helemaal is geslaagd en dat ze in plaats van beter te kunnen lopen slechter loopt dan ervoor. Ze is afstandelijk, ontwijkend, ik voel dat ze kwaad op me is. Ik zeg bij mezelf dat ik een idioot ben, ook ik heb het hier niet naar mijn zin, zonder haar, ik zou er beter aan doen mijn terugkeer te vervroegen en op een holletje naar haar toe te gaan, haar mee te nemen om oesters te eten in Douarnenez. Maar ik doe het niet.

Tot halverwege de middag lig ik in bed, roerloos, weggekropen in mijn angst. Heel zacht neurie ik mijn Russische wiegeliedje voor me uit.

Dat wiegeliedje zingt een moeder voor haar zoon. Ze richt zich tot hem met de tederste, de meest liefdevolle woorden: *Spi, maljoetka, boed spakojen...* Slaap, m'n kleintje, wees gerust... *Spi, moj angel, ticho, sladko...* Slaap, m'n engel, stil en zoet... en, met voor mij de ontroerendste van allemaal: *Spi, ditja mojo radnoje...* Slaap, kind van mijn schoot. Een moeder die dit voor haar kind zingt, klemt het tegen haar borst, alsof het helemaal van haar is. Maar dat is niet zo, en dat weet ze. Ze beschermt het zolang het dat nodig heeft, zoals dieren hun jongen beschermen, maar het kind is niet haar bezit, ze houdt het niet bij zich in haar buik. Het is haar wens dat het opgroeit en een dapper man wordt zoals zijn vader. Ze weet dat als *vremja brannoje zjitjo* komt, de tijd van het leven als krijger, hij dapper de strijd in zal gaan, en dat zij bittere tranen zal schreien, dat ongerustheid haar uit de slaap zal houden, maar toch wenst ze niet dat die ongerustheid haar bespaard blijft. Als er een manier was om ervoor te zorgen dat hij lekker knus bij haar thuis zou blijven in plaats van zijn leven te wagen op het slagveld, dan zou ze die gedecideerd, en verontwaardigd zelfs, van de hand wijzen. Het kind dat ze zo stevig in haar armen klemt, mag geen lafaard worden, het moet een voorbeeld nemen aan zijn vader en een dappere ridder, *kazak doesjoj*, een echte kozak, worden.

Wat de woorden van dat wiegelied uitdrukken, en wat mijn hart bedroeft wanneer ik het herken, is een wet, een archaïsche, universele wet die iets zegt over de verhoudingen binnen het gezin: de vader behoort een krijger te zijn en de moeder behoort te wensen dat de zoon dat ook wordt, want anders is alles niet zoals het hoort. In mijn geval is alles verkeerd gegaan. Al heel vroeg drong het besef door dat mijn vader geen krijger was en dat mijn moeder het liefst had dat ik bij haar bleef in plaats van de strijd in te gaan.

Toch is er in mijn kinderjaren een andere vrouw dan mijn moeder geweest die de woorden van de oude wet voor me heeft gezongen, aan wie het te danken is dat die woorden in zekere zin in me leven, al zijn ze weggezakt tegelijk met de Russische taal.

Die vrouw was oud en lelijk, en ze hield van me.

Bij mijn geboorte kwam ze bij ons. Haar werkelijke naam was Pélagie, mijn ouders noemden haar Polja en ik Nana, de Franse versie van het Russische *njanja*, het woord voor kindermeisje, maar een *njanja* is veel meer dan een kindermeisje, een lid van het gezin aan wie een aanzienlijk gezag wordt toegekend. Mijn ouders vertelden vaak wat ze allemaal had meegemaakt in haar leven, tenminste, voor zover ze daarvan op de hoogte waren, en wat in een avonturenroman niet had misstaan. Ze kwam uit een zeer beroemde familie van zigeuners die optraden in een cabaret dat voor de oorlog werd bezocht door de beau monde van Sint-Petersburg. Zelfs Tolstoj zou naar hen zijn gaan kijken, zegt men, en zou hun liederen en dansen met enthousiasme hebben ontvangen. Op jonge leeftijd was ze al lelijk, maar dat nam niet weg dat ze enorm veel succes had bij de mannen. Zelfs op haar oude dag voelde je dat dat altijd zo was geweest, dat ze van mannen hield, en ik ben de laatste man in haar leven geweest.

Ze was achttien toen een Dagestaanse prins met de naam Nakasjidze haar weghaalde bij haar familie en haar cabaret. Samen leidden ze een uiterst romantisch leven, midden in de stormachtige periode van de revolutie, totdat de prins voor haar ogen door de bolsjewieken werd vermoord. Waarna het haar lukte om het land uit te komen, waarbij ze ongeveer dezelfde route volgde als het gezin Zoerabisjvili: Istanbul, dan Parijs. Terwijl mijn grootvader met grote moeite als taxichauffeur in het levensonderhoud van zijn gezin voorzag, slaagde Pélagie daar heel wat beter in, door het enige te doen wat ze kon: zingen en dansen in cabarets. Ze liet zich Pélagie Nakasjidze noemen, hoewel de kwestie of de prins met haar was getrouwd voordat hij stierf, onopgehelderd blijft. Alle papieren waren in elk geval verloren gegaan en niemand kon weten, of probeerde te weten te komen, hoe ze werkelijk heette, hoe oud ze in werkelijkheid was, of ze weduwe was of alleen de ex-maîtresse van een Dagestaanse prins; zulke verhalen geloof je of je gelooft ze niet, maar natrekken, nee, dat doe je niet. In Parijs leidde ze een nogal turbulent leven waarover ze op haar oude dag graag vertelde, met details die elkaar tegenspraken of niet klopten maar die niet noodzakelijkerwijs leugens hoefden te zijn. Uit de mist waarmee die jaren omgeven zijn, duikt een vriendschap op met Coco Chanel, die nog leefde toen de oude Pélagie bij ons werkte. Soms ging ze bij haar op bezoek, en van die bezoekjes kwam ze terug met chique handtassen of flacons met parfum die ze aan mijn moeder cadeau deed. In die kringen – cabaret en haute couture, Russische emigranten en Franse losbollen – heeft ze verkeerd tot aan het eind van de oorlog, vermoed ik, misschien nog iets maar niet veel langer: het is voor een vrouw die de vijftig is gepasseerd, nauwelijks mogelijk een carrière als danseres en mannenverslindster voort te zetten. Het was het enige wat ze kon, ze sprak slecht Frans, ze had geen geld achter de hand. Trouwens, ze was heel vroom en zelfs in de jaren waarin ze in Parijs een wild leven had geleid, was ze de Russisch-orthodoxe kathedraal in de *rjoe Darjoe* blijven bezoeken. Daar had ze trouwe vrienden gemaakt, onder wie dokter Sergej Tolstoj, een van de vele kleinzonen van de schrijver. Van het cabaret stapte ze regelrecht over naar de kerk, waar ze werk vond als huishoudster bij een priester. Helaas was de priester oud en ziek, en toen hij in 1957 stierf, nam ze zich voor nooit meer bij oude mensen te gaan werken, maar zoveel mogelijk in een huis waar kinderen zouden zijn. Ze wilde niet langer huishoudster zijn, maar *njanja*, wat iets heel anders is. Zo begaf ze zich, op aanbeveling van de Tolstojs, naar de *rjoe Rejnoear*, waar mijn ouders toen net naartoe waren verhuisd en ik net ter wereld was gekomen.

Mijn moeder zegt dat ze, de eerste keer dat Nana het appartement binnenkwam, haar angstaanjagend vond. Ze had wel iets van een heks, met haar donkere, doordringende ogen, en ze straalde een gezag uit dat hoort bij de functie van een *njanja*, zeker, maar wel tot op zekere hoogte. Meteen al gedroeg ze zich of ze thuis was en toonde zich onaangenaam verrast toen mijn moeder haar meedeelde dat ze, op zijn minst de eerste maand, van plan was thuis te blijven bij haar zoontje. Ik vermoed dat ze, al pratend met de oude zigeunerin, mij tegen zich aan drukte, me misschien de borst gaf. Diep in zichzelf was mijn moeder waarschijnlijk bang dat iemand haar haar prachtige kind, haar mooie, o zo tere zoontje, zou afpakken, haar Emmanuel van wie ze hield zoals ze nog nooit van iemand op de wereld had gehouden, behalve misschien van haar vader toen ze zelf nog klein was. Haar vader hadden ze haar afgepakt, maar haar kleine jongen zou niemand haar afnemen, niemand zou tussen hen komen, nooit.

Nana woonde dan wel al dertig jaar in Frankrijk, ze sprak slecht Frans, gooide Franse woorden en Russische woorden door elkaar tot een kleurrijk mengelmoes waar de mensen in de Jardins du Trocadéro, want daar nam ze mijn zusjes en mij elke dag mee naartoe, om moesten lachen. Maar volgens mijn moeder sprak ze ook slecht Russisch, of eigenlijk, sprak ze geen 'mooi Russisch'. Mijn moeder is trots op haar 'mooie Russisch', een erfenis van haar familie, en de maatstaf die ze vaak hanteert bij het beoordelen van mensen. Het was de enige rijkdom die haar ouders hadden weten te behouden en aan haar hadden kunnen doorgeven, en die schat die niemand hun kon afnemen, bewees dat ze ooit in paleizen hadden gewoond. Tot op de dag van vandaag is erkennen dat iemand een 'mooi Russisch' spreekt, dat wil zeggen een Russisch dat kleinburgerlijk noch Sovjet- is, een ancien-régime-Russisch, de hoogste lof die mijn moeder iemand kan toezwaaien. Ikzelf spreek zonder Russisch te spreken een mooi Russisch. Dat is mijn erfenis, en ook ik ben daar trots op. Ik krijg complimenten over mijn uitspraak, en ik weet dat dat terecht is, trouwens, ik hoor duidelijk het verschil tussen het mooie of niet mooie Russisch van anderen: oom Nicolas, bijvoorbeeld, spreekt een mooi Russisch, terwijl geen van de twee Sasja's een mooi Russisch spreekt, evenmin als wie dan ook in Kotelnitsj. Aan weinig dingen beleef ik zoveel plezier als aan de charme van dat mooie Russisch, en mijn tot dusverre vergeefse pogingen om de taal te leren, hebben tot doel werkelijk te kunnen beschikken over dat rijke bezit waarvan ik weet dat het sluimerend, en toch onvervreemdbaar, in me aanwezig is.

Als ik zeg dat ik dat mooie Russisch heb overgeërfd, dan bedoel ik dat ik het van mijn moeder heb meegekregen, niet van Nana. Mijn moeder wijst daar nadrukkelijk op: zij spreekt een mooi Russisch, ik spreek een mooi Russisch, Nana sprak een afschuwelijk Russisch.

Toch was Nana degene die Russisch tegen me sprak, niet mijn moeder.

Zij zong het kozakkenwiegeliedje voor me. Weer komt haar stem in me tot leven wanneer ik het zachtjes voor mezelf zing.

Zij is degene wier dood ik heb veroorzaakt.

Ik ben elf jaar. Er zijn die avond gasten. Terwijl onze ouders hen ontvangen in de salon, spelen mijn zusjes en ik ergens achter in het appartement. Nana moppert, zoals gewoonlijk, omdat we niet naar bed willen. Ze rent achter ons aan, windt zich op, en hoe meer zij zich opwindt, hoe uitgelatener wij worden, zoals kinderen soms door het dolle heen kunnen raken waardoor ze iets doen wat ze normaal gesproken nooit zouden durven, alsof ze niet langer zichzelf zijn maar kleine duiveltjes hun plaats hadden ingenomen. En dit moment weet ik nog: Nana staat in de deuropening van mijn kamer, met haar rug naar de gang, ze geeft ons ervanlangs. Ik ren door de gang, opeens sta ik achter haar en geef haar een duw in haar rug. Ze valt op de grond, voorover. Wat er daarna is gebeurd, weet ik niet meer precies. Waarschijnlijk werd ik bang, heb mijn ouders geroepen. Iedereen rende mijn kamer binnen, gasten incluis, al snel kwam er een ambulance die Nana naar de kliniek bracht waar ze een paar dagen later is gestorven. In die dagen zijn wij, de kinderen, verscheidene malen bij haar op bezoek geweest. We hebben met haar gepraat. Er werd ons verteld dat ze een hartaanval had gehad, en de omstandigheden waarin dat infarct had plaatsgehad, zijn nooit ter sprake gekomen. Ik geloof dat Nana uitzonderlijk teder en lief tegen me was, alsof ik in geen enkel opzicht schuld had aan haar toestand. Ik had haar niet geduwd, ze was niet gevallen maar gewoon ziek geworden zoals dat bij mensen van haar leeftijd gebeurt, vroeger of later. Was ze het vergeten, of had ze besloten het te vergeten, in de hoop dat ik het zelf zou vergeten en niet mijn leven lang zou moeten rondlopen in de huid van het kind dat een moord op zijn geweten heeft? En mijn ouders? Wat wisten zij? Wat vermoedden ze? Hebben ze besloten, de ware toedracht kennende, die te verbloemen zoveel als in hun vermogen lag, en in de eerste plaats voor mij? Zou er in mijn familie nog een tweede geheim bestaan dat, in dit geval, niet de vermoorde vader betreft maar de zoon die een moordenaar is?

Kort voor mijn vertrek naar Moskou nodigde ik mijn ouders uit om te komen eten en bracht het gesprek op Nana. Ze dachten met genegenheid en ontroering aan haar terug, vertelden anekdotes. Niets in hun toon wees in de richting van een lijk in de kast. Dit is hun lezing van de omstandigheden waarin ze stierf: Nana voelde zich meteen die ochtend al erg moe, en mijn moeder had verordonneerd dat ze op haar kamer zou blijven om ongestoord te kunnen rusten. 's Avonds kwamen de gasten, en terwijl ze zich kweet van haar taken als vrouw des huizes, ging ze regelmatig naar het kamertje van Nana achter in het appartement om te zien hoe ze het maakte. Steeds slechter. Stekende pijn op de borst. Ze lieten een arts komen, die de diagnose hartinfarct stelde en zorgde dat Nana naar de kliniek werd overgebracht. Daar heeft ze een week gelegen, en in die week bezocht mijn moeder haar elke dag. Wij, de kinderen, mochten niet naar binnen maar we gingen toch mee zodat we vanuit de tuin naar Nana konden zwaaien en haar kushandjes konden toewerpen door het raam – haar kamer was op de begane grond. Toen is ze gestorven, vredig.

Ik weet goed genoeg hoe mijn moeder kijkt wanneer er een pijnlijk onderwerp ter tafel komt om met zekerheid te kunnen concluderen dat mijn ouders niet liegen. Als hun versie juist is, waarvan ik nu overtuigd ben, is de mijne onjuist. Toch verwijst mijn herinnering, die nog steeds scherp en levendig is, naar iets reëels, en het schuldgevoel dat erdoor wakker wordt geroepen, heeft me mijn leven lang niet verlaten. Nana heb ik misschien niet vermoord, maar wie dan wel? Welke misdaad heb ik begaan?

Na mijn terugkeer uit Moskou ga ik Sophie ophalen in Bretagne en de kerstvakantie brengen we door in bed, in Parijs. Omdat haar been nog steeds pijn doet, gaat ze de deur bijna niet uit, alleen ik waag me buiten om iets te eten te kopen, haast me dan terug naar huis en schuif naast haar. We vrijen, luisteren naar muziek, praten urenlang. Was het erg koud, dat jaar? Hadden we gezegd dat we weg zouden gaan voor de feestdagen? Ik weet het niet meer, maar ik heb geen afspraken, de telefoon gaat maar zelden, er komt geen bezoek, we zijn er voor niemand en de dagen verstrijken in warme intimiteit zoals ik me voorstel dat dagen misschien verstrijken in het hoge Noorden. Het bed wordt een boot, een tent, een iglo, en het traject naar de keuken of de badkamer een kleine expeditie – hoewel de verwarming van de flat niets te wensen overlaat.

Op een dag, aan het eind van die overwintering, zitten we bij uitzondering in de keuken, ze kijkt me aan met ogen die plotseling vol tranen staan en zegt: Er is iemand anders.

Die mededeling overvalt me. Ik zwijg. Ik wacht af.

Al weken, maanden, zegt ze, wilde ik het er met je over hebben en ik kreeg het niet voor elkaar. Ik wil dat je het begrijpt. En ze praat, ze praat en ze huilt tegelijkertijd, ze struikelt over haar woorden. Ze zegt dat ze van me houdt, dat ze weet dat ik van haar houd, op mijn manier, maar dat het gevoel dat ze op een schiet-stoel zit, voortdurend overgeleverd aan mijn wisselende stemmin-gen, vreselijk voor haar is. Dat ze permanent bang is dat ik haar niet meer leuk vind, bang voor de harde blik waarmee ik naar haar kijk, bang voor het gevoel dat ze mij niet waard is. Dus wat is het geval... Tijdens mijn eerste verblijf in Moskou, afgelopen zomer, heeft ze iemand leren kennen. Arnaud heet hij. Hij is jonger dan ik, en ook jonger dan zij. Hij is verliefd op haar geworden. Hij heeft nog nooit een vrouw ontmoet zoals zij. Tijdens haar revalidatie heeft hij haar alle weekends opgezocht, in Bretagne. Hij weet van mijn bestaan, en dat hij een geduchte concurrent tegenover zich vindt, maar wat hij te bieden heeft is iets anders. Geen schiet-stoel, geen verhouding zonder toekomst. Hij wil met haar trou-wen, kinderen krijgen samen met haar. Hij weet dat ze de vrouw van zijn leven is. Hij houdt van haar, echt.

En jij, vraag ik, houd jij van hem?

Ik weet het niet. Ik weet dat ik van jou houd. Maar ik ben bang dat jij niet van mij houdt.

Dus wat wil je? Weggaan met hem van wie je zeker weet dat hij van je houdt en van wie jij niet zeker weet of jij van hem houdt? Of bij mij blijven van wie je zeker weet dat je houdt zonder er zeker van te zijn dat ik van jou houd?

Ik weet niet... Afschuwelijk, zoals jij de dingen voorstelt.

Jij stelt ze zo voor. We kunnen ze anders formuleren, als je dat liever hebt. Nu je me dit vertelt, wat verwacht je dat ik tegen je zal zeggen? Ga weg, of blijf?

Ze denkt na, haar ogen vol tranen, antwoordt dan: Blijf, ik zou graag willen dat je dat tegen me zei.

Blijf, zeg ik.

Daarna hebben we het er niet meer over.

Maar ze komt er wel op terug, om dit tegen me te zeggen: Is het je niet opgevallen dat ik een brede mannenring draag, aan mijn duim? Toch valt dat op, een mannenring aan de duim van een vrouw. Die ring heb ik van hem gekregen. Ik draag hem al drie maanden. En drie maanden is jou dat niet opgevallen.

Ik buig het hoofd. Even later vraag ik zacht om de ring af te doen en hem aan Arnaud terug te geven. Ik vraag haar, alleen mij toe te behoren.

Weet je, zegt ze, dat is precies wat ik graag zou willen. Dat zou ik willen, echt waar.

Ze is bang voor mijn reizen, mijn perioden van afwezigheid, voor haar ontreddering als ik weg ben, en ik tref de voorbereidselen om ruim een maand weg te blijven. Ik heb een producer gevonden, Anne-Dominique, die geïnteresseerd is in mijn filmproject. Samen leggen we het voor aan de commissie die een voorschot geeft op de recettes en die om een synopsis vraagt. Ik schrijf drie bladzijden, die zo eindigen: 'Zoals ik het me nu voorstel, zou de film het dagboek moeten zijn van ons verblijf in Kotelnitsj, het portret van de mensen die we er zullen ontmoeten, de kroniek van de verhoudingen die er tussen hen en ons zullen ontstaan – met parallel daaraan het, persoonlijker, relaas van hoe ik me onderdompel in de Russische taal.

Maar misschien zal het heel anders uitpakken dan ik me nu voorstel.

Ik denk dat wijzelf in beeld zullen komen, maar misschien uiteindelijk ook niet. Ik denk dat er een commentaarstem zal zijn, maar misschien uiteindelijk ook niet. Misschien zal het uiteindelijk het portret worden van één enkele bewoner van de stad – of van een naburige stad.

Ik weet het niet en er is me alles aan gelegen dat zo te houden.

Graag zou ik, al weet ik niet of dat mogelijk is, zelfs tijdens het draaien nog in die onwetendheid verkeren. Om pas bij het monteren te ontdekken waar de film over gaat; wanneer wát we zullen beleven, zal worden tot wat we hébben beleefd.'

Sommige commissieleden vinden die manier om ons project aan de man te brengen wat al te gemakkelijk, maar toch krijgen we het voorschot en de productie gaat van start. Afgezien van Sasja, die altijd beschikbaar is, blijkt het onmogelijk de oorspronkelijke ploeg bij elkaar te krijgen. Jean-Marie kan zich geen maand vrijmaken en van hem hoor ik dat Alain ernstig ziek is: een hersentumor, kortstondige remissie, uitzaaiingen. Ik bel hem om te weten hoe hij het maakt en ik zeg, uit verlegenheid, iets waarover ik me vandaag nog steeds schaam: Het schijnt dat je een ernstig gezondheidsprobleem *hebt gehad*... Hij lacht even en wijst me terecht: Nou nee, niet heb gehad. Heb. Hij maakt grapjes, hij vecht, maar hij weet heel goed dat het foute boel is. Ik vertel hem over het project *Terug naar Kotelnitsj*. Het spijt hem dat hij niet van de partij kan zijn. Drie weken later is hij dood.

Voor het beeld huur ik Philippe in, een Franse cameraman die sinds tien jaar in Rusland woont, en hij suggereert voor het geluid een vrouw die Ljoedmila heet en met wie hij meestal werkt. Er is één probleem, ze spreekt alleen Russisch. Ik zeg dat dat geen probleem is, integendeel.

Een journalist van *Le Monde* belt met de vraag of ik een kort verhaal wil schrijven voor hun zomereditie: speciale bijlagen die elk weekend verschijnen en die, naar het schijnt, een groot lezerspubliek trekken. 35 000 tekens, over het thema 'reizen'. Mijn eerste impuls is om nee te zeggen omdat ik niets in mijn hoofd heb, dan valt me in dat Sophie me ooit heeft gevraagd: Waarom schrijf je niet eens een erotisch verhaal? Voor mij? Ik zal erover nadenken, luidde mijn antwoord. En inderdaad, nu denk ik erover na. Ik bel de journalist terug om te zeggen dat ik eigenlijk toch wel een idee heb, maar dat ik dat wil gebruiken alleen op één voorwaarde: dat ik de datum van verschijning zelf mag bepalen. Dat zou geen probleem moeten zijn. Akkoord, dus. In drie dagen heb ik het verhaal rond, net voordat ik afreis naar Kotelnitsj. Tegen Sophie laat ik er niets over los. Ik weet nog niet dat dat verhaal afgrijselijke ravages zal aanrichten in mijn leven en ik geloof dat ik van mijn leven nog nooit iets met zoveel gemak en opgewektheid heb geschreven. Aan mijn grootvader denk ik niet meer. Ik vermaak me, ik lach in mijn eentje, ik ben enorm met mezelf ingenomen.

3

Voordat je in de trein stapte, heb je bij de kiosk op het station *Le Monde* gekocht. Vandaag staat mijn verhaal erin, dat heb ik je vanmorgen door de telefoon verteld, en ik zei erbij dat het uitstekende reislectuur zou zijn. Dat drie uur, luidde je antwoord, een beetje lang was voor een kort verhaal, en dat je toch ook een boek mee zou nemen. Om geen argwaan te wekken zei ik dat, ja, inderdaad, daar zou je wel verstandig aan doen, maar nu durf ik te wedden dat welk dat boek ook mag zijn, je het dicht zult laten.

Je hebt je plaats ingenomen, gekeken hoe de mensen gingen zitten, het zal wel druk zijn. Waarschijnlijk zit er iemand naast je, man of vrouw, jong of oud, sympathiek of niet, ik heb geen idee. Pas toen de trein zich in beweging zette, heb je de krant opengeslagen, zoals dat gaat wanneer je alle tijd hebt. Muren met graffiti langs de spoorbaan, smalle doorgang naar het zuiden, je laat Parijs achter je. Je hebt de eerste pagina doorgekeken, de achterpagina waar een stuk over mij staat, toen heb je het middenkatern gepakt, opengevouwen, eruit gehaald, weer opgevouwen, ik hoop dat je in de gauwigheid geen zinnen hebt opgepikt. Nu begin je te lezen.

Raar, niet?

Je weet niets van dit verhaal, dat is in de eerste plaats al raar. We waren samen toen ik het schreef, maar ik wilde het je niet laten zien. Ik ontweek je vraag door te zeggen dat het min of meer sciencefiction was. Op het eerste gezicht doet het nog het meest denken aan *De verandering*, de roman van Michel Butor die zich afspeelt in een trein en in de tweede persoon is geschreven. Ik vermoed dat sommige van de lezers die tot hier hebben gelezen, dat al hebben bedacht. Maar jij bent zo verbaasd dat de gedachte aan Michel Butor niet bij je opkomt. Je realiseert je dat ik je in de vorm van een verhaal een brief heb geschreven die 600 000 mensen, dat is de oplage van *Le Monde*, over je schouder mogen meelezen.

Je bent ontroerd, misschien ook wel een beetje onbehaaglijk. Je vraagt je af waar ik naartoe wil.

Ik wil je een voorstel doen. Van nu af aan doe je alles wat ik zeg. Letterlijk. Stap voor stap. Als ik zeg: aan het eind van deze zin moet je stoppen met lezen en pas over tien minuten verder gaan, dan stop je met lezen aan het eind van die zin en je leest pas door na tien minuten. Dit was een voorbeeld, dat is nu niet van toepassing. Maar stem je er in principe mee in? Vertrouw je me?

Wel, nu zeg ik tegen je: Houd op met lezen als je deze zin uit hebt, sla het katern dicht en besteed tien minuten, horloge in de hand, aan het nadenken over de vraag waar ik naartoe wil.

Lezers, lezeressen vooral, die ik niet ken, ik heb niet het recht u iets op te dragen maar toch raad ik u aan hetzelfde te doen.

Oké. De tien minuten zijn om.

Van de anderen weet ik dat niet, maar jij moet het nu wel begrepen hebben.

Nu zou ik graag willen dat je de moeite nam om je te concentreren. Een moeite die je geen moeite zal kosten, durf ik te zeggen, omdat ik nog heel wat meer van je zal vragen, we moeten het rustig aan doen. Je gaat nu alleen proberen jezelf in beeld te krijgen. Eerst je directe omgeving, waarvan een heel aantal aan verandering onderhevige factoren voor mij onzichtbaar zijn: rijd je vooruit of niet, raam- of gangkant, gewone bank of carré, dus tegenover iemand of niet, dat is uiteraard een belangrijk detail. En dan jij zelf, zoals je daar zit, met de opengeslagen krant in je handen. Wil je dat ik je beschrijf, om je te helpen? Maar nee, ik denk niet dat dat nodig is, allereerst omdat ik niet zo goed ben in beschrijvingen, en in de tweede plaats omdat het de bedoeling is dat niet alleen jij vochtig wordt maar ook iedere andere vrouw die dit leest en omdat een al te nauwkeurige beschrijving identificatie in de weg zou staan. Alleen het noemen van een grote blonde vrouw met een zwanenhals, een dunne taille en weelderige heupen zou al te veel zijn, dus zeg ik niets van dat alles. Ook wat je kleren betreft houd ik me op de vlakte. Natuurlijk zou ik er voor zijn dat je een zomerjurk droeg die armen en benen onbedekt laat, maar ik heb me ervan weerhouden je wat dit betreft instructies te geven en het kan best zijn dat je een broek draagt, dat is praktisch, op reis; het zal geen beletsel zijn. Hoeveel lagen je ook over elkaar draagt, ook al ligt het in dit seizoen in de lijn der verwachting dat dat er maar één is, eronder ben je naakt, dat staat op z'n minst vast. Ik herinner me een roman waarin de verteller vol verrukking besefte dat vrouwen hoe dan ook naakt zijn onder hun kleren. Ik deelde, en deel nog steeds, die verrukking. Ik wil graag dat je daar even over nadenkt.

Volgt de tweede oefening: tot je laten doordringen dat je naakt bent onder je kleren. Lokaliseren, a. de zones van je huid die niet in contact staan met een kledingstuk maar regelrecht met de vrije lucht – gezicht, hals en handen, plus een gedeelte, dat aan verandering onderhevig kan zijn, van armen en benen –, b. de met kleding bedekte gebieden, en daar opent zich een heel scala aan nuances, afhankelijk van het feit of de stof strak zit – ondergoed, nauwsluitende jeans – of min of meer los om het lichaam valt – wijde blouse, rok die tot op de enkels reikt. Dan is er nog een c., die ik voor het eind bewaarde en die te maken heeft met de gedeelten van de huid die in aanraking zijn met andere huidgedeelten, onder een rok bijvoorbeeld, als je je benen over elkaar slaat, de onderkant van de ene dij tegen de bovenkant van de andere, het bovenste van de kuit opzij tegen de knie. Je doet nu je ogen dicht om dat allemaal op een rij te zetten, alle plekken waar je huid in contact staat met de lucht, met stof, met huid of met een ander materiaal: je onderarmen op de armleuningen, je enkel tegen het plastic van de bank voor je. Om alle dingen langs te gaan die je huid aanraakt, alle dingen die je huid aanraken. Om alles op te sommen wat er aan de buitenkant van je lichaam gebeurt.
    Een kwartier lang.

Er komt een moment, in de achtereenvolgende stadia van seks per telefoon, dat altijd precair is, prettig maar precair, en dat is het moment waarop je van een gewone dialoog overgaat op de kern van de zaak. Haast steevast gebeurt dat door aan de ander te vragen zijn of haar houding in de ruimte te beschrijven – 'Nou ja, ik lig op mijn bed...' –, dan wat hij of zij aanheeft – 'Alleen een T-shirt, hoe dat zo?' –, waarna je vraagt om een vinger ergens tussen kleren en huid te schuiven. Op dit punt aarzel ik. Hier geldt hetzelfde als bij het schaken of in een psychoanalyse, waar alles naar men zegt al in de eerste zet besloten ligt. De klassiekste opening zou een borst zijn die, omhuld door een bh, anders benaderd zal worden dan wanneer dat niet zo is. Jij draagt meestal een bh. De meeste ervan ken ik, een paar maal heb ik je er een cadeau gegeven, want dat doe ik graag, sexy lingerie uitzoeken. Ik vind het leuk om met de verkoopster te praten, haar een beschrijving te geven van de vrouw voor wie het kledingstuk is bestemd. De legitieme, zuiver professionele dialoog, waar een seksuele ondertoon doorheen klinkt, schept een moment van saamhorigheid, zodat je al snel vraagt: Als het voor u was, wat zou u kiezen?

Ik zou je kunnen vragen een van je borsten te strelen, met je vingertoppen door jurk en bh heen de tepel licht aan te raken, zo onopvallend mogelijk. Ook dat is iets wat ik graag doe, wat we beiden graag doen, samen kijken naar vrouwen en bedenken hoe hun tepels eruitzien. Hun kutjes ook trouwens, maar rustig aan, voorlopig zijn we nog maar bij hun borsten. Jouw tepels, zoals ik meer dan eens aan lingerieverkoopsters heb uitgelegd zodat ze beter in staat zouden zijn me van advies te dienen, zijn een beetje anders dan die van andere vrouwen, in die zin dat het lijkt of ze andersom zijn geplaatst, naar binnen toe, en dat ze als je opgewonden raakt naar buiten komen, als een diertje uit zijn hol. Dat is wat ze op dit moment doen, denk ik, en daarvoor hoef je ze niet eens aan te raken. Raak ze niet aan. Schort de beweging op die je misschien al begonnen was te maken, laat je hand halverwege in de lucht zweven en volsta ermee aan je borsten te **denken**. Ook nu weer, visualiseer ze. Ik heb het je al eens verteld, het zo gedetailleerd mogelijk visualiseren van een gedeelte van het lichaam en er in gedachten en qua zintuiglijke waarneming naartoe gaan, is een heel effectieve yogatechniek – zij het dan dat die doorgaans voor andere doeleinden wordt aangewend. Gewicht, temperatuur, structuur van de huid, andere huidstructuur rond de tepel, grens tussen huid en tepelhof, je bent helemaal in je borsten. Het ligt in de verwachting dat iemand die tegenover je zit – maar zit er iemand tegenover je? – je tepels zich onder de dubbele laag kleding net zo duidelijk ziet aftekenen als onder een nat T-shirt.

Alweer: stop. Je vouwt de krant dicht. Een kwartier lang denk je alleen aan je borsten, en aan mij die aan je borsten denkt. Je doet je ogen dicht, of niet, dat mag je zelf weten.

Was dat prettig?

Heb je gedacht aan mijn handen op je borsten? Ik heb daar wel aan gedacht. Of eigenlijk, niet aan mijn handen **op** je borsten, aan mijn handen **vlak bij** je borsten. Je weet wel, de handpalmen die ze omsluiten en de welving ervan volgen, nog een kwart millimeter en ze zouden langs je borsten strijken, maar dat doen ze nu net niet. Strijken langs, dat wil zeggen 'heel licht aanraken', maar ik raak je niet aan, ik kom zo dichtbij als je dichtbij kunt komen maar toch zonder dat er sprake is van aanraking; aanraking vermijden, dat is nu juist het spel, en tegelijkertijd een afstand bewaren die constant is, wat betekent dat de handpalm zich soms haast onmerkbaar moet terugtrekken, als reactie op het moment dat de borst naar voren komt door de opwinding of gewoon maar door het ademen. Ik zeg wel 'als reactie op', maar het is subtieler dan dat, het is geen kwestie van reageren, een reactie zou te laat komen, zoals het er in vechtsporten niet om gaat een stoot terug te geven maar er geen te incasseren. Anticiperen, dat is het, en daarvoor moet je je laten leiden door lichaamstemperatuur, intuïtie, ademhaling. Met enige oefening lukt het om tepel en handpalm te laten functioneren als twee geigertellers, en jij en ik hebben goed geoefend. Touché, verloren. Trouwens, deze techniek kan met welke delen van het lichaam dan ook worden toegepast, en al zijn handpalm en vingers, lippen en tongen, borsten, clitoris, eikel en anus de combinaties die in de praktijk het bevredigendst zijn gebleken, de combinaties die binnen een paar minuten kreten uitlokken waarvan de buren hoorndol worden – hoewel je kreten bedwingen ook geen slecht idee is –, je zou jezelf tekortdoen als je je tot de van slijmvliezen voorziene, erectiele en van oudsher als erogeen beschouwde zones beperkte en variaties van het soort hoofdhuid-knieholte, kin-voetzool, heupbeen-okselholte te veronachtzamen; ikzelf houd heel erg van oksels, en van jouw oksels, waarover ik het net wilde hebben, in het bijzonder.

Daar moet je even om glimlachen omdat je weet hoe dol ik erop ben, terwijl jij, nou ja, je hebt er niets op tegen maar het is niet echt waardoor je uit je dak gaat. Mijn enthousiasme vertedert je, meer dan dat het je opwindt. Vandaar je glimlachje. Nu ik dit opschrijf, twee maanden voordat jij het leest – als je het leest, als alles goed gaat –, probeer ik dat lachje voor me te zien, de glimlach van een vrouw die, alleen in een trein, een pornobrief zit te lezen die aan haar is gericht maar die tegelijkertijd wordt gelezen door duizenden andere vrouwen van wie vele, vermoed ik, bij zichzelf zullen denken dat jij je gelukkig mag prijzen. Het is, dat valt niet te ontkennen, een vrij speciale situatie die ook wel een speciale glimlach zal uitlokken, en ik vind dat het uitlokken van zo'n glimlach een stimulerend literair doel is. Ik heb graag dat literatuur iets teweegbrengt, mijn ideaal zou het zijn dat ze performatief is, in de zin waarin linguïsten een performatieve uiting definiëren. Het klassieke voorbeeld daarvan is de zin 'Ik verklaar de oorlog': op het moment dat die zin is uitgesproken, is de oorlog een feit. Je zou kunnen zeggen dat van alle literaire genres de pornografie het genre is dat dat ideaal het dichtst benadert: als je leest 'Je wordt geil', word je geil. Dit was maar een voorbeeld, ik heb niet gezegd 'Je wordt geil', dus word je nog niet geil, of als dat toch zo is let je er niet op, je wendt al je geestelijke energie aan om je aandacht af te leiden van je broekje. Er is een verhaal dat hier zo ongeveer over gaat en dat ik wel aardig vind, over de man wie door een tovenaar wordt beloofd dat al zijn wensen in vervulling zullen gaan, maar op één voorwaarde: hij mag vijf minuten lang niet aan een roze olifant denken. Als dat niet tegen hem was gezegd, dan zou die gedachte natuurlijk nooit bij hem zijn opgekomen, maar nu het hem is gezegd, en verboden, kan hij aan niets anders meer denken. Toch ga ik proberen je te helpen, we gaan aan iets anders denken, ons concentreren op je oksels, we gaan zelfs iets anders **doen**.

Een heel lichte aanraking is nu toegestaan. Terwijl je met je linkerhand het katern blijft vasthouden, ga je met je rechterhand naar je linkerheup. Je onderarm die, veronderstel ik, onbedekt is, rust dus op je buik, op navelhoogte. Vanaf de heup ga je nu omhoog met je hand naar het hobbeltje dat bij alle vrouwen ontstaat vlak boven de rok of de broek, waarna handpalm en vingers door de stof heen die plek van je lichaam strelen die uitzonderlijk teer en soepel aanvoelt. Het is er warm, zacht, uitrustend, en je zou best wat willen blijven op die uitvalsbasis. Blijf nog maar even, voordat je verder omhooggaat naar je flanken en de onderkant van je bh. In deze fase zal de situatie anders zijn als je dankzij een tweede kledinglaag – blouse over T-shirt, jasje van lichte stof – betrekkelijk onbespied te werk kunt gaan, of als je je weg open en bloot moet vervolgen. Je kunt de hand die de krant vasthoudt altijd nog dichterbij brengen om je andere hand te camoufleren, die nu gewoon om je linkerborst ligt. Daar heb je nu vrij spel. Neem de tijd om, voor zover het fatsoen het toelaat, alles te doen wat je zonet wilde doen maar wat toen niet mocht. Maar verlies niet uit het oog dat de plek waarop we ons op dit moment concentreren, niet de tepel is, maar de okselholte. Je vingers liggen nu in die richting, en daar zal het zeker mogelijk zijn de naakte huid te bereiken, via het armsgat van jurk of T-shirt, en als je bij toeval een blouse met lange mouwen draagt, dan heb je altijd de halsopening nog die, vermoed ik, niet hooggesloten zal zijn. Welke weg je ook neemt, bovenlangs of onderdoor, voor het eerst sinds het begin van deze brief raak je regelrecht je huid aan. Schuif je linkerarm wat weg, daarvoor hoef je alleen maar met een vanzelfsprekende beweging je elleboog op de armleuning te leggen. Strijk met je vingertoppen de plek waar je arm begint glad, begin dan de holte van je oksel te exploreren. Het zou me verwonderen als je, op een julimiddag, in een trein waarvan ik vermoed dat hij tamelijk vol zal zijn, niet wat zweetdruppels afveegt. Ik zou graag willen dat je die over een paar minuten – maar haast je vooral niet – naar je neus bracht, voor de geur, en dan naar je lippen, om de smaak ervan te proeven. Ik ben daar dol op: zonder tot in het extreme door te voeren waaraan Hendrik IV zijn faam heeft ontleend, toch ben ik niet zo gek op een te schoongeboende huid, en ook jij hebt graag dat we naar pik, kut en oksel ruiken. Jouw oksels zijn niet geschoren, ook dat vind ik heerlijk. Niet als absolute regel, het is geen religie, het kan variëren, maar in dit geval, dat is wel zeker, zou ik uren kunnen doorbrengen, breng ik ook daadwerkelijk uren door in dat lichte kroezen van blonde haartjes. Die voorliefde hoort, denk jij, en met reden, bij een totaal van erotische voorkeuren waardoor ik me eerder zou kunnen vinden in zeg maar de foto's van wijlen Jean-François Jonvelle dan in die van Helmut Newton: het meisje in onderbroekje dat haar borsten masseert met hydraterende crème en intussen naar je glimlacht in de badkamerspiegel, liever dan genre naaldhakken, verachtelijk opgetrokken lip en hondenhalsband. Maar de voorkeur voor okselhaartjes werkt ook, hoe zal ik het zeggen? als een metonymie, waarbij in plaats van iets iets anders wordt genoemd; dat het bij wijze van spreken lijkt of je rondloopt met twee extra kutjes, twee kutjes waarvan de welvoeglijkheid het wél toelaat ze openlijk te tonen terwijl ze onweerstaanbaar doen denken, mij in elk geval onweerstaanbaar doen denken, aan de kut tussen je benen. In principe ben ik geen voorstander van dit soort gedachtegang. Als ik een kutje zie, wil ik aan dat kutje denken, als ik een oksel zie, aan die oksel, en me niet verliezen in associaties die alles met alles in verband brengen, in een systeem van niet onder woorden te brengen correlaties en reflecties dat ogenblikkelijk leidt naar romantiek, van romantiek naar bovarysme en vandaar naar een algeheel ontkennen van de realiteit. Ik ben voor de realiteit, niets dan de realiteit, ik ben er vóór om je op één ding tegelijk te concentreren, zoals de Indiase goeroe die, in weer een ander van mijn favoriete verhalen, zijn leerlingen onvermoeibaar blijft voorhouden: 'When you eat, eat. When you read, read. When you walk, walk. When you make love, make love' enzovoort. Behalve dan op zekere dag, tijdens een meditatiesessie, wanneer zijn leerlingen hem aantreffen als hij aan het ontbijten is en tegelijk de krant leest. Als ze daar hun verbazing over uitspreken, luidt zijn antwoord: 'Where is the problem? When you eat and read, eat and read.' Op grond van dit voorbeeld behoud ik me het recht voor om, tegen mijn filosofische standpunten in, aan je poesje te denken terwijl ik je oksels streel en jou je oksel laat strelen. Trouwens, je denkt er zelf ook aan en ik zeg maar niets over je buurman die al vijf minuten steels naar je kijkt als je aan je vingers likt.

Ik zeg er niets over, nog even niet.

Ook dat is een bron van onuitputtelijke verrukking: niet alleen zijn vrouwen naakt onder hun kleren, maar ze hebben allemaal dat wonderding tussen hun benen, en het meest opwindende is nog dat dat steeds zo is, zelfs als ze er niet aan denken. Heel lang heb ik me afgevraagd hoe ze dat deden, het leek me dat als ik hen was geweest, ik mezelf aan één stuk door had bevredigd of daar in elk geval voortdurend aan zou denken. Een van de dingen die ik meteen leuk aan je vond, was dat het leek of jij er meer aan dacht dan vrouwen doorgaans doen. Toen iemand op een dag tegen je zei dat je je kut meedroeg op je gezicht, was je even in dubio hoe je dat moest opvatten, als een kras staaltje van onbeschoftheid of als een compliment, en uiteindelijk heeft de versie compliment het gewonnen. Daar heb je goed aan gedaan. Ik houd ervan om als je naar het gezicht van een vrouw kijkt, je te kunnen voorstellen hoe ze eruitziet als ze klaarkomt. Er zijn vrouwen bij wie dat vrijwel onmogelijk is, je voelt niets van overgave, maar jij, als je jou ziet bewegen, glimlachen, praten over heel iets anders, dan vermoed je meteen dat je graag klaarkomt, je hebt meteen zin om te weten hoe je bent als je klaarkomt, en als je dat weet, wel, dan is dat geen teleurstelling. Het ligt niet helemaal in de lijn van deze tekst, maar jammer dan, ik sta mezelf een sentimentele opmerking toe: nog nooit heb ik een vrouw zo graag zien klaarkomen, en als ik zeg 'zien', dan is dat natuurlijk niet alleen zien. Ik zie je voor me terwijl je dit leest, je glimlach, je trots, trots van een vrouw die in bed niets tekortkomt, een trots die alleen wordt geëvenaard door de trots van de man die een vrouw neukt die in bed niets tekortkomt. Nu mag je met je gedachten in je broekje gaan. Maar wacht, overhaast niets. Doe zoals met de roze olifant. Denk nog niet aan mijn pik, niet aan mijn tong, niet aan mijn vingers en ook niet aan je eigen vingers, denk aan je kutje, aan niets anders, zoals het nu is, tussen je benen. Het is verschrikkelijk moeilijk, wat ik daar van je vraag, maar de bedoeling zou zijn dat je denkt aan je kutje alsof je er niet aan dacht. Mensen die vaak mediteren, zeggen dat het doel van meditatie, en de illuminatie volgt dan als vanzelf, erin is gelegen naar je ademhaling te kijken, maar zonder er iets aan te veranderen. Er te zijn alsof je er niet bent. Probeer je je kutje voor te stellen, vanbinnen, alsof het gewoon tussen je benen was en jij aan iets anders dacht, alsof je aan het werk bent of bezig een artikel te lezen over de uitbreiding van de Europese Unie. Probeer je afzijdig te houden terwijl je elke gewaarwording nauwlettend registreert. De manier waarop de stof van het broekje de haartjes samendrukt. De grote lippen. De kleine lippen. Hoe de wanden elkaar aanraken. Doe je ogen dicht.

O ja? Is het nat? Ik had al zo'n vermoeden. Heel nat? De oefening was moeilijk, dat geef ik toe, maar goed, ook al is het daar nu heel nat, het is niet geopend; zittend in een trein, met een broekje aan en zonder een vinger te gebruiken kan het daar niet geopend zijn. Dus kom, laten we eens zien of het mogelijk is de lippen een beetje uiteen te duwen, van binnen, zonder hulp. Ik weet het niet. Ik denk van niet. Je vaginale spieren zijn uitstekend ontwikkeld, maar die spieren zorgen er niet voor dat de lippen zich openen; wat je wel kunt doen, is aanspannen loslaten, aanspannen loslaten, zo krachtig als je kunt, alsof ik in je was.

Hier heb ik de teugels een beetje laten vieren, ik ben harder van stapel gelopen dan ik dacht, maar het zou unfair zijn om stappen terug te doen. Dus je mag aan mijn pik denken. Maar niet al te gretig. Zonder je te haasten. Meteen wil je nu nog maar één ding: mijn pik helemaal bij je binnenbrengen en tegelijkertijd jezelf klaarmaken, maar nee, je zult geduld moeten hebben, mijn ritme moeten volgen dat er, grof gezegd, in bestaat steeds te rekken, uit te stellen, tegen te houden. In mijn jeugd had ik last van voortijdige zaadlozing, dat is een afschuwelijke ervaring, en aan die afschuwelijke ervaring heb ik later de overtuiging overgehouden dat het grootste genot erin bestaat voortdurend op de rand van het genot te verkeren. Dat is precies waar ik wil zijn: **op de rand**, en die rand steeds verder wegschuiven, het steeds verder op de spits drijven. In het begin werd je daar een beetje onzeker van, nu niet meer. Tegenwoordig vind je het heerlijk als ik voordat ik je lik, heel lang je clitoris streel alleen door er vlakbij adem te halen, door te spelen met de warmte van mijn adem, en het wachten op de eerste liefkozing van mijn tong te rekken. Je vindt het heerlijk als ik voordat ik helemaal bij je binnenga, heel lang met mijn eikel bij de ingang van je lippen blijf, terwijl je me aankijkt zeg je graag tegen me dat je houdt van mijn pik in je kut, dat zeg je vaak en graag en dat is wat je nu gaat doen. Daar, in de trein. Je gaat zeggen: 'Ik verlang naar je pik in mijn kut', heel zacht uiteraard, maar toch ga je het zeggen, niet alleen in gedachten, je gaat de klanken vormen met je lippen. Je gaat die woorden uitspreken zo **luid** als je kunt, zonder dat de mensen naast je je horen. Je gaat die geluidsdrempel aftasten en zo dicht mogelijk benaderen zonder eroverheen te gaan. Heb je wel eens iemand een rozenkrans zien bidden? Doe net zo. De basismantra is 'Ik verlang naar je pik in mijn kut', alle varianten zijn welkom en ik reken er vast op dat je je fantasie de vrije loop zult laten. Toe maar. Tot aan Poitiers, dat niet meer zo ver weg kan zijn, als mijn berekeningen kloppen.

In die tijd denk ik aan de mensen naast je. Ik moet bekennen dat ik met die personages niet zo goed raad weet. Het is aanlokkelijk hun een rol te geven, maar ze onttrekken zich op gevaarlijke wijze aan mijn controle. Ik besef heel goed, overigens, dat deze brief het verrukkelijk aspect heeft van louter op lust gericht object terwijl het, wat lichtelijk beangstigend is, ook lijkt of een typische controlfreak zich erin uitleeft. Als alles goed is gegaan, als je je aan de aangegeven tijden hebt gehouden, dan lees je op zaterdag 20 juli rond 16.15 uur, als de trein net weer wegrijdt na te hebben stilgestaan in Poitiers, deze pagina die ik eind mei heb geschreven, vóór mijn vertrek naar Rusland, waar ik mijn film ging opnemen. In een heel vroeg stadium heb ik de mensen van *Le Monde* gevraagd om de datum van verschijnen vast te leggen; ze begrepen niet waarom ik daar zo aan hechtte, dus heb ik tegen hen hetzelfde gezegd als tegen jou: dat het een kwestie was van vooruit plannen, en dat ik met het oog daarop precies moest weten wanneer het verhaal zou verschijnen. Dat was waar. Ik wist nog niet wat wij in augustus zouden doen, maar het was wel afgesproken dat ik vanaf half juli met mijn zoons op Île de Ré zou zijn en dat jij daar de tweede week bij ons zou komen. De verhalen verschijnen op zaterdag, dus jij moest die zaterdag de trein nemen, en beslist niet vóór twee uur in de middag, zodat *Le Monde* al in de kiosken zou liggen. In de hoop dat het in die vakantieperiode lastig zou zijn om een reis om te boeken, heb ik ervoor gezorgd je kaartje vooruit te reserveren. Je mag dus wel zeggen dat ik, zoals het een maniak betaamt, alles zo veel mogelijk naar mijn hand heb gezet. Maar niettemin weet ik wel, zoals elke maniak, dat ik het toeval, het onvoorziene, alles wat de zorgvuldigst bekokstoofde plannen in de war kan schoppen, tegenover me vind.

Het schrijven hiervan heeft me enorm veel plezier gegeven, maar ook intense benauwenis – die, dat moet ik toegeven, het eerste waarschijnlijk heeft aangescherpt. Ik zag een segment tijd, met aan het ene eind punt a: ik heb de tekst ingeleverd bij *Le Monde*, ik heb hem uit handen gegeven, er is geen terug meer, de zaak is aan het rollen; en aan het andere eind punt b: de trein heeft zijn bestemming bereikt, je hebt het gelezen, je komt me tegemoet op het perron, je brandt van begeerte en dankbaarheid, alles is precies zo gegaan als ik het voor me zag in mijn dromen. Tussen a, eind mei, en b, 20 juli 2002 om 17.45 uur, kan er van alles gebeuren en, je kunt me geloven, ik heb alle mogelijkheden onder ogen gezien, van onschuldige tegenslag tot catastrofe die niet te voorkomen was. Dat de spoorwegen zouden staken, of de dagbladpers. Dat je je trein zou missen of dat de trein zou ontsporen. Dat je niet meer van me zou houden, dat ik niet meer van jou zou houden, dat we niet meer samen zouden zijn, met het gevolg dat dit vrolijke en lichtvoetige plan zou veranderen in iets triests of, erger nog, gênants.

Je zou wel totaal vrij moeten zijn van elk magisch denken om, als je zo ver gaat in het plannen van je genot, niet te vrezen daarmee de goden te tarten. Stel je eens voor dat je een god was en een sterveling komt je, via *Le Monde*, vertellen dat er zeeën van tijd voor je in het verschiet liggen. Want zie, op die donderdag 23 mei heb ik besloten dat op zaterdag 20 juli, in de trein van 14.15 uur naar La Rochelle, de vrouw van wie ik houd, zich volgens mijn instructies zal vingeren en tussen Niort en Surgères zal klaarkomen, hoe zou jij dat opvatten? Ik denk dat je het arrogant zou vinden. Schattig, maar arrogant. Je zou bij jezelf zeggen dat dat een kleine afstraffing verdiende. Niet de bliksemschicht die neerdaalt op de overmoedige, niet de gier die hem zijn lever uitpikt, maar toch, een kleine afstraffing. Wat voor soort afstraffing? Ik denk dat ikzelf, als ik jou was – ook nu weer, als je een god was – zou trachten het op een akkoordje te gooien zoals in een film van Lubitsch, waarin de toeschouwer altijd krijgt wat hij wilde, maar nooit op de manier die hij wilde. En ik denk dat Lubitsch, om aan dit al te strak vastgelegde scenario de onverwachte draai te geven waardoor de toeschouwer op het verkeerde been wordt gezet en tegelijkertijd krijgt wat hij verwacht, nu juist je buurman of buurvrouw zou inschakelen. Die zou bijvoorbeeld doofstom kunnen zijn. Denk je eens in, een knappe doofstomme vrouw die al tien minuten heimelijk zit te kijken naar de lippen van de vrouw naast haar die, met dichte ogen, in extase 'Ik verlang naar je pik in mijn kut' prevelt? Voor het verder uitwerken van de scène is er keus te over. Die kan variëren van het moment van lichte, frivole verwarring zoals dat tussen meisjes kan ontstaan, tot het ronduit-porno register. Hoewel, omdat het de bedoeling is mezelf een lesje te leren door je genot aan mijn controle te onttrekken en het af te buigen naar een onverwachte bevoorrechte, daarom zou de knappe doofstomme vrouw moeten wijken voor een knappe doofstomme **man**, en dat, zoals je zult vermoeden, wekt in mindere mate mijn enthousiasme. Laten we dit dus maar laten rusten, temeer daar me een andere situatie voor ogen staat.

Je in een openbare ruimte tegenover een onbekende bevinden die zit te lezen in het boek dat jij geschreven hebt, dat komt voor in het leven van een schrijver, maar niet zo vaak. Je kunt er niet van uitgaan. Maar het is wel zeker dat een niet gering aantal reizigers in die trein *Le Monde* lezen. Laten we eens een rekensom maken. Frankrijk heeft 60 miljoen inwoners, de oplage van *Le Monde* is 600 000, de lezers van *Le Monde* vertegenwoordigen dus één procent van de bevolking. Het percentage van hen dat zich op een zaterdagmiddag in juli in de TGV Parijs-La Rochelle bevindt, moet veel hoger zijn, ik ben geneigd het zonder meer met tien te vermenigvuldigen. Tien procent, grof geschat, van wie de meesten, omdat ze vandaag alle tijd hebben, op zijn minst even een blik zullen werpen op het korte verhaal dat als bijlage wordt aangeboden. Ik wil niet zelfingenomen lijken, maar volgens mij liggen de kansen dat die even-een-blik-werpers deze tekst tot het eind toe uitlezen, in de buurt van de honderd procent, om de eenvoudige reden dat als het over neuken gaat, er tot het eind toe wordt doorgelezen, zo is het nu eenmaal. Dat betekent dat ongeveer tien procent van je medereizigers deze instructies lezen, hebben gelezen of gaan lezen tijdens de drie uur die jullie gezamenlijk doorbrengen in die trein. Dat is van een geheel andere orde van waarschijnlijkheid dan dat er een knappe doofstomme vrouw naast je zit. Er bestaat een kans van één op tien, waarschijnlijk overdrijf ik maar niet eens zo erg, dat degene die naast je zit op dit moment hetzelfde leest als jij. En zoniet degene naast je, dan anderen niet ver van je vandaan.

Denk je niet dat het moment is gekomen om naar de bar te gaan? Pak dus dit katern, stop het opgerold in je tas, sta op en begin aan de tocht door de trein. Ik wacht daarginds op je. Haal de krant pas weer tevoorschijn als je er bent.

Ziezo. Je hebt in de rij gestaan, een koffie of mineraalwater besteld. Het is druk in de bar. Toch heb je een zitplaats gevonden op een kruk, je verdiept je weer in de krant, die je uit je tas hebt gehaald en die nu opengeslagen voor je ligt op het tafeltje van grijs plastic. Is bij jou dezelfde gedachte opgekomen als bij mij, toen je door de wagons liep? Iemand, in deze trein, leest dit verhaal. Hij leest, misschien glimlacht hij al lezend, misschien zegt hij bij zichzelf: Hé, dat is grappig, wat bezielt ze opeens bij *Le Monde*? En dan leest hij op een gegeven moment dat het zich allemaal afspeelt in de TGV Parijs-La Rochelle van 14.45 uur, op zaterdag 20 juli. Hij fronst, hij kijkt over zijn krant, even duizelt het hem, nou ja, dat zou overdreven zijn, maar hij is wel in verwarring, hij leest de zin nog eens over en zegt dan bij zichzelf: maar allemachtig, dat is mijn trein! En het moment daarop: maar dan is het meisje over wie het gaat, voor wie het verhaal bedoeld is, hier ook, in deze trein! Man of vrouw, verplaats je eens in hem of haar. Zou jij dat niet opwindend vinden? Zou jij niet proberen haar op te sporen, dat meisje? Je hebt geen beschrijving van haar uiterlijk, die heb ik met opzet achterwege gelaten, maar je beschikt over een aanwijzing, en een uiterst nauwkeurige aanwijzing: je weet dat je haar tussen Poitiers en Niort, dat wil zeggen tussen 16.15 uur en 16.45 uur, in de bar moet kunnen vinden. Dus wat doe je? Je gaat naar de bar. Dat zou ikzelf in ieder geval doen. Lezers, lezeressen, ik vraag het u, blijf niet werkeloos toezien: pak uw exemplaar van *Le Monde*, als herkenningsteken, en begeef u naar de bar.

Ik weet niet of het, toen jij die wagon binnenging, al tot je was doorgedrongen wat het bovenstaande tot gevolg had, of dat je dat pas op dat moment ontdekte, ik weet niet wat jij ervan denkt, maar ik moet zeggen dat ik voor mij die situatie verrukkelijk vind. Het leuke ervan is dat, in tegenstelling tot de scène met het aantrekkelijke doofstomme meisje, in de situatie zoals ze nu is niets op toeval berust maar alles onherroepelijk voortvloeit uit het mechanisme dat in werking is gesteld. Als het verhaal inderdaad verschenen is op de vastgestelde dag, als de trein inderdaad rijdt op de vastgestelde dag, als in de bar het werk niet is neergelegd, dan is het absoluut zeker – en anders is mijn opzet totaal mislukt – dat sommige reizigers en naar ik hoop reizigsters zich daar zullen melden op het vastgestelde tijdstip, dat wil zeggen **nu**, in de hoop jou te herkennen. Ze zijn er, om je heen. Ik ken ze niet, maar twee maanden geleden heb ik ze daar naartoe gestuurd en ze zijn er. Dat is nog eens performatieve literatuur, nietwaar?

Je bent zeker niet vrij van exhibitionistische neigingen, maar toch, zo stel ik me voor, verberg je je nu achter de krant en durf je niet meer op te kijken. Toch zul je dat even doen. Je zit tegenover het raam. Als het donker was, of als de trein een tunnel binnenreed, zou het interieur van de wagon weerspiegeld worden in de ruit en zou je **ze** kunnen zien zonder je te hoeven omdraaien, maar er is geen tunnel, geen weerspiegeling, alleen het doodse landschap van de Vendée, watertorens, lage huizen, jaagpaden, beschenen door de zon die nog hoog aan de hemel staat.

En **ze**, achter je.

Kom op, het is te laat om voor struisvogel te spelen.

Je haalt nu een keer diep adem en dan draai je je om.

Alsof er niets aan de hand is, volkomen natuurlijk.

Ga je gang.

Ze zijn er, allemaal.

Mannen, vrouwen. Ook zij doen alsof hun neus bloedt, maar verscheidenen hebben *Le Monde* in de hand.

Kijken ze naar je?

Ze kijken naar je, dat weet ik zeker. Ik weet zeker dat ze al een paar minuten naar je kijken, heb je hun blikken niet gevoeld in je rug? Ze wachtten tot jij je zou omdraaien en nu, ja hoor, nu zit je met je gezicht naar ze toe, het is of je je naakt aan ze vertoont.

Je vindt dat het nu te ver gaat? Dat het op een scène uit een horrorfilm begint te lijken? De heldin meent dat ze zich heeft teruggetrokken op een veilige plek, in een bar vol mensen, wanneer een ogenschijnlijk onschuldig detail haar opeens doet beseffen dat die eveneens op het oog onschuldige mensen om haar heen allemaal in het complot zitten. Spionnen, geesten, buitenaardse belegeraars, wat maakt het uit, maar allemaal lezen ze *Le Monde*, daaraan herkent ze hen, en ze omsingelen haar, hun kring sluit zich om haar heen...

Voelt het of je in de val bent gelopen?

Maar nee, dat was de bedoeling niet, het was maar een grap. Denk na. In de eerste plaats ben jij niet de enige die verdacht is, ik weet zeker dat andere vrouwen in die bar *Le Monde* duidelijk zichtbaar bij zich dragen. Hoeveel? Eén, vier, elf? Vanaf laat ik zeggen drie zal het in mijn ogen een doorslaand succes zijn. Die vrouwen heb ik gevraagd om te komen, bij voorkeur alleen, en met zovelen als maar mogelijk is zodat niet een horde mannen het terrein in bezit zal nemen. Maar ik heb ook nog iets anders gevraagd, of eigenlijk, dat doe ik nú, terwijl ik me wel realiseer dat zij, anders dan jij, zich niet strikt aan de consignes die gelden voor het lezen van dit verhaal hebben gehouden, en dus eerder dan jij deze alinea onder ogen hebben gehad. Wat ik hun vraag, is het volgende: als u deze brief hebt gelezen en hij u een beetje, een heel klein beetje maar, heeft opgewonden, speel dan het spel mee en doe tijdens het laatste uur van de reis, tussen Niort en La Rochelle, of hij voor u was bestemd. Dat is geen moeilijke rol, *Le Monde* lezen terwijl u een kopje koffie of een mineraalwater drinkt in de bar van de TGV en letten op wat er om u heen gebeurt, meer hoeft u niet te doen. Simpel, nietwaar, maar het kan wel extreem sexy uitpakken. Ik reken op uw medewerking.

Ziezo, alles is in gereedheid, ik breng nog eens de regel van het spel in herinnering: er is in deze wagon-bar een bepaald aantal mannen en vrouwen die het verhaal hebben gelezen en met verschillende, maar voornamelijk seksueel getinte gedachten in hun achterhoofd proberen uit te vinden wie de hoofdpersoon ervan is.

De hoofdpersoon, dat ben jij, maar jij bent de enige die dat weet en de andere vrouwen doen of ze jou zijn. De heldin is al twee uur lang waanzinnig geil en de andere vrouwen beginnen ook waanzinnig geil te worden. Maar in tegenstelling tot de heldin hebben zij het verhaal tot het eind toe gelezen en zij weten dus wat er gebeurt in de laatste pagina's.

Ik geniet van die situatie, ik geniet ervan dat die, dankzij *Le Monde*, **werkelijk** bestaat; ik zie daarentegen niet meer hoe ik de regie in handen kan houden. Te veel personages, te veel parameters. Dus geef ik de regie uit handen. Ik laat het gaan zoals het gaat. Ik blijf me natuurlijk wel van alles voorstellen: een ballet van blikken, discrete glimlachjes, meisjes die naar elkaar knipogen; een gesmoord lachen, misschien een lachbui, misschien een fikse *acting out* of, waarom niet, iemand die stampij maakt? Die luid en duidelijk zegt dat het walgelijk is en dat hij de krant van Hubert Beuve-Méry niet koopt om zulke smeerlapperijen te lezen; misschien een gepeperde, sophisticated dialoog in de trant van ik-weet-dat-u-weet-dat-ik-weet, en misschien twee mensen die elkaar niet kenden toen ze de bar binnenkwamen en die nu samen weggaan. Ik vraag me af wat degenen van de aanwezigen opvalt die *Le Monde* niet hebben gelezen; merken ze helemaal niets, of voelen ze dat er iets broeit zonder te weten wat? Ik vraag het me af, ik denk het me in, maar ik heb niet langer de touwtjes in handen, ik laat nu ieder zijn rol improviseren en ik wacht tot jij zo meteen, over een uur, aankomt om me alles te vertellen, in bed en daarna bij een grote schaal fruits de mer, in welke volgorde, dat zien we dan wel weer, je ziet, zo directief ben ik nu ook weer niet.

Jij hebt nog een reis van drie kwartier voor de boeg, en ik nog 5 000 tekens, 35 000 maximaal zijn me toegestaan. De andere lezeressen van *Le Monde* weten al wat er misschien nog te gebeuren staat, afgezien van wat zich aan mijn controle onttrekt, en jij hebt, uiteraard, wel zo'n vermoeden. Een paar minuten geleden heb je een vrouw zien opstaan, je hebt haar gevolgd met je blik en je hebt gezien dat de anderen hetzelfde deden. Ze weten allemaal wat het betekent en zij weet dat ze dat weten. Het betekent: ik ga mezelf klaarmaken.

De vrouw loopt dus de bar uit en gaat naar het dichtstbijzijnde toilet. Dat is bezet. Ze wacht even. Dan meent ze achter de deur, natuurlijk overstemd door het geluid van de trein, het geluid van een hortende ademhaling te horen. Ze drukt haar oor tegen de deur, ze lacht even, een man die bij het portier staat, kijkt naar haar, lichtelijk verbaasd, hij heeft een andere krant bij zich en zij denkt bij zichzelf: de stumper, hij weet niet wat hij mist. Eindelijk gaat de deur open, een andere vrouw komt naar buiten, *Le Monde* steekt uit haar tas naar buiten. De vrouwen wisselen een blik, je ziet aan het gezicht van de vrouw die uit het toilet komt dat ze heel intens is klaargekomen en dat windt de vrouw die er binnen zal gaan enorm op, zó dat ze de stoute schoenen aantrekt en vraagt: 'Was het lekker?', en de andere vrouw antwoordt: 'Ja, het was lekker', op volledig overtuigende toon, en de vent die niet *Le Monde* las, de stumper, denkt bij zichzelf dat er beslist iets merkwaardigs aan de hand is in die trein. De vrouw doet de deur achter zich dicht, schuift de grendel ervoor. Ze kijkt naar zichzelf in de spiegel die tot aan het fonteintje reikt, zodat ze als ze haar jurk opschort – of haar broek naar beneden schuift – precies kan zien wat ze gaat doen. Ze trekt haar broekje uit, dat drijfnat is, ze tilt een been op zodat ze haar voet op de rand van het fonteintje kan zetten, met één hand houdt ze zich vast aan het soort handvat dat voorkomt dat je je evenwicht verliest, en met de andere begint ze zichzelf te strelen, haar vingers meteen in haar kutje, het moment voor geraffineerde methoden is voorbij, haar verlangen is te intens, al minstens een uur verlangt ze ernaar dit te doen. Meteen al gaat ze met twee vingers naar binnen, naar daar waar het helemaal nat is en ze wordt nog natter door in de spiegel naar haar hand te kijken die haar kutje omsluit en naar haar vingers die erin rondwoelen. Misschien doet ze het anders, gaat ze meteen naar de clitoris, iedere vrouw heeft zo haar eigen techniek, ik wil niets liever dan dat ze me die laat zien, en in dit geval baseer ik haar methode op die van jou, maar dat hindert niet. Misschien is het wel de eerste keer dat ze zich klaarmaakt staande in het toilet van een trein en het is beslist de eerste keer dat ze zichzelf streelt in de wetenschap dat de mensen achter de deur weten dat ze bezig is dat te doen. Het is alsof ze het doet terwijl iedereen toekijkt, als ze in de spiegel kijkt naar haar kut, is het alsof iedereen naar haar kut kijkt, alsof iedereen ziet hoe haar vingers zich tussen haar druipende lippen schuiven, en dat is ongelooflijk opwindend. Ze denkt aan jou, ze heeft het niet met zekerheid kunnen vaststellen maar ze heeft wel zo haar vermoeden: de grote blonde vrouw met de zwanenhals, de dunne taille en de weelderige heupen van wie sprake was in het begin, misschien was dat een dwaalspoor maar misschien ook niet, en er was een meisje dat aan die beschrijving voldeed. Ze denkt bij zichzelf dat jij op dit moment ook op het toilet bent, in een andere wagon, en dat je hetzelfde doet als zij, ze stelt zich je vingers voor die verdwijnen tussen je blonde haartjes en hoewel ze niet speciaal op meisjes valt, nu zou ze daar niets op tegen hebben, echt niet. Ze ziet haar eigen vingers in haar poesje en jouw vingers in dat van jou, en de vingers van andere vrouwen, allemaal bezig zichzelf te strelen in dezelfde trein, allemaal nat, nu allemaal hun hand verplaatsend naar hun clitoris, en dat alles omdat een vent twee maanden daarvoor heeft besloten gebruik te maken van een opdracht van *Le Monde* om een erotisch toneelstukje te schrijven waarin zijn vriendinnetje voorkwam. En ja hoor, haar vingers beroeren haar clitoris, ze trekt de lippen uiteen zodat ze er beter bij kan, ernaar kan kijken in de spiegel boven het fonteintje, laten we zeggen dat ze het op dit moment net zo doet als jij, de topjes van wijs- en middelvinger die steeds krachtiger heen en weer gaan, het liefst zou ze met haar andere hand een tepel strelen maar ze moet zich vasthouden om niet te vallen, ze kijkt naar haar gezicht, zo vaak krijg je de kans niet om naar jezelf te kijken terwijl je klaarkomt, ze zou het willen uitschreeuwen, het komt snel, ze weet dat er iemand achter de deur staat, ze weet dat haar ademhaling zwaar gaat, dat ze geluid maakt en dat ze haar horen, ze is er nu vlakbij, ze wil het uitschreeuwen, ze wil o ja zeggen, ze wil o ja schreeuwen, ze houdt zich in, om niet o ja te schreeuwen op het moment dat ze klaarkomt maar toch hoor je haar, jij staat achter de deur, ook jij zegt o ja, ja, de trein rijdt Surgères binnen, nu ben jij aan de beurt.

Weer terug op je plaats, kort voor je aankomst op de plaats van bestemming, lees je de laatste alinea. Daarin nodig ik al degenen,

mannen en vrouwen, die de reis hebben gemaakt, in de trein of elders, uit om me er hun versie van te vertellen. Dat zal er misschien
een vervolg aan geven, dat niet alleen performatief maar interac-
tief zal zijn, wie heeft een beter idee? Ik geef hun zelfs mijn mail-
adres: emmanuelcarrere@yahoo.fr. Jij vindt dat ik wel lef heb. Je
hebt gelijk, ik heb lef. Ik wacht op je op het perron.

4

Toch, zei Anne-Dominique tegen me aan de vooravond van ons vertrek, zou het handig zijn als je van tevoren zou weten wat je wilt gaan doen, ik heb wel begrepen dat je het nu juist leuk vindt om dat niet te weten, maar ook als je je van nu af aan gaat afvragen: zul je zelf in beeld komen? Als de trein aankomt op het station, ga je Philippe vragen als eerste uit te stappen met de camera om jou te filmen terwijl jij uitstapt, of heb je liever dat de camera laat zien wat jij ziet?

Hierop moest ik het antwoord schuldig blijven. Het is merkwaardig: sinds ik het idee voor deze film heb opgevat, heb ik er vaak, met doorgaans aanstekelijk enthousiasme, over gepraat, ik heb genoteerd wat me voor ogen stond, beslissingsbevoegde personen overtuigd, een ploeg samengesteld, maar die doodsimpele vraag is nooit bij me opgekomen. En nu, in de nachttrein uit Moskou, begint ze me te tergen. Zoals de man met de baard wie werd gevraagd of hij met zijn baard onder of boven de deken slaapt, lig ik te woelen op mijn couchette zonder veel steun te vinden in de wachtwoorden die ik tot dusverre steeds als mantra's herhaalde: niets plannen, alert zijn, laten komen wat komt.

En als er nou eens niets kwam?

En als ik niet in staat was een film te maken? Dat laatste zal, daarvan ben ik me scherp bewust, afhangen van mijn vermogen om Russisch te spreken, en op dat punt voel ik me onzeker. Dit jaar heb ik twee maanden doorgebracht in Moskou, elke dag grammaticaoefeningen gemaakt, Russisch proza gelezen en zelfs een soort dagboek bijgehouden in het Russisch, maar desondanks en hoewel ik uitstekend kan luisteren, maak ik geen vorderingen. Lezen, schrijven, dat kan ik wel, zo'n beetje; en praten nauwelijks. Maar ik reken erop dat die remming zal wegvallen en de blokkade op een goede dag ineens wordt opgeheven. Dan zal ik toegang krijgen tot de geduldig opgeslagen gegevens waarvan het gebruik me op dit moment is ontzegd. Ik zal Russisch spreken. Misschien gebeurt dat in Kotelnitsj. En in dat geval, ja, absoluut, dan zal ik in de film te zien zijn.

Ik denk terug aan mijn eerste reis, in dezelfde trein, en aan de voorspellende droom die ik toen heb gehad. Russische woorden vermengen zich met de zinnen van mijn treinverhaal, het gezicht van Sophie doet dat van mevrouw Fujimori vervagen. Ik stel me voor hoe ze, precies zes weken later, *Le Monde* zit te lezen, in een andere trein waarvan ik haar zal afhalen. Ik stel ons onze blijdschap voor, haar trots. Gisteren, terwijl ik mijn reistas dichtdeed, kwam een journalist van *Le Monde* me interviewen voor een portret dat tegelijk met mijn tekst zal verschijnen. Hij verbaasde zich dat ik zo zorgeloos op reis ging, terwijl ik, zei hij, 'een op scherp staande granaat' achterliet. Ik vond hem behoorlijk preuts, die jongen, gauw gechoqueerd. Ben ik echt zo zorgeloos? Voorlopig wel.

Net zoals de eerste keer charteren we, als we de trein uit zijn, de enige auto die bij het station staat en die als taxi fungeert. Het is dezelfde Zjigoeli als de eerste keer, met aan het stuur dezelfde Vitali, die, niet bijzonder verrast dat we er weer zijn, ons naar hetzelfde hotel Vjatka brengt en vervolgens naar Trojka, waar we lunchen en overleg houden. Wat de praktische gang van zaken betreft, dringt Sasja erop aan dat we ons zo snel mogelijk melden bij de autoriteiten om ons te laten registreren – een absoluut noodzakelijke formaliteit als je aankomt in een Russische stad, het nalaten waarvan me van de winter in Moskou op een aanhouding in de metro is komen te staan, en een verblijf van twee uur in een nauw hok voordat het militielid vond dat hij me voldoende had geïntimideerd en me aanbood de zaak te schikken tegen betaling van een honderdtal roebels. Wat het artistieke aspect betreft zou Philippe graag willen weten op welk soort figuren ik in eerste instantie mijn aandacht wil richten. Ik heb wel een idee in mijn achterhoofd: Anja, die Frans spreekt, en Sasja de FSB-man. Maar ik houd het voor me en zeg vol vertrouwen maar zonder het achterste van mijn tong te laten zien dat ik dat in eerste instantie niet weet, dat ik het aan het toeval overlaat om ons met die figuren in aanraking te brengen. Klaarstaan om als ergens een deur opengaat, degene filmen die naar binnen stapt, meer hoeven we niet te doen.

Op dat moment gaat de deur open, een drietal zwervers komt binnen en zet zich aan een tafel. Samen met ons zijn zij die ochtend de enige gasten in Trojka. We gaan naar hen toe om een gesprek aan te knopen en om dat gesprek te filmen. De eerste taak komt op Sasja neer, op wie best het een en ander aan te merken is, met name een beroerd karakter, maar die zijn gelijke niet kent in het ouwehoeren op z'n Russisch, veelbetekenende ironie en fatalistische zuchten incluis. Een van de zwervers begint aan een lange monoloog, die Sasja, als een in het zogenaamd 'open' gesprek doorkneed psychoanalyticus of socioloog, lardeert met korte tussenzinnetjes met het doel weer op gang te brengen wat niet op gang gebracht hoeft te worden. Af en toe buigt hij zich naar mij over om me een korte samenvatting te geven. Maar een samenvatting heb ik niet nodig, het is niet moeilijk om te begrijpen dat de kerel kankert en alle reden heeft om te kankeren omdat het leven hard is, en omdat hij vindt dat het vroeger ook niet goed was maar wel beter. De details, die verloren gaan in de hortende manier van spreken, die zou ik graag willen snappen, maar ik wil Sasja ook niet om een simultaanvertaling vragen, omdat die afbreuk doet aan de spontaniteit van het gesprek en vooral niet omdat ik dan zou moeten erkennen en mezelf zou moeten erkennen dat ik er, al mijn inspanningen ten spijt, beslist bitter weinig van versta. Kwaad ga ik in mijn eentje wat van de anderen vandaan zitten. De serveerster, een vrouw op leeftijd met een smartelijk gezicht, komt naar me toe en vraagt waarom we die mensen filmen: het is niet echt fraai. Zij was de eerste wie het verhaaltje gepresenteerd krijgt dat ik later nog heb geperfectioneerd en waarop ik, dat geloof ik echt, iedereen met wie ik in gesprek raakte heb getrakteerd: Nee, fraai is het niet, maar het is de werkelijkheid, en we zijn gekomen om die werkelijkheid te filmen. Mooie dingen zijn er vast ook – eerlijk gezegd weet ik niet welke – en die zullen we ook vastleggen. Als de serveerster hoort dat we Frans zijn, wordt de uitdrukking op haar gezicht nog smartelijker: waar is het goed voor om helemaal uit Frankrijk te komen, alleen om dit te filmen? Ik nodig haar uit te komen zitten, stel me voor. Zij heet Tamara. Ze begint te praten, wat ze zegt lijkt in wezen niet zoveel te verschillen van wat de zwerver zegt, maar haar versta ik wat beter en meteen doe ik mijn best om van de monoloog een dialoog te maken, waartoe ik elke gelegenheid aangrijp om, net als Sasja, een instemmende of begrijpende opmerking te plaatsen. Tamara leest de Bijbel maar ontleent aan het bestaan en de almacht van God geen enkele reden tot troost. Ze zou zich eerder aan de kant scharen van Prediker: wat bestaat, vergaat, en het is duidelijk dat ze die harde waarheid, vaker dan ze verdiende, aan den lijve heeft ondervonden. Niet zozeer omdat ik hoop haar belangstelling te wekken, maar meer zoals je jezelf dwingt tot een lastige vertaaloefening, begin ik te vertellen dat ik nou net de Bijbel heb vertaald, dat wil zeggen dat ik, in Frankrijk, heb meegewerkt aan een nieuwe vertaling, maar waarschijnlijk druk ik me ongelukkig uit en ze lijkt niet geïnteresseerd. Ik zou dat vast ook niet zijn als ik haar was.

In het kantoor van de burgemeester spreek ik Frans en Sasja vertaalt, waardoor het gesprek wat vormelijker verloopt. Ik stel ons project uitgesproken positief voor, in onberispelijk nietszeggende taal die kennelijk overtuigend is, want de burgemeester geeft zijn vervangster, Galina, opdracht om alle benodigde vergunningen voor ons in orde te maken en zelfs om een flat voor ons te vinden.

Wat dit laatste betreft, en tot verbazing van mijn gezelschap, zet ik mijn stekels op. De kwestie 'flat' was een essentieel onderdeel van mijn plan. Hotel Vjatka, had ik bij mezelf gezegd, dat was best voor een week, maar een maand is lang, we zouden naar iets beters moeten uitkijken, iets moeten huren. Waarschijnlijk zouden heel wat mensen bereid zijn ons voor een paar honderd dollar hun flat af te staan en een maand bij verwanten in te trekken. Waarschijnlijk; misschien ook niet; we zouden wel zien. Een Franse filmploeg die van plan was een flat te huren in Kotelnitsj, zoiets was in de geschiedenis van de stad nog nooit vertoond, dat stond in ieder geval wel vast, en ook dat er ontmoetingen, ellenlange discussies, teleurstellingen en allerlei kleine gebeurtenissen uit zouden voortvloeien die het vertellen waard zouden zijn. Meer nog dan een kleine verbetering op het gebied van comfort verwachtte ik dat die zoektocht onze kroniek richting zou geven. Daarom vind ik het een beetje jammer dat dat onderdak zo snel wordt geregeld, want Galina neemt de zaken voortvarend ter harte en ter hand. Nog diezelfde dag worden we opgehaald door een Volga van het gemeentehuis die ons naar de elektriciteitscentrale brengt, buiten de stad, een met prikkeldraad omringd complex van bakstenen gebouwen dat uitkijkt op braakliggende stukken land. De directeur van de fabriek, die niet minder hartelijk is dan de burgemeester, is mild geamuseerd over onze beschrijving van het Vjatka, het spreekt toch vanzelf dat vooraanstaande bezoekers zoals wij niet in zulke omstandigheden kunnen verblijven, en hij neemt ons mee voor een bezoek aan een huisje bij de ingang van het terrein dat wordt gebruikt om ingenieurs die op doorreis zijn onder te brengen en dat hij ons ter beschikking zou kunnen stellen. Het is schoon, knus haast, er zijn drie slaapkamers waarvan zelfs de wanden bekleed zijn met wijnrood tapijt, een keuken, een douche, kortom, het is precies waarnaar we op zoek zijn, behalve dan dat ik nu juist graag had gewild dat we ernaar op zoek waren, dat we het na een traject vol voetangels en klemmen gevonden hadden en dat het ons niet meteen na onze aankomst door het stadsbestuur in de schoot werd geworpen. Dus vraag ik bedenktijd, en 's middags bewandelen we andere wegen, dat wil zeggen, we vragen voorbijgangers die allemaal het hoofd schudden, en we kopen de plaatselijke krant, waarin de paar advertenties met woonruimte te huur in het gunstigste geval een slaapkamer in een flat aanbieden. In het besef wel wat snel door de knieën te gaan, maar bezorgd om het comfort van mijn ploeg, ga ik ermee akkoord dat we verhuizen, maar zonder ons doel op te geven: de elektriciteitscentrale is een tijdelijke basis, we vinden wel iets beters – nu ja, niet iets beters, vermoed ik, maar iets anders, iets pittoreskers, iets waar we meer voor gedaan hebben, in elk geval zullen we doorgaan met zoeken.

Natuurlijk is het daarbij gebleven.

Het nieuws van onze terugkeer heeft zich als een lopend vuurtje verbreid door de stad, en meteen de tweede avond al verwacht ik dat Anja zal komen aanzetten met haar gitaar, om ons welkom te heten. Maar nee, ze laat niets van zich horen en Sasja ook niet.

135

Toch moet hij wel weten dat we er zijn. Waarom laat hij noch zij zich zien? Dat vind ik vreemd.

Morgen is het de jaarlijkse feestdag in de stad, waar we veel van verwachten om op stoom te komen. Philippe is van mening dat dat zorgvuldige voorbereiding vereist, dat we een of twee figuren moeten zoeken die we de hele dag lang zullen volgen, en we sturen Sasja op onderzoek uit. Als we Galina moeten geloven, de loco-burgemeester en zijn voornaamste bron van informatie, zal het hoogtepunt van het feest de huldiging zijn van twee modelburgers, de ene directeur van de gasfabriek ('een dandy', verzekert Galina), de andere hoofd van de metselaarsbrigade. We zouden, volgens Philippe, een van de twee in alle vroegte voor de camera moeten krijgen, het ontbijt in gezinsverband moeten laten zien, de ontroerde echtgenote die de das van de held strikt, en hem tot 's avonds laat niet uit het oog mogen verliezen. Helaas, de vorige dag is de schoonmoeder van de metselaar gestorven, ze wordt de volgende dag begraven, zodat hij zijn eigen triomfdag zal mislopen of op z'n minst niet in de stemming zal zijn om voor onze camera's te paraderen. Wat de dandy-gasman betreft, met wie Galina heeft geprobeerd te bellen, die is onvindbaar.

Ontgoocheld hangen we rond in de stad en omdat die op het eerste gezicht geen andere bezienswaardigheid biedt dan de ononderbroken langsrijdende treinen, besluiten we die maar te gaan filmen. Op de ijzeren brug die de spoorbanen overspant, installeert Philippe de camera, op statief, Ljoedmila haar microfoons en ik neem me voor om hen met het DV-cameraatje te filmen terwijl ze de treinen filmen. Spoorgezichten, dat is het enige waarom we hier in elk geval nooit verlegen zullen zitten, en in het ergste geval moet het zelfs mogelijk zijn er een soort running gag van te maken: omdat ze niets beters te doen hebben, gaan onze helden de brug op om goederentreinen waaraan geen eind komt te filmen. Er zijn er al zeker een stuk of tien gepasseerd wanneer zich een militielid meldt dat ons vrij beleefd beveelt op te houden en met hem mee te gaan naar het bureau van de spoorwegmilitie. De militiechef, die ons al even beleefd te woord staat, is een blonde jongeman met helderblauwe ogen. Op zijn gezicht ligt een uitdrukking van deemoedige en vreedzame onschuld die bij de *joeródivye*, de heilige dwazen van het kerkelijke Rusland, niet zou misstaan en die je ook ziet bij sommige figuren in de films van Tarkovski. Hij bevestigt dat het, behalve als daar speciaal toestemming voor is verleend, verboden is het station, de treinen, de spoorbanen, de bruggen boven de spoorlijnen te filmen. Om strategische redenen? vraagt Philippe ironisch, alsof hij in het complot zit, en de ander, die ons duidelijk graag ter wille zou zijn, antwoordt met een goedige glimlach en een fatalistisch schouderophalen: het is een beetje dwaas, zeker, maar het is nu eenmaal niet anders. En die toestemming, wie kan ons die geven? Nou, de FSB. Dan vraag ik of een zekere Sasja nog steeds de functionaris van de FSB is, Sasja, die een vriendinnetje heeft dat Frans spreekt. Dat vriendinnetje, daarvan is de blonde jongen niets bekend, maar het andere bevestigt hij: Sasja Kamorkin, ja, die is het inderdaad. En zouden we hem kunnen bellen, die Sasja Kamorkin? Behulpzaam draait de blonde jongen het nummer, maar zonder succes: we kunnen net zo goed bij hem langsgaan, raadt hij ons aan, en hij geeft ons het adres. Nog even blijven we talmen, in het zachte blonde namiddaglicht dat het stoffige bureau binnenstroomt en ons allemaal doet wegzinken in een vredige loomheid. Onze gastheer, die geen enkele reden heeft ons nog vast te houden, heeft geen haast ons te zien vertrekken en ook wij hebben geen haast, we zitten er goed, op het militiebureau, terloops praten we wat, over Frankrijk, waar de blonde graag eens naar toe zou willen terwijl hij heel goed weet dat de kans klein is dat hij er ooit zal komen, over Kotelnitsj, waarvan hij niet begrijpt wat we er te zoeken hebben. Dat we er een film willen maken stemt hem nadenkend, maar niet vijandig, en met dezelfde goedige glimlach doet hij ons op het moment van het afscheid een titel aan de hand: *Toet zjit nelzja, poka zjivoet* – hier valt niet te leven, en toch leven we er.

Op de ochtend van het feest blijft Philippe, die toch een vriendelijk karakter heeft, kwaad. Hij heeft veel reportages gemaakt, in Rusland en elders, hij weet hoe je dat aanpakt, en volgens hem kan van deze dag alleen verslag worden gedaan als we één specifiek persoon van 's morgens tot 's avonds volgen. Maar wij hebben niets. Geen personage, geen invalshoek, en er staat ons niets anders te doen dan door het gemeentelijk park te dwalen en, bij gebrek aan beter, jonge vrouwen te filmen die bergen koekjes uitstallen op tafels waarover papieren tafelkleden liggen, en vuurpotten waarop worstjes en aan spiesen gestoken stukjes vlees liggen te roosteren. Intussen loopt Sasja heen en weer zogenaamd op zoek naar informatie terwijl ik, zittend op een tribune van het voetbalveld, in mijn opschrijfboek notities maak waarin de ontmoediging al doorschemert. Ik heb de neiging, en dat baart me zorgen, om me afzijdig te houden van mijn ploeg, hen op eigen houtje te laten werken. Als we bij elkaar zijn, zijn er uiteraard details waarop ik Philippe opmerkzaam zou willen maken, maar ik kan hem niet elke keer als hij in de zoeker kijkt, op zijn schouder tikken om hem te vragen te filmen wat ik zie, buiten zijn beeldvlak. In de tijd die hij nodig heeft om speciaal die vliegen op die ene koek in beeld te krijgen, zijn ze al gevlogen. En bovendien, wat is het belang, van die vliegen op die koek? Wat is het belang, van het feest in Kotelnitsj? In de ochtend van de vierde dag heb ik het stadium al bereikt dat ik de film voor me zie als bestaande uit beelden waaraan ik part noch deel zou hebben, met eronder een introspectief commentaar afkomstig uit mijn dagboek dat verslag zou doen van wat er in mij, ver van de anderen, omging op het moment dat die beelden werden gemaakt. De gedachte aan zo'n narcistische opzet deprimeert me, en ik hoop alleen maar dat zich opeens iets zal aandienen wat roet in dat eten zou gooien. Iets, of liever nog, iemand.

En dan spreekt iemand ons aan: de journalist-fotograaf van het plaatselijk dagblad, de *Kotelnitsjny vestnik*, te herkennen aan zijn vest met de vele zakken. Goed zo, denk ik bij mezelf, hem gaan we volgen, laten zien terwijl hij zijn werk doet, en tussen de bedrijven door zal hij ons de stadsroddels vertellen. Het probleem is alleen dat zijn werk erin bestaat ons te interviewen. En als ik van de gelegenheid van dat interview gebruik maak en probeer hem aan de praat te krijgen over de faits divers uit de streek, vertelt hij dat zijn krant, die een oplaag heeft van 8 000 exemplaren, zich tot taak heeft gesteld vooral aandacht te besteden aan de positieve kanten van het leven, de vangst van een uitzonderlijk grote vis in de rivier de Vjatka bijvoorbeeld, of de boot die een brave man heeft gebouwd en waarop hij 's zondags zijn gezin op diezelfde rivier mee uit varen neemt. Ik vraag of hij iets weet over Sasja Kamorkin en Anja, maar die namen, beweert hij, zeggen hem niets. Dat een plaatselijke journalist de FSB-functionaris niet kent of voorgeeft niet te kennen, dat verbaast me. En dat Sasja zelf niet komt opdagen, dat verbaast me ook en het geeft het mysterie dat in mijn ogen om hem heen hangt, iets van een vage dreiging.

De huldiging van de ereburgers van de stad begint om twaalf uur, in de zaal van de voetbalclub, waar de notabelen zich hebben verzameld. Maar nauwelijks zijn we begonnen het uitbrengen van de toosts te filmen of we krijgen het verzoek het veld te ruimen zelfs zonder dat ons een glas wordt aangeboden. Dat we met achterdocht worden bekeken is zonneklaar, en naar mijn mening gerechtvaardigd. Iedereen vermoedt wel dat als een Franse filmploeg in Kotelnitsj komt filmen, het de bedoeling is om te laten zien hoe triest en mies het leven er is, en wie het tegenovergestelde zou beweren, zou natuurlijk voor een leugenaar worden gehouden. Steeds weer keert de vraag terug: waarom hier bij ons? met daarnaast een variant: wat zijn uw indrukken van Kotelnitsj? In de wetenschap dat als ik zeg dat die gunstig zijn, ook ik voor een leugenaar zal worden gehouden, probeer ik op de journalist in het vest met de vele zakken een nieuwe riedel uit: Ja, inderdaad, de stad is smerig, het leven zwaar, de omstandigheden ongunstig, maar de mensen, die zijn aardig en moedig, en ik interesseer me nu juist voor de mensen – maar de mensen geloven me niet en ze hebben groot gelijk.

Buiten, op het toneel van een houten theatertje, is een voorstelling aan de gang: dansen, liederen en sketches uitgevoerd door de scholieren van de stad, onder wie Philippe een meisje ontdekt dat mogelijk een rol zou kunnen spelen in onze film: haar stem is niet geweldig, maar ze zingt met veel vuur een nummer van Britney Spears, en wanneer hij haar vragen stelt, zegt ze dat ze van beroep zangeres wil worden. Ze heet Kristina, ze is zeventien maar lijkt veertien doordat ze zo klein van stuk en een beetje mollig is, maar ze heeft een leuk open en vriendelijk gezichtje, is niet op haar mondje gevallen, en zegt dat ze het enig vindt dat we haar filmen. Ik had op het gebied van vrouwelijke hoofdpersonen een wat ander idee: ik dacht aan de rijzige, blonde, beeldschone meisjes zoals je ze tegenkomt in de clubs in Moskou en die, maîtresses van nieuwe Russen, gekleed gaan in bontmantels over ultrakorte, peperdure jurken, die rondrijden in Mercedessen met getinte ruiten, voor wie de keuze van een partner uitsluitend wordt bepaald door de creditcard waarover hij beschikt en die de wereld bekijken met een glasharde blik. Veel van die meisjes komen waarschijnlijk uit gehuchten in verre uithoeken van Rusland, uit gezinnen waar 600 roebel in de maand wordt verdiend en nooit iets anders dan aardappels op tafel komt. Op een dag zijn ze op de trein gestapt om aan het lot van hun ouders te ontkomen en hebben, met als enige troef hun schoonheid, hun hoofd waarschijnlijk volgestopt met de reclames die non-stop voor de versufte zuiplappen in Trojka langsglijden, welbewust gekozen voor dure of minder dure prostitutie, waartegen zoals uit een recente opiniepeiling bleek twee derde van de jonge Russen geen enkel moreel bezwaar hadden maar die ze zagen als een middel om zich een goede positie in de samenleving te verwerven. Graag was ik in Kotelnitsj een van die meisjes op het spoor gekomen, maar dan ervóór, graag was ik te weten gekomen wat er in haar omging, en Kristina zie ik niet echt in die rol. Daar staat tegenover, ze droomt ervan om weg te komen, iets anders te ervaren, op een dag applaus te oogsten op een echt toneel; misschien, Philippe heeft gelijk, kan ze daardoor een personage worden dat je voor zich inneemt.

Aan de rand van het gemeentelijk park ligt een café, Roebin genaamd, dat Sasja ons met duidelijk onbehagen aanwijst als het bandietencafé: daar heeft hij zich tijdens ons eerste bezoek in elkaar laten slaan. Omdat het feest is, verdringt de hele stad zich die avond op het terras van Roebin, niet alleen de bandieten die de harde kern van de cliëntèle uitmaken. Een van de bandieten evenwel, en zelfs de bandietenhoofdman, zoals we spoedig zullen vernemen, Andrej Gontsjar, kolossale tors, kaalgeschoren schedel, dikbuikig en van onder tot boven vol tatoeages, klampt me op half lollige, half agressieve toon aan als ik langs zijn tafeltje loop en nodigt me uit voor een partijtje armworstelen, waar ik niet op inga. Niet nodig, zeg ik, je ziet zo wel dat jij sterker bent dan ik, en inderdaad, dat zie je. Een paar minuten later heb ik spijt van die reflexmatige voorzichtigheid; hij zou me een wat pijnlijke arm hebben bezorgd, maar daar hadden we om gelachen, we zouden kennis hebben gemaakt en dat contact met het plaatselijk opperhoofd zou misschien zin hebben. Als ik het er met Sasja over heb, trekt hij een bedenkelijk gezicht: nee, dat zou geen zin hebben, het zou levensgevaarlijk zijn.

Later is iedereen aan het dansen op een soort afgerasterd terrein, in de open lucht. De kleine Kristina gaat uit haar dak, jongens met kaalgeschoren schedel aarzelen tussen de wens te worden gefilmd en die om te dollen met de camera. Philippe filmt alles wat hij in beeld kan krijgen en als ik de volgende dag de cassettes bekijk, zie ik een schattig, grappig, blond meisje dat helemaal had kunnen beantwoorden aan het personage dat ik in gedachten had. Helaas, we kunnen haar niet terugvinden, misschien kwam ze niet uit Kotelnitsj. Op een bepaald moment beantwoord ik de eeuwig terugkerende vraag: waarom ons komen filmen? met mijn eeuwig terugkerende riedel over de rauwe realiteit en de moed waarmee de mensen die onder ogen zien, maar degene met wie ik praat, een grote vent van een jaar of veertig die vijfentwintig jaar leger achter zich heeft – Tatarstan, Tsjetsjenië, Mongolië – geeft me een knipoog om te laten zien dat hij er niet intrapt. Hij weet best wat ons interesseert: niet Kotelnitsj, Kotelnitsj heeft niets belangwekkends, maar Morodikovo. Morodikovo? Ja, de fabriek, vijftig kilometer verderop, waar tot voor kort chemische wapens werden gemaakt. De fabriek is ontmanteld, maar niemand weet precies wat er gebeurt met de afgrijselijk gevaarlijke stoffen die er werden verwerkt. Tijdens ons eerste bezoek had ik wel vaag iets gehoord over Morodikovo, waarvan ik dacht dat het verder weg lag, en opeens begrijp ik het vermoeden dat in de stad waarschijnlijk de ronde doet: een film maken over Kotelnitsj kan alleen maar een dekmantel zijn om te proberen de verboden zone te benaderen. De mensen zullen wel denken dat we behoorlijk gewiekst zijn: niet alleen komen we niet bij Morodikovo in de buurt, we praten er zelfs met niemand over, we wachten af tot iemand anders erover begint. Ik vraag de oud-militair of hij bereid zou zijn erover te praten, trouwens, om te praten over zijn leven in het algemeen, maar nee, hij wil niet in de film. Ik heb het koud, ik heb er genoeg van. Om drie uur in de ochtend begint het weer licht te worden zonder dat het echt donker is geweest – we bevinden ons op dezelfde breedtegraad als Sint-Petersburg, in juni zijn de nachten wit – en de afgerasterde ruimte gaat dicht. Het feest is voorbij, er is niets gebeurd.

Het bureau van de FSB, op de hoek van de Karl Marx- en de Oktoberstraat, is gevestigd in hetzelfde gebouw als de redactie van de *Kotelnitsjny vestnik*, en wanneer ik de trap oploop en de journalist met het vest met de vele zakken tegenkom, vind ik dat het wel wat ver gaat om tegenover mij te beweren dat hij Sasja Kamorkin, aan wie wij die ochtend onaangekondigd een bezoek gaan brengen, niet kent. In zijn kantoor, waar de wandversiering bestaat uit een groot portret van Feliks Dzerzjinski, oprichter van de Tsjeka, ontvangt hij ons hartelijk, zonder van verbazing blijk te geven maar ook niet zonder zich ervan te vergewissen dat de dop stevig op de lens van de camera is gedraaid. Ik stel Philippe en Ljoedmila aan hem voor en vertel dat Alain is gestorven, wat hem oprecht verdriet lijkt te doen. In anderhalf jaar tijd is hij sterk verouderd. Van allure is hij nog steeds de held van de Sovjet-Unie, maar zijn gezicht, de ogen bloeddoorlopen, is een stuk pafferiger geworden. Hij straalt de superioriteit en sluwheid uit van de man die heeft weten te wachten tot wij naar hem toe kwamen, in plaats van zelf naar ons toe te snellen, maar ik voel wel dat het feit dat we zijn teruggekomen hem eigenlijk bevreemdt. Ook hij – hij vooral, dat is zijn vak – moet wel vermoeden dat er iets achter zit, en dat dat iets te maken heeft met Morodikovo. Maar, me houdend aan wat hij wel zal aanzien voor een buitengewoon uitgekookte strategie, komt die naam niet over mijn lippen, ik vraag alleen toestemming om station en treinen te mogen filmen – hij zal zien wat hij doen kan – en meteen hoe zijn vriendin Anja het maakt, het meisje dat Frans sprak. Omdat ik haar niet zag, dacht ik dat ze misschien weg was, een baan als tolk had gevonden in een grote stad, maar nee, ze zijn nog steeds samen, ze hebben een kind, momenteel woont ze in Vjatka bij haar moeder maar binnenkort komt ze terug, als hun nieuwe flat klaar is. Aan het einde van het onderhoud, dat kort is, vraagt hij of hij Sasja apart kan spreken. Als deze zich weer bij ons voegt, op straat, brengt hij ons, spottend, op de hoogte van de regel waaraan we ons voortaan in onze betrekkingen met onze vriend van de FSB dienen te houden. Die regel is dat er geen FSB bestaat. Hij werkt niet voor de FSB, maar bij de milieubescherming, het is maar dat we het weten.

Maar dat is absurd.

Het is absurd, grinnikt Sasja, maar het is niet anders.

Omdat we nu een huis hebben en een keuken, gaan we door naar de markt om flink wat levensmiddelen in te slaan. Meteen als Philippe zijn camera op hen richt, geven de meeste kooplui en klanten te verstaan dat ze niet gefilmd willen worden. Een slager komt van achter zijn van vliegen gonzende kraam vandaan om ons te bedreigen, daar komt het wel op neer. Een oud baasje met kolenschoppen van handen dat op de plaatselijke zagerij werkte voordat die dichtging, vreest dat hij opgepakt zal worden als ze hem op de televisie zien, en het heeft geen zin hem uit te leggen dat mensen niet langer zomaar gearresteerd worden en dat onze film hoe dan ook niet op de Russische tv zal komen, maar in Frankrijk. En dan volgt weer het oude refrein dat ons vanaf het begin van ons verblijf achtervolgt: wij hier hebben een hondenleven, jullie leven in het paradijs, jullie zijn een stel mooie schoften om ons hier te komen filmen. Snel blazen we de aftocht.

Tijdens de maaltijd, die Ljoedmila heeft klaargemaakt, stellen we de lijst op van mensen die misschien in onze film zullen voorkomen. Philippe houdt gedecideerd vast aan Kristina; hij heeft al contact opgenomen met haar ouders om haar te kunnen filmen in de familiekring. Ikzelf verwacht veel van Kamorkin en Anja. Onze meningen blijven verdeeld over Andrej Gontsjar, de bandietenhoofdman, of hij interessant of gevaarlijk is, maar we spreken af dat er geen sprake van kan zijn serieus in te gaan op de betrekkingen tussen politie en criminaliteit of op afspraktijken in Kotelnitsj. Dat is ons onderwerp niet – maar wat ons onderwerp dan wel is, ik zou met mijn mond vol tanden staan als ik dat moest zeggen.

Terwijl we het bij de heetgebakerde slager gekochte zenige, taaie vlees met een lepel te lijf gaan, brengt Ljoedmila een intrigerende kwestie ter tafel: in deze stad zijn geen messen. Niet in de restaurants, niet in de laden in onze keuken, alleen lepels en vorken van blik. Volgens Ljoedmila om de kat of, nauwkeuriger uitgedrukt, kerels die zich klem hebben gezopen niet op het spek te binden, en verrukt stel ik voor onze film *Gorod bez nozjej*, stad zonder messen, te noemen. Eigenlijk komt mijn verrukking vooral voort uit het feit dat ik tijdens de maaltijd in ons keukentje alleen Russisch heb gesproken, met Ljoedmila in de eerste plaats, maar ook met de anderen, en dat me dat niet zo slecht afgaat. Ander goed nieuws, en sinds ons vorige verblijf waarschijnlijk de enige verandering die het signaleren waard is: onze mobiele telefoons doen het hier nu, we kunnen met Frankrijk bellen zonder naar het postkantoor te hoeven. Ik lig al vroeg in bed en breng een halfuur door met Sophie, maak haar deelgenote van de momenten van twijfel waar ik doorheen ga. Ook bij haar gaat het niet zo best. Haar werk valt haar zwaar, het vooruitzicht ander werk te zoeken ook. Ik probeer haar bezorgdheid weg te nemen, ik houd van haar, zij houdt ook van mij. Tot slot vrijen we door de telefoon en, werkelijk, dat is me volkomen genoeg wat seksualiteit betreft.

De ouders van Kristina, aan wie we beladen met koekjes, chocola, wodka en *sjampanskoje* een bezoek brengen, wonen aan de rand van de stad in een huisje dat ze met anderen delen. Ze beschikken over twee keurig onderhouden vertrekken met langs de wand planken met glas ervoor die vol staan met boeken met goudkleurige banden, snuisterijen en familiefoto's. Als we aankomen, is het gezin geïntimideerd, maar het ijs is algauw gebroken zonder dat ik daar, om eerlijk te zijn, iets aan heb bijgedragen. Kristina heeft alleen oog voor Philippe, wiens vriendelijkheid wonderen doet. De vader, een zachtaardig, bescheiden man die militielid is, is tweeëndertig en lijkt vijfenvijftig – en inderdaad verwacht hij binnenkort met pensioen te gaan. Je voelt dat de moeder het in huis voor het zeggen heeft. Ze zou, zegt ze, best uit de stad weg willen, Morodikovo beangstigt haar, zoals iedereen, veel mensen zijn ziek, jonge mensen, gevallen van kanker, maar waar moeten ze heen? Voor hen is het al te laat, ze heeft haar hoop op haar kinderen gevestigd. Hoewel ik de hoofdzaken wel begrijp, kost het me moeite aan het

gesprek deel te nemen. Met spijt denk ik aan het te laat op de rushes van het feest opgemerkte knappe blonde meisje, het voelt een
beetje of ik me die Kristina en haar aardige familie heb laten op-
dringen, maar zelf heb ik geen enkel initiatief genomen, en ik zou
Philippe dankbaar moeten zijn dat hij doet wat nodig is om, ondanks alles, toch schot in de zaak te krijgen.

Ook weer dankzij hem komen we de volgende dag nog iemand anders op het spoor, dit keer iemand over wie niets dan goeds te melden valt, en de aangewezen persoon om de vervangster van de burgemeester gerust te stellen: zij maakt zich heimelijk bezorgd over
onze neiging de dronkelappen te filmen die laveloos in de kale
plantsoenen van Kotelnitsj liggen. Vladimir Petrov is de trainer op
de bodybuildingclub. Een jaar of dertig, vrijmoedige handdruk en
innemende, argeloze glimlach; hij is tiende geworden van het GOS
op de kampioenschappen van 2001 en er werd hem een baan aangeboden in Sint-Petersburg, die hij heeft geweigerd omdat hij zijn
club en de jongens die hij er traint niet in de steek wilde laten. Hij
voelt zich verantwoordelijk voor ze. Velen zijn ex-delinquenten die
onder zijn invloed niet meer roken, niet meer drinken, niet meer
rondhangen en al gewichtheffend weer op het rechte pad worden
gebracht. Omdat hij meer wil dan alleen hun spieroefeningen be-
geleiden, zet hij zich ervoor in ze weer aan het werk te krijgen
door ze in dienst te nemen als bewaker in de fabriek waar hij verantwoordelijk is voor de beveiliging. Kortom, een jongen die niet
bij de pakken neerzit in deze stad die het spoor bijster is. Terwijl
we zijn trainingsuur filmen, stellen we ons aantrekkelijke verbin-
dingslijnen voor: dat zich onder de regelmatige bezoekers van de
zaal de handlangers bevinden van Andrej Gontsjar, de getatoeëer-
de bandiet; dat een van de jongens die dankzij Vladimir Petrov de
criminaliteit vaarwel hebben gezegd, al sinds zijn kinderjaren bevriend is met een jongen wie het minder goed is gegaan en die in
de kinderstrafkolonie zit – tot onze grote verrassing stelde de loco-
burgemeester toen ze ons erover vertelde, voor dat we er een bezoek zouden brengen; dat Kristina komt fitnessen in de club, waar
ze verliefd wordt op de jeugdige gewichtheffer en dat ze dan samen het vriendje in de strafkolonie gaan opzoeken. Al die levens

zouden elkaar kruisen onder onze camera's, en ik kom op het idee om als bekroning van de reeks gelukkige ontmoetingen een groot diner te geven waarvoor we, als we klaar zijn met draaien, iedereen zouden uitnodigen die een rol heeft in onze film. Op die dag geloof ik in onze onderneming en ik overweeg zelfs om Sophie voor te stellen een week vakantie te nemen, naar ons toe te komen en bij dat glorieuze diner aanwezig te zijn. Ik overweeg het, maar ik stel het haar niet voor. Nu vraag ik me af welke wending onze levens genomen zouden hebben als ik dat wel had gedaan.

Sasja de FSB'er, die wij nu Sasja de milieubeschermer noemen, roept onze Sasja bij zich voor een van de gesprekken onder vier ogen waarover de laatste geen rechtstreeks uitsluitsel geeft, maar die vooral een voorwendsel lijken te zijn om zich te laten vollopen. Wanneer we ze aan het eind van de avond treffen in restaurant *Zodiak*, dat, pas geopend, doorgaat voor de nieuwe chique gelegenheid in de stad, zijn ze allebei straalbezopen. Maar dat doet allerminst afbreuk aan Kamorkins angst te worden gefilmd, want dat is de milieubeschermer een schrikbeeld. Ik ben een lieve jongen, legt hij uit, maar ze moeten niet proberen een loopje met me te nemen want dan kan ik wel eens kwaadaardig worden. Maar het is druk, het is zaterdagavond, en hij kan het Philippe niet verbieden opnamen te maken van wat zich op de dansvloer afspeelt. Philippe en ik maken er een spelletje van, wat betekent dat hij, terwijl hij om de dansers heen fladdert, stiekem probeert Sasja in beeld te krijgen en dat ik, die met hem aan een schaars verlicht tafeltje zit, probeer zijn waakzaamheid op iets anders te richten. Zonder zijn hardnekkige pogingen te staken me op de schoonheid van de vrouwen te laten drinken, steekt hij met steeds zwaarder tong redevoeringen tegen me af over cultuur, Frankrijk, het feit dat hij een scherpzinnig psycholoog is, dat hij mensenkennis heeft, en uiteindelijk heeft Philippe, door voortdurend om ons heen te draaien terwijl hij doet of hij de camera op iets anders richt, een opname van hem in verloren profiel. Bij thuiskomst waren we opgetogen over deze bescheiden buit, als jagers die een hoogst bijzonder stuk wild hebben verschalkt, en pas de dag daarop schaam ik me een beetje. Een ongelukkige, drankzuchtige, sentimentele en wraakzuchtige vent van wie ik me alleen omdat hij dat niet wil, in mijn hoofd heb gezet dat hij in onze film moet voorkomen, en zijn vrouw ook, omdat ik me voorstel dat ze me in het Frans dingen zou kunnen vertellen die ze in zijn bijzijn niet in het Russisch zou vertellen. Op grond van een anderhalf jaar geleden in Trojka opgenomen film waarop zo goed als niets te zien of te horen is, heb ik een roman geconstrueerd rond dit paar, dat ik nu op slinkse wijze voor mijn karretje wil spannen. Als om me daarvoor te straffen lijkt mijn Russisch achteruit te gaan.

Als Philippe me bij het ontbijt vraagt: Wat doen we vandaag?, dan luidt steeds vaker mijn antwoord: Ik weet het niet. Hij zou met de armen over elkaar kunnen wachten tot ik een besluit neem, maar dat ligt niet in zijn aard, dus neemt hij zelf een besluit, en doorgaans besluit hij dan om Kristina te filmen, haar familie, haar vriendinnetjes, haar examens. Terwijl hij aan de slag gaat, ga ik op een bankje in de zon zitten en in het gunstigste geval maak ik aantekeningen in mijn notitieboekje, maar meestal doe ik dutjes. In theorie ben ik de leider van onze ploeg, maar ik hak geen enkele knoop door, ik laat me op sleeptouw nemen en bij alle ontmoetingen hang ik er maar zo'n beetje bij, af en toe lach ik maar eens wat of zeg: *Da, da, konjesjno*, om te laten merken dat niet alles wat in mijn aanwezigheid wordt gezegd me ontgaat.

Van dit verblijf verwachtte ik dat er een knop zou worden omgedraaid zodat ik eindelijk Russisch zou spreken en, in één moeite door, hartelijke betrekkingen zou aanknopen met andere mensen. Maar ik spreek geen Russisch en sluit me met de dag meer op in mezelf. Ik ben omgeven door een taal die me bekend, vertrouwd is, mijn moeders taal, en die ik toch niet versta. Ik laat me in slaap wiegen door die taal, en niet alleen ontgaat de betekenis van wat er tegen me wordt gezegd me voor de helft, als het erop aankomt interesseert het me niet, dat is het vooral. Wanneer ik zeg dat de betekenis me voor de helft ontgaat, is dat percentage dan juist? Als ik zei: voor een derde, een kwart, zou dat dichter in de buurt komen? Hoe het niveau in te schatten van iemand die twee maanden lang in staat was zijn dagboek bij te houden in het Russisch, die in Moskou in staat was een gesprek te voeren dat bol stond van fouten en te hulp geroepen Engelse woorden, maar dat coherent was en levendig, en die nu in Kotelnitsj aan afasie ten prooi lijkt? Als ik tegen mijn reisgenoten zeg dat, gestage pogingen ten spijt, een bepaalde remming me de toegang tot de Russische taal ontzegt, dan halen ze de schouders op: waarom zou je de klassieke barrière die ontstaat bij het overgaan van het passieve naar het actieve gebruik van een vreemde taal, remming noemen? Maar ik weet zelf dat er sprake is van een remming, dat iets in mij, of iemand, vrees en verzet voelt ten opzichte van die terugkeer naar mijn moeders taal, en dat daar een raadsel ligt waarvan dit werk, begonnen met het verhaal van de Hongaar, voortgezet om me dingen uit mijn kindertijd te herinneren waarvoor ik me van het Russisch bediende, en nu door terug te gaan naar Kotelnitsj, me uiteindelijk de sleutel in handen zal geven. Dat is de reden waarom ik in Kotelnitsj ben, waarom ik heb besloten die film in Kotelnitsj te maken.

Maar toch, waarom Kotelnitsj? Als ik, om ervan af te zijn, zeg dat ik er op zoek ben naar mijn wortels, dan is dat flauwekul. Ik heb helemaal geen wortels in Kotelnitsj, en in wezen niet in Rusland. De broer van mijn overgrootvader, die een halfjaar gouverneur van Vjatka is geweest en die de moslims uit het raam gooide, maakt nog steeds grote indruk wanneer ik over hem vertel. Sasja de milieubeschermer heeft aangeboden om onderzoek naar hem te doen in het archief, zogenaamd enthousiast heb ik ja ja gezegd maar in werkelijkheid kan het me geen bal schelen. Mijn grootvader was Georgiër, mijn grootmoeder is opgegroeid in Italië, de uitgestrekte domeinen van mijn overgrootouders laten me onverschillig. Die grond zegt me niets, alleen de taal die er wordt gesproken. Niet hier heeft mijn moeder die taal geleerd en gesproken, heb ik die als kind gehoord, maar in Parijs. Dus waarom moest ik zo nodig naar Rusland, waarom teruggaan naar Kotelnitsj, behalve dan omdat het leven van die Hongaar daar is gestrand en zijn lot het me mogelijk maakt om via een omweg het levenslot van mijn grootvader dichter te benaderen?

Soms zeg ik dit tegen mezelf: dat er sprake is van een traject waarvan het verhaal van de Hongaar het begin- en dat van Georges

Zoerabisjvili het eindpunt is, en dat ik niet weet wat zich tussen die twee punten bevindt. Ik gok erop, en er is niets rationeels dat die gok rechtvaardigt, dat ik dat in Kotelnitsj zal vinden. Ik had naar Georgië kunnen gaan, de route kunnen volgen die mijn grootvader als emigrant heeft gevolgd, Tbilisi, Instanbul, Berlijn, Parijs, Bordeaux, tot aan de avenue die ik me vreemd genoeg voorstel als badend in felle zon, en waar het gebouw stond waarin de Kommandantur was gevestigd. Maar nee, het is Kotelnitsj geworden.

Het dossier met de fotokopieën van zijn brieven heb ik bij me en soms, als de anderen gaan filmen, blijf ik thuis om ze te ontcijferen. Hij heeft een heel eigen manier ontwikkeld om zich uit te drukken, in het Frans zowel als in het Russisch, maar het is zo'n eigen taal dat die op het laatst weinig meer te maken heeft met de algemeen gangbare taal. Het is een persoonlijk idioom dat, ondanks zijn ontwikkeling en virtuositeit, uiteindelijk grote overeenkomst is gaan vertonen met dat van András Toma, die zesenvijftig jaar lang in zijn eentje in zijn eigen taal heeft lopen mompelen en die niemand nu nog verstaat. Voor zijn obsessies, zijn verbittering, zijn megalomanie en zijn zelfhaat die hem door het hoofd maalden, heeft mijn grootvader zich een taal gevormd die bijna **te veel** zijn eigen taal is, en bij het lezen van die brieven komt de gedachte, die me beangstigt, bij me op dat het brieven van een krankzinnige zijn.

Nu we daar toestemming voor hebben gekregen, filmen we de treinen die onder de brug doorrijden – maar treinen, het valt niet te ontkennen, blijven niet lang boeiend. We filmen de training van de gewichtheffers en de rondes van de stoere knapen van Vladimir in de fabriek waar ze verantwoordelijk zijn voor de beveiliging. We filmen het examen ter afsluiting van het schooljaar, van de kleine Kristina, haar huilbui omdat ze geen enkel antwoord wist (echt letterlijk geen enkel), haar glimlach die terugkwam omdat ze haar toch een 8 hadden gegeven. We filmen haar schoolvriendinnetjes en een van hen, Ljoedmila, vind ik schattig. We filmen hun leerkracht, Igor Pavlovitsj, een slome brombeer van achtentwintig die eruitziet als veertig en die we willen interviewen over zijn werk, de nobele onbaatzuchtigheid die daaruit spreekt, maar hij antwoordt onomwonden dat hij lesgeven absoluut niet leuk vindt, dat het alleen een manier is om uit militaire dienst te blijven. Volgend jaar is hij te oud voor de dienst en dan gaat hij weg bij het onderwijs. In afwachting van dat welverdiende pensioen geeft hij vier uur les in de week voor 600 roebel in de maand, dat wil zeggen 20 dollar, waarvan hij kan rondkomen: hij woont de helft van de tijd in Kotelnitsj, bij zijn broer die studeert, en de helft bij zijn ouders op het land, dat leven bevalt hem, waarom zou hij zich meer uitsloven? Dit vreedzame oblomovisme maakt hem in mijn ogen wel sympathiek, minder saai in elk geval dan de brave familie van Kristina bij wie we na het examen nog eens op bezoek gaan om te drinken op haar succes. Toch is ze aandoenlijk, dat grietje dat graag zangeres wil worden en in de voetsporen van Britney Spears en Celine Dion wil treden, al vermoedt ze wel, denk ik, omdat ze niet over grote fysieke of vocale troeven beschikt, dat haar kansen om het veel verder te schoppen in het leven dan haar arme ouders, gering zijn. Ik blader de familiealbums door en kijk naar haar als zij die doorbladert, zij als baby, zij als klein meisje, zij voor het eerst op het toneel, met haar brede glimlach en haar bolle wangen. Ik loop niet erg warm voor het idee haar te volgen in een reeks van prijsuitreikingen en zangwedstrijden zoals Philippe vast van plan schijnt te zijn. Ik zou alleen maar nee hoeven zeggen, met een ander voorstel hoeven komen, maar het is mijn gedragslijn om die van de anderen te volgen en ik heb besloten die tot strategie te verheffen, we zullen wel zien wat het oplevert, ik ben er in ieder geval zeker van dat Igor Pavlovitsj me gelijk zou geven.

Van meet af aan zeg ik al dat het draaien van deze film een experiment is, een experiment dat kan slagen en kan mislukken, en hoe vreemd het ook mag lijken voor zo'n angstig iemand als ik, ik gedraag me alsof dat inderdaad zo is, of het eventuele echec helemaal geen drama zou zijn en het een betekenis had die pas naderhand zou blijken. Maar over precies een maand zal mijn verhaal in *Le Monde* staan, er zullen dingen gebeuren, dat moet wel, en bovendien: Sophie houdt van me. Dit alles draagt in belangrijke mate bij aan mijn betrekkelijke gelijkmoedigheid.

Op een ochtend belt Anja me. Ze is voor een paar uur in Kotelnitsj, we spreken af in restaurant Zodiak. Ze is nauwelijks veranderd: niet knap, maar levendig, onrustig, verscheurd, in onzekerheid, daarom vind ik haar interessanter dan de anderen die in onze film optreden. Aan onze eerste avond in Trojka, de wrange opmerkingen waarmee ze de tirades van haar minnaar lardeerde in plaats van ze te vertalen, heb ik de indruk overgehouden dat zij, anders dan hij, die zelfs in dronkenschap voortdurend let op wat hij zegt, wél vrijuit sprak, zonder censuur, in het wilde weg soms, en ja hoor, ze zit nog niet of ze praat, praat, met glanzende ogen, alsof zich geen kans om te praten meer heeft voorgedaan sinds onze laatste ontmoeting, die ze zich herinnert als 'een sprookje' of het bezoek van de Drie Koningen. Dat we van elders komen, uit een andere wereld, wekt bij veel mensen hier argwaan, maar bij haar oprechte opgetogenheid. En dat we terug zijn gekomen, bewijst dat de wonderen de wereld nog niet uit zijn. Tot de werkzaamheden in hun nieuwe flat klaar zijn woont ze in Vjatka bij haar moeder, met haar zoontje van vier maanden, de kleine Lev die ze, als ze met ons praat, Léon noemt, op z'n Frans, maar over een paar dagen is ze terug in Kotelnitsj en dan hoopt ze erg ons vaak te zien. Terug, voorgoed? Ze trekt een lelijk gezicht. Het idee voorgoed terug te zijn in Kotelnitsj is hard. Maar Sasja werkt hier, het is zijn wereld, het is zijn leven, dus zal het de wereld, het leven van Anja zijn die, uit liefde, bereid is zich op haar achtentwintigste hier te begraven. Want Kotelnitsj, zegt ze met naïeve nadruk, is de stad van de liefde. Maar de liefde is er niet makkelijk, de mensen kijken je scheef aan als je als vreemdelinge, en zonder getrouwd te zijn, leeft met een man die voor jou bij zijn vrouw is weggegaan en die bovendien delicate functies bekleedt. Ach zo? Delicaat? Ze slaat haar hand voor haar mond, als een kind dat vreest te veel te hebben gezegd, maar meteen praat ze weer door over hem en over zijn werk, op een manier die hem beslist niet zou aanstaan. Of, wat niet heel waarschijnlijk is, hij heeft haar niet aan haar verstand gebracht wat ze wel en wat niet moest zeggen, of ze is op het gebied van geheimhouding nog een groentje en in elk geval zeer onbezonnen. Daarvan geeft ze opnieuw blijk wanneer we haar wegbrengen naar Sasja's kantoor, dat wil zeggen naar de FSB, waar ze haar tas heeft laten staan. Ik bied aan met haar mee naar beneden te lopen om haar te helpen, ze zegt ja graag maar zet dan meteen grote schrikogen op, weer slaat ze haar hand voor haar mond en zegt dan nee, Emmanuel, nee, het is beter als ik alleen ga. En even later, bij het station, vertelt ze dat daar wordt gedeald, dat steeds meer mensen in de stad roken (we zullen niemand hasj zien roken, niemand zal proberen het aan ons te slijten) en dat het bij Sasja's werk hoort om zich met die mensen te bemoeien. O ja? Ik dacht dat de bescherming van de natuur zijn werk was? Gezicht dat verwondering uitdrukt: heeft hij dat tegen jullie gezegd? Ze lacht.

Die dag dat we elkaar terugzagen, viel Anja me een beetje tegen. Ik verwachtte de Mata Hari van Kotelnitsj, ik had een jonge moeder tegenover me die me wat gewoontjes leek en wie ik niet zoveel meer te zeggen had. Toch heb ik aan mijn eerste verblijf, aan onze dronken nacht in Trojka, de overtuiging overgehouden dat er om Sasja en haar een mysterie hangt, of in elk geval een romantisch aura. Van de kleine Kristina, Volodja de bodybuilder, de slome leraar Ivan Pavlovitsj laat me dat koud, maar van hen wil ik echt dat ze in de film komen.

Dan krijg ik een ingeving. Ik stel Anja voor om ons te assisteren, als hulptolk. Mijn voorstel is zo doorzichtig als wat, ik heb natuurlijk geen twee tolken nodig en al leg ik hem uit dat het een krijgslist is, onze Sasja trekt een lang gezicht, alsof ik aan de hele wereld verkondig dat ik ontevreden ben over zijn diensten. Maar door me te verzekeren van die van Anja, verwacht ik dat ze op haar vrijmoedige en onvoorspelbare wijze commentaar zal geven op onze ontmoetingen, en in de veronderstelling dat ze onze assistente is, zo een volwaardige rol zal gaan vervullen in onze film. In elk geval is ze opgetogen over mijn voorstel. Het is goed voor jullie, zegt ze, en het is goed voor mij, maar meer nog voor mij, voegt ze eraan toe met een mengsel van koketterie en sluwe bescheidenheid dat haar heel even onweerstaanbaar maakt. Dat enthousiasme verwachtte ik wel, maar dat haar Sasja de dag daarop zijn toestemming geeft, dat verbaast me meer. Hij onderhandelt over het tarief, 50 dollar per dag, met onze Sasja van wie ik me even afvraag wat hij kan hebben gezegd om, zonder gezichtsverlies, uit te leggen dat hij aan de kant wordt gezet. Hoe dan ook, het is afgesproken: Anja werkt voor ons.

(Officieel om onze Sasja te ontlasten, die andere dringender zaken te doen heeft. Welke dat zijn, laten we in het vage, maar het eerste wat hij doet als hij zijn handen vrij heeft, is het op een drinken zetten met de andere Sasja, wat voldoende zou moeten zijn om ons verzinsel te ontkrachten, maar nee, dat is niet het geval, en iedereen speelt het spel mee.)

Anja, trots om betaald te krijgen, trots om voor ons echt werk te doen, heeft zich op het bezoek aan de strafkolonie voorbereid zoals je je voorbereidt op een belangrijk examen. Ze verheugt zich bij voorbaat op de verbazing van Sergej Viktorovitsj, de directeur, als hij haar samen met ons zijn kantoor zal zien binnenkomen: hij is een goede vriend van Sasja, zegt ze meer dan eens, en een van de weinigen die, toen Sasja bij zijn vrouw wegging, haar als zijn nieuwe partner welwillend heeft bejegend. Maar anders dan ze verwachtte begroet Sergej Viktorovitsj, een gezet mannetje in militaire gevechtskleding, haar wanneer we het kantoor binnenkomen ogenschijnlijk zonder zich over haar aanwezigheid te verbazen en zonder tijd te verdoen met vriendschappelijke ontboezemingen en hij begint meteen aan een uiteenzetting ten behoeve van ons. Dat moet het begin geweest zijn van Anja's teleurstelling. Van de momenten doorgebracht op dat kantoor staat me nog maar vaag iets bij, ik herinner me voornamelijk de cassettes die ik een paar maanden later bekeek met Camille, mijn cutter. Camille lacht graag en veel, en ze lag werkelijk dubbel bij de beleefde neerslachtigheid waarmee ik zit te luisteren naar de tirades van Sergej Viktorovitsj over het penitentiair systeem en de verschillende fasen in de reclassering die de gedetineerden doorlopen. Het was een van de slechte dagen waarin niets of niemand me interesseert en mijn psychische activiteit zich uitsluitend en vol bitterheid richt op die desinteresse. Met de kin in de hand gesteund knik ik onafgebroken en probeer mijn gapen in te houden, en na elke volzin begint Anja, blocnote en potlood in de hand, te vertalen met een ijver die mijn neerslachtigheid nog groter maakt. Zo gaat er anderhalf uur voorbij, waarna Sergej Viktorovitsj ons meeneemt voor de bezichtiging van de kolonie. Dat ons werd toegestaan die te bezoeken, vond ik eerst nogal vreemd, maar nu begrijp ik dat beter want de plaats ziet er redelijk goed uit. De slaapzalen zijn schoon, de klaslokalen lijken op klaslokalen, met kindertekeningen die aan de muren zijn geprikt, terwijl de gedetineerde pubers die in uniform door de gangen lopen, eruitzien als kostschoolleerlingen in een internaat met een redelijk streng regime. Ik neem het mezelf kwalijk dat ik daar ben, ik neem het mezelf kwalijk dat ik het spannend heb gevonden een jeugdgevangenis te bezoeken waarvan ik hoopte dat ze Dantes hel zou benaderen, ik neem het mezelf kwalijk dat ik teleurgesteld ben omdat ze helemaal niet zo dantesk is, en ik neem het ook Anja kwalijk dat ze irritant haar best doet, de manier waarop ze ijverig, naar mij overgebogen, op gedempte toon de eindeloze commentaren van Sergej Viktorovitsj vertaalt. Kortaf zeg ik: Laat maar, ik versta het wel, en omdat ik altijd heel aardig tegen haar ben geweest, schrikt ze van die plotseling andere toon die ik aansla. Ze raakt in verwarring. Op de terugweg kijkt ze angstig naar me, alsof ik een Dr Jekyll ben die opeens Mr Hyde is geworden. Ze weet niet wat ze heeft misdaan om mijn irritatie te wekken, ikzelf zou met mijn mond vol tanden staan als ik daar een duidelijke verklaring voor moest geven, maar ze irriteert me. Alles wat sinds het begin van dit verblijf stroef gaat en waarvan ik niemand de schuld kan geven, schuif ik haar in de schoenen en haast zou ik in hoongelach uitbarsten om mijn verblinding: ik heb me laten meeslepen, ik zag haar als een romantische figuur, en in werkelijkheid is ze maar een zielig meisje, een verschoppelinge die alles te goed wil doen, en wier stem me ergert, van wie de manier waarop ze zich uitdrukt me ergert, haar manier om alleen het bepaalde lidwoord te gebruiken, zo zegt ze bijvoorbeeld: Ik moet *de* tube tandpasta kopen, en niet *een* tube tandpasta of gewoon: tandpasta, en opeens balt zich in die onschuldige onbeholpenheid, uit de mond van iemand die toch honderdmaal beter Frans spreekt dan ik Russisch, al het ongenoegen samen dat zich door dit verblijf en door mijn leven in het algemeen in me ophoopt. We brengen haar thuis, bedeesd vraagt ze wanneer we opnieuw gebruik zullen maken van haar diensten, en ik antwoord dat ik dat niet weet, we zullen wel zien. Ik besef dat ik wreed ben, ik neem het mezelf kwalijk en ik neem het ook haar kwalijk. Met afschuw denk ik terug aan die dag.

Kristina en haar vriendinnetjes zijn geslaagd voor hun eindexamen van de middelbare school, en om hun entree in het volwassen leven te vieren komen ouders, leraren en jongelui bijeen in de eetzaal van de broodfabriek. Een stel zure ouders, aangevoerd door een potentaatje dat beweert 'onze' films over Kotelnitsj te hebben gezien en te weten wat hij met ons voor vlees in de kuip heeft, wil ons in eerste instantie de toegang ontzeggen, maar Kristina zal zingen, de ouders van Kristina vinden het goed dat we haar filmen, dus mogen we uiteindelijk naar binnen en we besluiten ons aan te passen; wat mezelf betreft betekent dat me systematisch bezatten. Kristina zingt haar hitjes van Britney Spears, en de knappe Ljoedmila, die het patriottisme serieus opvat, liederen ter meerdere glorie van het Russische leger in Tsjetsjenië. Ook ik heb een kozakkenwiegeliedje op mijn repertoire waarin het wrede Tsjetsjenië als vanzelfsprekend als de vijand wordt voorgesteld, en hoewel ik het niet helemaal tot het einde toe ken, boek ik aan een hoek van de tafel een klein succes door de eerste coupletten te zingen die iedereen om me heen meezingt. Ik krijg complimenten, ik vertel zo goed en zo kwaad als het gaat over mijn Russische wortels, mijn moeder, mijn *njanja*, de ondergouverneur die de moslims uit het raam gooide, en het duurt niet lang of ik ben in een verward maar uiterst hartelijk gesprek gewikkeld met een man met een snor die Leonid heet en die een uur eerder bij de groep ouders hoorde die zich tegen onze aanwezigheid verzette. Op een gegeven moment doe ik Leonid een belofte: de documentaire die we aan het maken zijn, wil ik, als hij eenmaal af is, met opgeheven hoofd aan de bewoners van Kotelnitsj kunnen laten zien. Want laten zien zal ik hem: over een halfjaar, een jaar zijn we terug en dan zullen we iedereen die eraan heeft meegewerkt uitnodigen om naar de film te komen kijken. En, daar zal ik voor zorgen, ze zullen tevreden zijn. Of, want dat laatste is misschien wel wat veel gevraagd, ze zullen zich op z'n minst niet hoeven schamen. Dat heeft me getroffen, toen de ouders aanvankelijk niet wilden dat we hun banket filmden, en daarna in hun uitbarstingen van angstige sentimentaliteit: dat ze argwanend zijn, maar dat niet alleen, dat ze zich schamen. Zich schamen omdat ze arm zijn, aan lagerwal, drankzuchtig, en bang om als zodanig te kijk te worden gezet. Ze zijn afgrijselijk bang om bespot te worden, en terwijl ik met Leonid praat, lijkt niets me van meer belang dan om mijn belofte te houden en ervoor te zorgen dat hun argwaan onterecht is geweest.

Het banket duurde lang en rond vier uur stond iedereen aan de oever van de rivier. Het was al licht, de duisternis had maar een uur of twee geduurd. Het was 21 juni, de kortste nacht van het jaar. Padden kwaakten. De meisjes tilden de zoom van hun lange jurken op en liepen het water in, met hun schoenen in de hand. De bandjes van de lijfjes gleden langs de schouders naar beneden, bier en wodka vloeiden rijkelijk, het zingen ging door, maar steeds valser. Ik was stomdronken, onderuitgezakt achter in de auto, en wat die momenten aan de waterkant betreft vertrouw ik minder op mijn herinnering dan op de door Philippe vastgelegde beelden; die hebben de gratie van een dag die aanbreekt en drinkgelagen die ten einde lopen, zoals in de films van Kusturica.

Ik leer mijn wiegelied helemaal uit mijn hoofd. Het ontroert me, ik ben op de rand van tranen wanneer ik het laatste couplet zachtjes fluisterend opzeg voor mezelf. Maar het elan dat me Russisch deed spreken met Leonid en met de meisjes op de avond van het banket, ebt al snel weg. De mensen met wie ik praat, wie het ook zijn, interesseren me nauwelijks. Tenzij ik een glas te veel op heb, weet ik niet waarover ik het met hen of met wie dan ook moet hebben en meteen val ik terug in de afasie. Het totstandkomen van de film volg ik, meer dan dat ik er richting aan geef. Sasja stelt vragen, Philippe filmt, Ljoedmila doet het geluid en ik houd me afzijdig, ik zit op bankjes en ik maak losse notities niet zozeer over wat zich vlak voor me afspeelt maar wel over wat zich afspeelt in mijn hoofd. Ik denk aan András Toma, die hier drieënvijftig jaar heeft verbleven zonder Russisch te spreken en zonder met iemand te communiceren. Ik denk aan mijn verdwenen grootvader, aan de waanzin die doorschemert in zijn brieven, aan mijn moeder die zo bang is dat ik ooit over hem zal schrijven, aan mezelf die zo bang is om dat te doen en die toch weet dat hij het moet doen, dat het voor haar en mij een kwestie van leven of dood is. Ik denk aan de detective, uit welke detectiveroman weet ik niet meer, die het talent bezat om terwijl de inspecteurs zich de benen uit het lijf liepen, de raadselen al slapend op te lossen, en bezocht door een onrustige halfslaap onderbroken door nachtmerries, vraag ik me af welk raadsel ik hier ben komen oplossen.

We gaan bij Vladimir Petrov, de gewichtheffer, op bezoek. Het idee is om, nadat we hem eerder tijdens de training hebben gefilmd, hem nu in zijn eigen huis te laten zien, samen met zijn vrouw en zijn zoontje. Jullie moeten, legt Philippe hun vriendelijk uit, alles doen wat je zou doen als wij er niet waren: het eten klaarmaken, spelen met de kleine jongen, samen praten over de afgelopen dag. Dat vooruitzicht bedrukt me, ik voel me overbodig, en met als voorwendsel de geringe afmetingen van de flat waar ik om de haverklap dreig door het beeld te lopen, ga ik weg om te wachten op het portaal. Vervolgens loop ik de betonnen trap af. Ik wacht aan de voet van het flatgebouw. Voor me zie ik nog een blok flats, een onbebouwd terrein waar koeien grazen en, helemaal op de achtergrond, de gebouwen van de broodfabriek. Dat alles in de felle zon. Omdat ik niets te doen heb film ik wat ik zie met de kleine DV-camera. Als tegenhanger en los van de intussen in de flat van Vladimir opgenomen beelden, beelden waaraan ik geen enkele herinnering bewaar maar die ik later bij het monteren wel zal hebben gezien, zijn er die beelden, overbelicht, overgoten door een meedogenloos schijnsel van de zon, en voor mij beladen met een vreemde, onuitsprekelijke triestheid. In die film waarin ik hoopte te zien te zijn terwijl ik vrijuit Russisch spreek, een ploeg aanstuur, moeiteloos met anderen in gesprek ben, geven die beelden het moment aan waarop ook ik erin berustte te verdwijnen.

158

Anja nodigt ons uit voor een boottochtje; een tochtje dat in feite door haar Sasja is georganiseerd. De boot is eigendom van een vriend van hem, het uitstapje is een soort cadeau van hem aan ons, maar toch geeft hij te kennen liever niet met ons mee te gaan. Dat is des te vreemder omdat, als we Anja moeten geloven, die zoals gewoonlijk van haar hart geen moordkuil maakt, hun verhouding de laatste dagen zeer gespannen is, waar wij debet aan zijn. De milieubeschermer verdenkt ons ervan dat we zijn vrouw willen uithoren – met name, vermoed ik, over Morodikovo – en haar dat ze zich dat al te gemakkelijk laat aanleunen. Waarom stuurt hij ons dan samen met haar uit spelevaren zonder zelf mee te gaan? Alweer een mysterie dat ik niet zal oplossen.

Het motorbootje, met de vriend van Sasja aan het roer, vaart langzaam de rivier de Vjatka op, gaat onder de spoorbrug door, zet dan koers naar een scheepskerkhof waar geroeste boten liggen en dat het doel van de excursie blijkt te zijn. Aanvankelijk speelt Anja voor gids, maar haar toelichtingen op de plaatselijke bezienswaardigheden gaan algauw over in confidenties. We varen langs een kaal heuveltje waarvan ze vertelt dat het 'de liefdespiek' wordt genoemd, dat verliefde stelletjes er komen wandelen en dat Sasja haar daar meteen bij hun eerste ontmoeting al mee naartoe nam. Een paar dagen daarna liet hij zijn vrouw en dochtertje in de steek en trok hij bij haar in. Samen hebben ze zich staande gehouden toen de roddels loskwamen in het provincieplaatsje, waar Sasja toch al niet zo geliefd was omdat hij smeris is, en zij ook niet omdat ze uit de grote stad komt. De mensen mochten Sasja niet maar ze waren wel bang voor hem, en alleen zij werd regelrecht geconfronteerd met de kwetsende opmerkingen, de vijandige blikken. In die tijd trok ze zich daar niets van aan, was er zelfs trots op, want ze was met hém en ze hielden van elkaar. Ze beschrijft hem als een romantische, mysterieuze, beschadigde man, en ze praat over de begintijd van hun liefde met een zekere vervoering, maar ze zegt ook, eerst in bedekte termen maar steeds onomwondener, dat die tijd voorbij is en dat het tegenwoordig niet meer gaat tussen hen. Ze probeert er vrolijk over te praten omdat ze denkt dat wij van haar verwachten dat ze vrolijk is. Ze haalt de schouders op en laat zich met geforceerde achteloosheid ontvallen dat hij bij hen weg wil, bij haar en de kleine Léon. Voor een andere vrouw? Nee, niet speciaal voor een andere vrouw, ook al houdt hij er minnaressen op na. Alleen, de liefdesroes is voorbij, en wat ook hij romantisch, mysterieus had gevonden, ergert hem nu. Vroeger vond hij het leuk dat ze Frans sprak, nu vindt hij het verdacht, op een vage manier bedreigend, hij is bang dat het haar in opspraak zal brengen. En zij voelt dat haar Frans haar in de steek laat, als een gave die je kwijtraakt, iets waardevols en bijzonders dat verloren gaat in de benauwende grauwheid van het dagelijks leven. Ik vind dat triest, en tegelijkertijd begrijp ik die ontgoocheling omdat ze ook de mijne is. Ook ik had hen die eerste avond in Trojka allebei romantisch, mysterieus gevonden. Ik was een beetje verliefd op hen geworden, en wat zie ik nu? Een braaf, naïef, sentimenteel meisje met Emma Bovary-neigingen, een eveneens sentimentele, maar slappe en paranoia man, een liefdesverhouding die een paar maanden vurig is geweest maar die nu verzandt in de kleingeestige verveling van een streek op het platteland waar ze zielsgraag weg zouden willen en waar ze nooit weg zullen komen. Dit keer ben ik aardig voor haar, anders dan in de strafkolonie, ik doe of ik met haar meeleef, maar in werkelijkheid heb ik er genoeg van – genoeg van Anja en van Sasja, genoeg van Kotelnitsj, genoeg van mezelf in Kotelnitsj. Ik zou drie maanden verder willen zijn, bij Sophie wanneer mijn verhaal zal verschijnen, of tien dagen, niet meer dan dat, want we hebben nog tien dagen voordat we hier weggaan. Opeens vind ik dat heel lang, tien dagen, en ik bedenk dat het aan mij is om het experiment te bekorten.

Heb ik er zin in om de strafkolonie nog eens te filmen? Of de sympathieke Volodja en zijn bodybuilders? De zangtour van Kristina, de jammerklachten van Tamara de serveerster, of zelfs het commentaar van Anja op Kotelnitsj, de stad van de liefde? Heb ik meer in het algemeen, zin om wat dan ook te filmen? Nee, maar daar staat tegenover dat ik zo'n moment van moedeloosheid had voorzien en dat ik steeds tegen mezelf had gezegd dat het belangrijk was om het experiment tot het eind toe door te zetten ook al was het saai en leverde het voorshands niets op. Het kan best zijn dat zich op de valreep, als je er al niet meer in geloofde, alsnog een wonder zal voordoen. Maar die avond kondig ik toch aan dat ik er goed over heb nagedacht en van mening ben dat het het beste is om eerder terug te gaan dan gepland. In drie, vier dagen kunnen we doen wat we nog moeten doen, waarom nog een week langer blijven hangen? Dat is redelijk, maar iedereen voelt dat ons verblijf bekorten impliciet neerkomt op de erkenning dat het een mislukking is geworden. Sasja, Ljoedmila en Philippe zijn verdrietig en nemen me mijn besluit een beetje kwalijk.

De volgende morgen word ik wakker met mijn plexus verknoopt van angst, zoals ik dat mijn leven lang heb gehad en waarvan ik, merkwaardigerwijs, sinds mijn komst in Kotelnitsj geen last heb gehad: ik was lusteloos, vol twijfels, maar vrij van echte angst. Ook voel ik aan de rand van mijn voorhuid een soort zwelling, voorbode van een aanval van herpes, en ineens weet ik zeker op een cruciaal moment de verkeerde beslissing te hebben genomen. Waarom het niet nog een week te hebben volgehouden? Geen vertrouwen te hebben gehad?

De vorige avond wilde ik het er met Sophie over hebben. Ik belde haar om middernacht, dat wil zeggen om tien uur Parijse tijd, maar ze was niet thuis. Ik liet een bericht achter waarin ik zei dat ik waarschijnlijk over een paar dagen terug zou komen. 's Morgens vroeg bel ik haar weer en ook dan neemt ze niet op. Dat verwondert me een beetje maar ik zeg bij mezelf dat ze de avond wel bij een vriendin zal hebben doorgebracht en daar is blijven slapen. Weer laat ik een bericht achter, en nog een op haar mobiel. Mijn berichten worden steeds dringender omdat ik me niet goed voel, mijn beslissing bedrukt me, ik verlang ernaar bij haar mijn hart uit te storten. Om elf uur, dat wil zeggen negen uur daarginds, belt ze me terug. Ze zegt dat ze net uit de metro komt, dat ze zojuist mijn bericht op haar mobiele telefoon heeft afgeluisterd. Ze zegt niet dat ze die nacht buitenshuis heeft geslapen. Ik voel dat ze nerveus is, verward, ik vind dat vreemd. Heb je gisteravond mijn bericht niet gehoord? Gisteravond? O, nee, ik was een beetje laat thuis, waarschijnlijk heb ik het antwoordapparaat niet afgeluisterd... En vanmorgen? Vanmorgen heb ik je om zeven uur gebeld. Je was toch zeker om zeven uur de deur nog niet uit? Ze raakt in verwarring, zegt dat ze wel onder de douche zal hebben gestaan toen de telefoon ging. Ik voel dat ze liegt. Als ze tegen me liegt, wat betekent dat? Dat ze de nacht buitenshuis heeft doorgebracht, maar niet bij een vriendin: met een andere man. Dat zeg ik niet met zoveel woorden, maar op slag word ik heel kil door de telefoon, en zij verbaast zich over die kilte. Wat is er, Emmanuel, wat verwijt je me precies? Dat ik er niet was op een moment waarop jij er behoefte aan had met me te praten? Ik ben er nu, ik ben blij dat je eerder naar huis komt. Ik mis je. Ik kap het gesprek af, bruusk.

Een van de dingen die ik wilde doen voor ons vertrek, is een klein experiment dat erin bestaat om nu eens niet achter meer of minder schilderachtige personages aan te hollen, maar een dag door te brengen gewoon maar op een bank, in het plantsoen tegenover het station. Gaan zitten, blijven zitten waar je zit, kijken naar wat er gebeurt – of niet gebeurt. Ik snap wel dat dat voor Philippe, die nogal ongedurig van aard is, een beproeving dreigt te worden, maar ik vertel hem dat dit de regel van het spel is: het plantsoen mag onder geen beding vanuit alle gezichtshoeken worden gefilmd, de bank blijft het uitgangspunt. De camera wordt op ooghoogte ingesteld en mag alleen ronddraaien op het statief, alsof je zonder overeind te komen je hoofd omdraait. Oké, zegt Philippe, en gaat zitten, stoïcijns, omringd door Ljoedmila, die haar microfoon openzet, en mij, die aantekeningen maakt.

12 uur. Behalve wij zijn er verdeeld over twee banken nog drie mensen in het plantsoen. Een bejaard echtpaar, een nog jonge man. Ze hebben geen bagage bij zich en maken niet de indruk dat ze daar zijn om op een trein te wachten, maar alleen om even te zitten. Het is bijna lunchtijd, maar ze halen geen brood tevoorschijn. Ze praten niet en lijken niet te merken dat we ze filmen. Inderdaad, ook wij verroeren ons niet, praten niet. De vrouw wuift zich koelte toe met een krant. Mussen tsjilpen. Verscheidene treinen rijden voorbij, waaronder de sneltrein naar Sint-Petersburg.

13.30 uur. De man en de vrouw zijn weg. De eenzame en jonge man is in slaap gevallen, met zijn hoofd naar achteren, en snurkt zacht. Een andere man, eveneens alleen, is komen zitten, met een zakje zonnebloempitten gekocht bij de marktvrouw die voor het station staat. Hij pelt ze en eet ze achter elkaar op, in een volmaakt regelmatig ritme. Hij eet door totdat het zakje leeg is. Dan staat hij op en gaat weg.

Dan arriveert Sasja Kamorkin, die naast ons op de bank ploft. We vertellen hem wat we aan het doen zijn, en hij lacht: wat schieten we daarmee op? Philippe lacht van de weeromstuit: het is een gril van mij, je moet niet proberen die te begrijpen. Sasja zelf komt van het station, waar hij een kaartje naar Sint-Petersburg voor zijn dochter heeft gekocht. Ze gaat in Sint-Petersburg studeren. Nou ja, studeren, de hoer uithangen, dat komt dichter in de buurt. Hij zegt het schertsend, maar we voelen dat het niet alleen een grap is, er ligt in zijn toon een mengsel van gemelijkheid en bewondering. Zijn dochter heet Kristina, net als onze hoofdpersoon, ze is zeventien net zoals zij, heeft net haar school afgemaakt net zoals zij, maar daar houdt de overeenkomst op. Sasja laat ons haar foto zien, in haar paspoort, en ik denk bij mezelf dat als ik die foto eerder had gezien, onze documentaire heel anders uitgevallen zou zijn: zij is precies het soort meisje dat ik had willen volgen op haar pad dat leidt van een ellendig gat zoals Kotelnitsj naar de nachtclubs van Sint-Petersburg, Moskou of New York, waar haar schoonheid en argeloos cynisme vele mannen het hoofd op hol zullen brengen. Een schoonheid van een sletje, niet? zegt Sasja nog eens, waarna hij nauwkeurig haar maten opsomt. Wij voelen ons een beetje onbehaaglijk, hij in het geheel niet: hij is pooier in het diepst van zijn gedachten, zíjn manier om trots te zijn op zijn dochter.

Een halfuur nadat Sasja is weggegaan, komt Anja ons bezoeken, waarschijnlijk door hem op de hoogte gebracht. Ze draagt haar zoon tegen haar borst, in een soort kangoeroetuigje. Het is voor het eerst dat we de kleine Léon zien. Hij is vijf maanden. Hij slaapt. Ze koestert hem met haar blik en toont hem aan ons met een tederheid waardoor al het lelijke wat ze op andere momenten kan hebben, op de achtergrond raakt, ze wordt er beminnenswaard, ontroerend door. Onze verhouding met Sasja en Anja mag dan gecompliceerd zijn, God is onze getuige, vandaag ligt het simpel. Ze weten dat wij de hele dag op een bank bij het station zitten, dat dat weliswaar rustig en niet onprettig maar nogal saai is, en om de beurt komen ze ons gezelschap houden, even een praatje maken. Het is raar maar vandaag denk ik aan hen als aan vrienden, geen intieme vrienden maar goede vrienden, mensen met wie ik van alles heb meegemaakt, en ik beleef plezier aan dat lome gebabbel dat nergens over gaat.

Toch kan ik de gedachte aan Sophie niet van me afzetten. Denk ik echt dat ze me vannacht ontrouw is geweest en vanochtend heeft gelogen? En als dat zo is, is dat zo erg? Doet me dat echt verdriet? Of ben ik vooral bang voor een conflict tussen ons vóórdat mijn verhaal verschijnt, en dat het effect ervan zou bederven? Ik weet best dat de publicatie van dat verhaal, over drie weken, maakt dat ik me het debacle van ons verblijf in Kotelnitsj niet al te zeer aantrek. Maar als dat debacle een vervolg kreeg? Als het moment van triomf en van liefde dat ik voor ons in petto heb, eveneens op een catastrofe zou uitlopen? Als ze verliefd was geworden op een ander? Als ze bij me wegging?

Ik heb het mezelf verboden nog eens te bellen, maar zij belt mij, met haar mobiele telefoon. Ik blijf kil, afstandelijk, terwijl ik heel goed weet dat ik daar niet in zal volharden. Ze wekt werkelijk niet de indruk ermee bezig te zijn bij me weg te gaan. Dus, óf ik blijf vasthouden aan mijn vermoeden dat ze liegt, kom daar voortdurend op terug en dan wordt het onleefbaar, óf ik besluit haar te geloven – te geloven dat ze inderdaad onder de douche stond toen ik belde en dat ze, zij die het antwoordapparaat eerder drie dan één keer afluistert, die ochtend het antwoordapparaat niet heeft afgeluisterd... Erg aannemelijk is het niet, maar anderzijds, haar liefdesbetuigingen klinken zo oprecht dat ze werkelijk... wat? Heel overtuigend zou moeten liegen? Ik weet dat ze heel overtuigend liegt, ze heeft al eens tegen me gelogen, en mij vervolgens verweten dat ik niets in de gaten had gehad. Want om zo overtuigend te kunnen liegen, moet ze wel van me houden, en dat ik niets in de gaten heb gehad, betekent dat ik minder houd van haar. Laten we ervan uitgaan dat ze vannacht met iemand anders naar bed is geweest. Als ze dat met alle geweld voor me verborgen wil houden, wil dat zeggen dat ze van mij houdt. En als ik het heb gevoeld, dan betekent dat dat ik ook van haar houd, meer nog dan eerst, beter dan eerst. Dat zeg ik tegen haar. Ze lacht. Je bent echt geschift, zegt ze. Ik blijf bij mijn vermoeden, maar ik weet wel dat we begonnen zijn vrede te sluiten, en dat is me nog wel zo lief.

Van enige activiteit in het plantsoen is nu geen sprake meer en dus versoepel ik de regel door toe te staan Anja en de kleine Léon te filmen. Anja is daar opgetogen over, vooral omdat Sasja's achterdocht wat foto's of films betreft, vertelt ze, zo groot is dat ze vrijwel niet één foto heeft van hun zoon. Léon is een kind dat nooit wordt gefotografeerd. Dan, op dezelfde toon, als terloops, herhaalt ze wat ze op de boot al heeft gezegd, dat Sasja op het punt staat bij haar weg te gaan, en verdrietig neuriet ze: 'plaisir d'amour ne dure qu'un moment, chagrin d'amour toute la vie', liefdesgenot duurt maar even, liefdesverdriet een heel leven. Waarop ik zeg: Nee hoor, zowel het een als het ander duurt maar heel even. Dan wordt Léon wakker en begint te huilen. Anja zingt een lief slaapliedje voor hem dat ik niet helemaal versta maar waarin sprake is van een krekel. Daarna neem ik, op haar verzoek, de baby in mijn armen en zing, zachtjes, mijn wiegelied voor hem.

Slaap m'n kind, m'n lieve kleine,
Slaap maar, slaap maar gauw.
En de maan zal helder schijnen
In die wieg van jou.
Met verhalen zal ik komen,
Zingen van de wind.
Oogjes toe, en dan maar dromen,
Slaap maar, slaap, m'n kind.

Over stenen stroomt de Térek,
Klotst tegen de kant;
Een Tsjetsjeen sluipt daar, begerig,
't Moordmes in de hand.
Maar jouw vader is een strijder,
Die het van hem wint.
Slaap maar rustig, lieve kleine,
Slaap maar, slaap, m'n kind.

En je weet, eens komt de tijd dat
Jij de slag in gaat.
Moedig grijp je dan de leidsels,
Het geweer paraat.
't Zadeldek zal ik omzomen
Met een zijden lint...
Ga nu, schattebout, maar dromen,
Slaap maar, slaap, m'n kind.

Jij zult rijzig van postuur zijn,
En van ziel: kozak.
Ik zal bij het afscheidsuur zijn,
Jij rijdt weg in frak...
Ik zal hete tranen schreien,
Heimelijk in die nacht!...
Slaap, m'n engel, zoetjes bij me,
Slaap maar, slaap maar zacht.

Droefenis zal aan mij knagen;
Ik – ontroostbaar – wacht.
Bidden zal ik, hele dagen,
Tobben in de nacht,
Bang dat jij in gindse streken
Heimwee hebt, m'n kind...
Slaap, tot die tijd aan zal breken,
Maar gerust, m'n kind.

Voor op reis zal ik jou geven
Een heilige icoon:
Zet die, als je bidt, dan even
Voor je neer, mijn zoon.
En denk aan die moeder van je
Voor de strijd begint...
Slaap nu, allerliefste van me,
Slaap maar, slaap, m'n kind.

5

In de zetproeven heb ik een laatste correctie aangebracht. 'De vrouw op wie ik verliefd ben' is geworden 'de vrouw van wie ik houd'.

Ik reis af naar Île de Ré, waar mijn zoons op me wachten. Jij blijft nog een week werken in Parijs en de zaterdag daarna, de zaterdag van het verhaal waarvan je op dit moment nog niets weet, zul je op de trein stappen en naar me toe komen. Ik voel dat je onrustig, gespannen bent wanneer ik bij je wegga. Als ik je kus, in de deuropening, zeg ik: Vertrouw me maar.

Dat heb ik nog nooit tegen je gezegd, ik zeg het nooit, tegen niemand. Ik ben bang dat iemand me zal gaan vertrouwen, omdat ik bang ben zijn vertrouwen onwaardig te zijn en het te beschamen. Maar die ochtend, vergeet het niet, heb ik het tegen je gezegd.

Tegelijk vader en zoon zijn gaat me niet gemakkelijk af, en ik vermijd het maar liever om langere tijd met mijn ouders en met mijn kinderen samen te zijn. Maar die week is er niets aan de hand. Ik sta achter de barbecue, ga met mijn moeder naar de markt, neem troepen kinderen mee naar het strand. Mijn omgeving vindt me een ander mens. Op een middag ruim ik, geholpen door mijn neef Thibaud, de schuur op, pomp de banden van de fietsen op, breng antiroest aan, zoek uit welke sloten nog bruikbaar zijn en van welke de sleutels zijn weggeraakt. Thibaud oppert om, nu we toch bezig zijn, ook een driewielertje weg te doen dat niemand nog ooit zal gebruiken: voor deze generatie geldt dat er geen kinderen meer geboren zullen worden in de familie.

Ik zeg: Je vergeet Sophie en mij.

Hebben jullie plannen?

Waarom niet?

Ik ren en zwem uren achtereen op het plage des Baleines. Al rennend, al zwemmend vertel ik mezelf wat er over vijf, vier, drie dagen zal gebeuren. Lichte roes van het aftellen, mengsel van vrees en opwinding, waarbij het tweede het duidelijk wint van het eerste. Ik moet weer denken aan de journalist die me kwam interviewen en die me zo zorgeloos vond, met mijn granaat die op scherp staat... Een granaat... Arme jongen... Ik vraag me af welk obstakel onze triomf nog zou kunnen bederven. Een ruzie tussen ons beiden? Mijn familie? Ik weet dat mijn ouders preuts zijn, maar ik heb met opzet vast een schot voor de boeg gegeven waarbij ik een woord uit hun vocabulaire heb gebruikt: ik heb voor *Le Monde* een beetje een 'pikant' verhaal geschreven. Wijselijk zullen ze ervoor kiezen het als een goede grap te zien, en dan hoeven ze er geen aanstoot aan te nemen. Trouwens, mijn aan dit verhaal voorafgaande boeken, en speciaal het laatste, waren heel wat aanstootgevender dan deze krasse maar vrolijke tekst. Mijn eerste vrolijke tekst, dat zal hun niet kunnen ontgaan. Afgelopen met de verhalen vol waanzin, verlies, leugen, eindelijk ben ik aan een nieuw hoofdstuk begonnen, ik zeg tegen een vrouw dat ik van haar houd, dit verhaal is een liefdesverklaring. Na een nacht in La Rochelle, waar ik de mooiste kamer van een schitterend hotel heb gereserveerd, komen we samen de eetzaal binnen voor de zondagse lunch en iedereen zal lachen, een gelukkige lach. De week daarop zullen we thuis een feest geven. Veel van onze vrienden zijn deze zomer op Île de Ré; er zullen grappen worden gemaakt, ze zullen ons gelukwensen, we zullen het stralende en enigszins scandaleuze paar zijn, iedereen wil in ons gezelschap verkeren. Niet alleen ben ik er zeker van dat het verhaal een doorslaand succes zal worden, dat als de mare zich eenmaal heeft verspreid zelfs degenen die nooit lezen, er in alle kiosken van Frankrijk om zullen vechten een exemplaar van *Le Monde* te bemachtigen, dat niet alleen, ik ben er ook zeker van dat dit nog maar een begin is, dat er een vervolg zal komen. Welk, dat weet ik niet; misschien een collage van de mails die ik bij duizenden zal ontvangen, misschien heel iets anders, ik vind het heerlijk het niet te weten, het me door het leven te laten aanleveren zonder te proberen erop vooruit te lopen, maar toch loop ik erop vooruit, dat kan ik niet laten. Ik stel me een kort, sexy, ludiek boek voor, dat ook weer een doorslaand succes zal zijn en dat zou kunnen heten: *Het pornoverhaal uit* Le Monde *en wat daarop volgde.* De Engelse titel bevalt me nog beter: *The Porno Story of the World and What Came After*, en dat komt goed uit want de Engelse versie zal, daar twijfel ik geen moment aan, een internationale bestseller worden. Ik moet erom lachen, in m'n eentje op het strand.

Op donderdag, dat wil zeggen twee dagen voor het verschijnen van het verhaal, bel je me, angstig en opgejaagd. Zonet heb je een bericht van Denis ontvangen, die, met een grafstem, vraagt om hem terug te bellen. Denis en je beste vriendin, Véro, zijn bezig uit elkaar te gaan en dat verloopt niet zonder problemen. Sinds enige tijd vertel je me daarover zonder dat het me erg interesseert want ik mag ze niet echt. Je durft hem niet terug te bellen omdat je er zo'n voorgevoel van hebt dat Véro dood is; ze heeft een dodelijk auto-ongeluk gehad of ze heeft zelfmoord gepleegd. Ik probeer je tot kalmte te brengen: dat het niet gaat tussen hen, dat is één ding, maar om nou meteen te denken dat ze dood is... Bel Denis terug.

Dat ga ik ook doen, ik weet dat dat moet maar ik durf niet, ik weet zeker dat ze dood is en dan, ik vind het vreselijk om het te zeggen, maar als ze dit weekend wordt begraven, dan kan ik niet naar Île de Ré komen en ik zou niets liever willen dan dat, en bij jou zijn, ik geloof dat ik het maar liever niet zou weten.

Je snikt en ik heb enorm de smoor in; niet vanwege de dood van Véro, waarin ik geen moment geloof, maar omdat jij zo nerveus bent en de ontreddering die daaruit spreekt, waarvan ik al iets had gevoeld in je laatste telefoontjes van deze week en die ik op rekening schoof van spanningen op je werk. Ik wil dat je zaterdag op de trein stapt, blij en relaxed, en het ziet ernaar uit dat dat niet zal gebeuren. Ik slaap slecht.

Op vrijdag heb ik een boot gehuurd waarop ik mijn vader, mijn zoons en mijn neefjes meeneem naar Île d'Aix. Blauwe lucht, kalme tot matig bewogen zee, de golven klotsen tegen de voorsteven, ik laat de kinderen om de beurt aan het roer staan en zelf bestuur ik de boot voortvarend en vastberaden. De vorige dag merkte mijn vader al op dat ik sneller en doortastender autorijd; je bent werkelijk veranderd, zei hij, de laatste tijd.

Als we van boord gaan, bel ik je. Ik weet niet hoe de stem van Denis gisteren klonk, maar jouw stem is echt wat je noemt een grafstem. Véro is niet dood, nee, maar ze is er heel, heel slecht aan toe, als het even wil begaat ze een stommiteit, dit weekend kun je haar absoluut niet in de steek laten.

Op dat moment stort de wereld in. Op de kade, in de zon, terwijl de kinderen het dek schoonspuiten en de verhuurder de schroef inspecteert, breng ik je aan je verstand dat ik al twee maanden een verrassing voor je in petto heb, een verrassing zoals je nog nooit van iemand hebt gekregen en zoals je van je leven niet meer zult krijgen, iets waarmee maar weinig mannen een vrouw hebben verrast, en dat die verrassing voor morgen is, een andere dag kan niet.

Maar wat is dat dan voor verrassing?

Meer kan ik er niet over zeggen, het kan gewoon niet dat je niet komt, dat is alles wat erover te zeggen valt.

Emmanuel, het kan ook gewoon niet dat ik Véro laat vallen.

Neem haar dan mee.

Niet zoals ze nu is.

Dan kom ik wel naar huis. Ik wil morgennacht bij je zijn.

Nee nee, doe dat niet, ik moet bij haar blijven, wat zou jij moeten doen, al die tijd?

Als de avond is ingevallen, nodig ik mezelf uit bij mijn vrienden Valérie en Olivier, die in een naburig dorp een huis hebben gehuurd. In de tuin waar het onkruid welig tiert, zet ik het op een drinken, en hoewel jij en ik al een jaar niet meer roken, biets ik sigaretten die ik de een na de ander opsteek terwijl ik vergeet om te eten. Ik ben zeer ontstemd en leg de oorzaak daarvan uit, nu eens op de toon van een kind dat stampvoet omdat iemand zijn speeltje heeft gemoerd, dan weer op die van de ironisch-afstandelijke volwassene. Ik vroeg me af welke straf de goden in petto hebben voor degene die hen tart? Wel, dat weet ik nu. Maar er zijn erger dingen denkbaar, de vriendin-in-nood komt er binnenkort wel weer bovenop, jij arriveert morgen of overmorgen, en dan drinken we allemaal samen op de ironie van het lot. Het weinige dat ik loslaat over mijn verhaal, wekt de nieuwsgierigheid van mijn vrienden, ze zien ernaar uit het te lezen. Om elf uur, nadat ik twee berichten heb achtergelaten op je mobiel, bel je terug. Ik loop een eind de tuin in om met je te praten. Je stem is verstikt: het gaat helemaal niet. Zo slecht zelfs dat ik vraag of het niet het verstandigst zou zijn Véro naar een psychiatrisch crisiscentrum te brengen.

Nee nee, zo erg is het nou ook weer niet, ze heeft het vooral nodig om te praten. Morgen zijn we van plan om haar auto te pakken en te gaan rijden, het weekend ergens buiten door te brengen...

Hoor eens, afgaande op wat je zegt, staat ze op het punt uit het raam te springen en jij lijkt niet veel meer mans dan zij, dus als je het mij vraagt, is dat een heel slecht plan.

Maak je niet ongerust, ik heb de situatie onder controle.

Maar wanneer kom je dan?

Dat weet ik niet, misschien over twee dagen...

Over twee dagen?

Emmanuel, alsjeblieft, je moet het begrijpen.

Ik begrijp het, zeg ik kil, dat zal wel moeten, alleen ben ik ontzettend verdrietig.

Alsjeblieft, zadel me niet op met een schuldgevoel, het is ook zo al moeilijk genoeg.

Ik geef je geen schuldgevoel, ik zeg alleen dat jij morgen net zo verdrietig zult zijn als ik vandaag. Er is iets misgelopen tussen ons, iets wat onherstelbaar is, oké, het is niet anders, ander onderwerp dan maar. Wat doen jullie vanavond, waar zijn jullie?

We hebben samen gegeten, nu zijn we thuis, waarschijnlijk gaan we bij Véro slapen in Montreuil en morgenochtend gaan we rijden.

Dat is idioot, jullie zijn kapot, op van de zenuwen, blijf dan op z'n minst thuis slapen.

Luister, we zien wel, ik bel je.

De volgende morgen weet ik weer wat ik doen moet. Ik zal me flexibel opstellen, me aanpassen, het beste maken van alle tegenslagen. Ik bestudeer de dienstregelingen. Het is te laat om helemaal heen en terug te gaan, maar er is een La Rochelle-Parijs om 14.45 uur-17.45 uur, die de Parijs-La Rochelle van 14.45 uur-17.45 uur kruist, met een marge van tien minuten in mijn voordeel in Poitiers. Aangezien jij die trein niet neemt, zal ik hem nemen. Vanaf Poitiers zal ik de plaats bezetten die ik voor jou had gereserveerd. Vanuit dat perspectief zal ik de reis beschrijven. Ik zal de reizigers beschrijven die naast je gezeten zouden hebben, ik zal me voorstellen hoe jij naar hen gekeken zou hebben, hoe zij naar jou gekeken zouden hebben toen je gefluisterd zou hebben: 'Ik verlang naar je pik in mijn kut.' Ik zal poolshoogte gaan nemen in de bar.

Ik bel je op je mobiel. Je bent in Montreuil, waar Véro graag wilde slapen. Ik vraag je excuus voor mijn kilte van de vorige avond: ik was teleurgesteld, zeker, maar ik begrijp het, het is overmacht, je moet je niet schuldig voelen tegenover mij. Ik spreek het niet uit, maar ik wil dat geen enkele rancune het moment overschaduwt waarop je mijn verhaal zult lezen. Of je *Le Monde* wilt kopen wanneer je even een rustig moment hebt en aan me zult kunnen denken, meer vraag ik niet.

Je begrijpt niet goed waarom je met alle geweld vandaag *Le Monde* moet kopen, maar je belooft dat je het zult doen.

Wanneer gaan jullie weg?

In de middag, waarschijnlijk naar de Baie de Somme.

Doe geen domme dingen, ik ben ongerust, dat weet je. Bel je me onderweg? Bel je me als je er bent?

Ja, ja m'n schat... Wacht, mijn telefoon scheidt ermee uit.

Verbinding verbroken.

Poitiers, 16.19 uur. Om je van de trein Parijs-La Rochelle af te halen had ik het nummer van je plaats genoteerd. De plaats is onbezet, ik ga zitten. Nadat ik door de wagon was gelopen, besefte ik meteen dat ik de verkeerde trein had uitgekozen: vrijwel geen alleen-reizende vrouwen, geen enkele mooie vrouw; gezinnen, vijfenzestigplussers, iedereen verdiept in strips of kruiswoordraad-

sels. Lastig om je, met zo'n gezelschap, het uitwisselen van veelbetekenende blikken en dubbelzinnige opmerkingen voor te stellen
zoals ik je dat in het vooruitzicht had gesteld.

In Niort ga ik naar de bar. Niemand is op zijn hoede, niemand
heeft *Le Monde* onder de arm. Echec over de hele linie. Terwijl
ik voor het raam op mijn ellebogen geleund mineraalwater zit te
drinken en bedenk dat dit echec zelfs geen grappig verhaal zal opleveren, komt een charmante, mollige jonge vrouw op me af. Ze
stelt zich voor: Émilie Grangeray, van *Le Monde*, en terwijl ze gaat
zitten voegt ze eraan toe: speciale verslaggeefster in de Parijs-La
Rochelle van 14.45 uur. Ik ben perplex. *Le Monde* heeft een journaliste gestuurd om getuige te zijn van mijn afgang. Zonder erbij na
te denken begin ik te stamelen dat ik zeer teleurgesteld ben omdat
mijn verloofde verhinderd was en niet met deze trein kon reizen;
een geval van overmacht... Émilie Grangeray glimlacht, noteert
wat ik zeg in een boekje, ik zie dat ze de woorden 'teleurgesteld',
'misnoegd' opschrijft, ik zou op mijn woorden willen terugkomen,
me van een onthechte, geestige kant willen laten zien, in plaats
daarvan zak ik weg in een schaamte die ik, zo meende ik, allang
achter me had gelaten; de schaamte die me overviel wanneer ik, als
verlegen puber, vriendinnetjes verzon en besefte dat niemand me
geloofde.

In feite lijkt Émilie Grangeray ook niet erg te geloven in die
verloofde die door omstandigheden buiten haar wil was verhinderd om deze trein te nemen. Ze vertelt dat, op de krant, de tekst
nog afgezien van de vraag of hij wel of niet gepubliceerd moest
worden, een verhitte discussie heeft veroorzaakt, waarin zich twee
partijen vormden: degenen die meenden dat alles echt was, en degenen die ertoe neigden het als fictie te zien, en zij was eerder de
laatste visie toegedaan. Vreemd, het idee dat ze dat zouden kunnen
denken was niet eens bij me opgekomen en, nog vreemder, dat de
werkelijkheid van buitenaf gezien haar in het gelijk schijnt te stellen. Als ik dat tegen haar zeg, knikt ze, en ik ben me er wel van bewust dat ik mijn positie er niet beter op maak.

Even voordat de trein aankomt, luister ik mijn voicemail af.
Al drie berichten van vrienden die het hebben gelezen: fantastische liefdesbrief, wat zullen jullie gelukkig zijn, jullie goedenacht

wensen lijkt niet echt nodig. Dan een boodschap van jou: we gaan op weg maar we hebben besloten de mobiele telefoons uit te zetten want Denis belt voortdurend en daar wordt Véro gestoord van. Wacht, ik geef je haar even.

Véro: Hallo, Emmanuel, ik pak je je Soso af die ook mijn Soso is, je moet dat begrijpen, als een vriendin van je in de stront zit. Kusjes.

Haar gewoonte om haar berichten af te sluiten met 'kusjes' of liever nog 'kus kus', is een eigenaardigheid van Véro die me altijd al tegen de haren in heeft gestreken, en vandaag ben ik nog minder tolerant dan anders. Bovendien lijkt ze nu ook weer niet zo in de vernieling, de vriendin die in de stront zit. Gaat het wel? vraagt Émilie Grangeray bezorgd. Jawel hoor, niks aan de hand. We nemen nog een mineraalwater. Trieste, kale zon boven de Vendeese vlakte, dode mugjes op de ruit.

Omdat de trein uit twee gedeelten bestaat die niet met elkaar in verbinding staan, heeft *Le Monde*, om er zeker van te zijn niets te missen, niet één maar twee journalisten gestuurd, en de andere treffen we bij aankomst. In zijn gedeelte, vertelt hij, ging het niet veel levendiger toe dan bij ons. Hij lijkt niet overmatig verbaasd me te zien. Ook hij geloofde niet echt in het bestaan van dat meisje, of misschien ook wel, maar hij dacht dat het ging om een soort laatste gevecht waarmee een man die in de steek was gelaten, zijn eer wilde redden. Ik lach: Nou nee, zo is het echt niet. In plaats van ervandoor te gaan besluit ik aardig tegen ze te zijn in de hoop dat hun artikel wat milder zal uitvallen. Als we samen wat drinken aan de haven, hang ik de vent uit die zich kranig herstelt van zijn teleurstelling, theoretiseer over het concept genot dat door het concept realiteit de das is omgedaan en meld uiteindelijk dat, aangezien ik mijn fantastische hotel niet heb geannuleerd, ik daar liever blijf slapen dan terug te gaan naar Île de Ré. Als jullie willen, kunnen we samen eten.

Fruits de mer, gegrilde zeebaars, witte wijn. Om eerlijk te zijn, zeg ik schertsend, had ik niet echt zin om de avond met jullie door te brengen, maar toch vind ik jullie best sympathiek. Dat is zo.

Fralon, die op de buitenlandredactie werkt, vertelt met veel humor over zijn reportages en Émilie over haar twaalf ambachten en dertien ongelukken voordat ze bij *Le Monde* kwam: trapezewerkster, beminnelijke reisleidster bij de Club Méditerranée. Ze vertelt hoe de Russen sommige dorpen in bezit nemen en de rotzooi die ze er trappen, kortom, de maaltijd verloopt nog wel vrolijk, maar mijn mobiel gaat niet over. Het verhaal komt niet meer ter sprake, volgens mij om het mij niet moeilijk te maken; ik begin er zelf weer over. Émilie had overwogen een van onze gemeenschappelijke vrienden te bellen om uit te vinden of je echt bestaat en aan de beschrijving beantwoordde, Fralon om een meisje in te huren dat daar in elk geval aan beantwoordde, haar op die trein te zetten om de verwarring compleet te maken. Een lange blondine met een zwanenhals, een dunne taille en weelderige heupen; dat laatste spreekt hem wel aan, weelderige heupen, maar ik heb het gevoel dat het voor hem een elegante manier is om dikke reet te zeggen. Als ik erken dat ik me al met al toch echt triest voel, doen ze hun best om me op te beuren: ik zal honderden mails krijgen, misschien duizenden, er zal een club worden opgericht van de mensen die niet in die trein zaten en dat wel graag hadden gewild. Ik weet zeker, zegt Fralon vriendelijk, dat dit muisje nog een staartje zal krijgen, dat je een vervolg gaat schrijven. Ook ik ben daar zeker van, maar het loopt tegen middernacht en mijn mobiel is nog altijd niet overgegaan.

In het hotel, waar ik op bed ben gaan liggen zonder me uit te kleden, laat ik een tamelijk kribbig bericht voor je achter: ik had het leuk gevonden en ik zou het nog steeds leuk vinden als je me belde, dat zou je doen als je aankwam, wat is dat voor onzin, van die telefoon die ermee ophield? Ik moet weer denken aan dat verhaal. Kan het zijn dat je het hebt gelezen en dat het je zo gechoqueerd heeft dat je niet meer met me wilt praten? Nee, dat geloof ik niet. Ik heb het voor je geschreven omdat ik wist dat jij het zou lezen als een liefdesverklaring, dat je de exhibitionistische kant ervan opwindend zou vinden. Bezorgdheid wint het van woede, ik vrees een ongeluk, ik had terug moeten gaan naar Parijs, het nooit goed mogen vinden dat jullie weggingen in die toestand.

Uiteindelijk val ik in slaap, ik word wakker van de telefoon. Maar jij bent het niet, het is mijn vriend Philippe die zegt: Weet je, toen ik dit las, dacht ik dat Jean-Claude Romand* nu wel echt dood was. Het ligt me op de lippen om te antwoorden dat ik daar nog niet zo zeker van ben, maar ik volsta met de opmerking dat ik op dit moment een groot probleem heb. Het idee dat ik op deze dag een groot probleem zou kunnen hebben, lijkt hem te verbijsteren.

Er volgen nog meer telefoontjes van mensen die me complimenteren, op die dag waarin ik me opsluit in de hotelkamer, de ene sigaret na de andere rook, steeds paniekeriger berichten voor je achterlaat, waarin ik, niet in de laatste plaats, veel tijd besteed aan het bellen van de ziekenhuizen, het politiebureau, de verkeersveiligheidsdiensten, degenen van je vrienden van wie ik het nummer heb... De mensen die mij bellen, verwachten een vent aan de lijn te krijgen blakend van liefde en zelfvoldaanheid, maar ze treffen een zombie die telkens weer met kwijnende stem zegt wat hij ook al tegen Philippe heeft gezegd: dat zich een groot probleem heeft voorgedaan, dat hij terug zal bellen.

Uitgesloten om zelfs aan degenen die me het naast staan, te zeggen wat dat dan is, dat grote probleem. Dat weet ik zelf niet, maar het is of het een of het ander, dat is alles wat ik weet: of je ligt in het ziekenhuis zwevend tussen leven en dood, of je hebt er om een voor mij ondoorgrondelijke reden aardigheid in me te kwellen. In je tas zit een agenda met mijn telefoonnummer, te bellen in geval van een ongeluk; als je in het ziekenhuis was, zou ik het geweten hebben, dat kan niet anders. En zelfs als je je mobiele telefoon hebt uitgezet, is het onmogelijk dat je 24 uur lang je berichten niet hebt afgeluisterd. Jij bent eerder zo iemand die ze om het uur checkt, iemand die me driemaal op een dag belt om te zeggen dat je van me houdt en aan me denkt.

Dus?

*Hoofdpersoon in *De tegenstander* van Emmanuel Carrère; het waar gebeurde verhaal van een man die twintig jaar lang een dubbelleven leidde. Toen uitkwam dat hij niet de succesvolle arts was voor wie hij zich uitgaf, vermoordde hij zijn vrouw en zijn twee kinderen, en zijn ouders. (Noot v.d. vert.)

Ik wilde niet dat de kamer werd gedaan, die houd ik aan en zet ik blauw van de rook totdat ik weer contact met je heb. Ik verbied het mezelf je vaker dan één keer per uur te bellen. Niet ver van het hotel is een kerk, waarvan ik de klokken hoor. Vier slagen, al vier uur in de middag. Voor de tiende keer op die dag toets ik je nummer, al bij voorbaat tot het uiterste geprikkeld omdat ik voor de tiende keer de boodschap van het antwoordapparaat zal horen.

Maar dit keer, o wonder, neem je op.

Emmanuel, schat, ik heb net je berichten gehoord, wat is er aan de hand? Wat is er met je?

Hè wat, schreeuw ik, wat is er aan de hand? Wat is dat voor flauwekul met die mobiel die uitstaat? Waar ben je, waarom heb je me niet gebeld?

Maar dat wilde ik net doen. En bovendien heb ik een bericht voor je achtergelaten, om te zeggen dat ik mijn mobiel uitzette, dat heb ik tegen je gezegd, met Véro gaat het slecht, ik zorg voor haar, het is idioot om je zo op te winden, schat, wat is er toch aan de hand?

Waar ben je?

We zijn in Saint-Valéry-en-Caux, we waren aan het praten, het gaat echt niet goed, snap je...

Is ze bij je?

Een hapering, dan: Ja, ze is bij me.

Geef haar eens.

Ze is even niet in mijn buurt.

Wacht even, ze is er zo slecht aan toe dat je haar geen tel alleen kunt laten, je krijgt zelfs niet de kans om mij even te bellen omdat ik ongerust ben, ze kan niet ver weg zijn, ga haar halen.

Weer een hapering, dan: Oké, doe ik.

Ik hoor je roepen: Véro! Véro!... Véro, Emmanuel wil met je praten. Stilte; geen stem die antwoordt geeft, zelfs niet vanuit de verte.

Jij weer: Ze wil niet met je praten.

Ze wil niet met me praten, en waarom wil ze niet met me praten?

Dat weet ik niet, ze wil niet met je praten, ze is boos omdat jij kwaad was omdat ik met haar wegging.

179

Ik was niet kwaad, dat in de eerste plaats, ik heb alleen gezegd dat ik verdrietig was, en in de tweede plaats, ook al is ze daar boos over, dan kan ze toch best even met me praten.

Nu begin jij te schreeuwen, je snikt: Ik zeg toch dat ze dat niet wil... Véro, alsjeblieft, praat met hem... Ze wil niet, Emmanuel, wat kan ik eraan doen, ze wil niet.

Sophie, je bent niet met Véro, ik weet niet met wie je wel bent, maar je bent niet met Véro.

Met wie zou ik dan moeten zijn? Hoor eens, dat is echt vreselijk wat je daar zegt. Ik ben totaal gestrest, al twee dagen zet ik me voor haar in en jij trapt een totaal krankzinnige scène, je moet tot bedaren komen.

Niets makkelijker dan dat: laat Véro aan de telefoon komen en zeggen hallo, hier ben ik, meer vraag ik niet, ze mag gerust zeggen hallo hier ben ik, zielige klootzak, maar laat ze dat zeggen, ik wil alleen haar stem horen, ze mag tegen jou praten en niet tegen mij, ik wil alleen weten dat ze daar is.

Ze wil niet, dat zeg ik toch, kun je dat niet snappen?

Nee, dat kan ik niet snappen, en als Véro niet iets tegen me zegt door de telefoon, is er maar één conclusie mogelijk, en dan is het uit tussen ons.

Je bent gek.

Ik ben misschien gek maar waarom kan Véro niet met me praten?

Ik heb niet gezegd dat ze niet kan, ze wil niet. Ze heeft een hekel aan je.

Waarom begrijp ik niet, maar ook al heeft ze een hekel aan mij, ze heeft geen hekel aan jou. Dus ga haar maar vertellen dat onze relatie afhangt van het feit of zij zo vriendelijk is om aan de telefoon te komen en haar stem te laten horen. Dat kan ze je toch niet weigeren, je zegt dat ze je beste vriendin is, als ze het niet doet is ze je ergste vijandin.

Emmanuel, luister, je raaskalt. In de situatie waar wij in zijn, in haar toestand, is het echt beneden peil wat je doet, je doet er verstandiger aan een beetje te denken bij wat je zegt en het lijkt me beter dat we elkaar weer spreken als je gekalmeerd bent.

Verbinding verbroken.

Ik bel meteen terug. Voicemail.

Sophie, het is tien over vier. Als je met Véro bent, wat ik maar moeilijk kan geloven, heb je twintig minuten om haar ervan te overtuigen dat ons leven samen in haar handen ligt. Als je met een man bent, kun je dat ook maar beter zeggen, alles liever dan deze absurde leugens. Dus als je me om halfvijf niet hebt gebeld, met of zonder Véro, dan heb je een week om je spullen te pakken en het veld te ruimen. Meer heb ik niet te zeggen, ik laat mijn mobiel aanstaan tot halfvijf.

Natuurlijk heb ik mijn telefoon langer aan laten staan. Niets om halfvijf, niets om vijf uur. Ik houd het niet langer uit, teruggaan naar Île de Ré en mijn ontstelde familie volledig uit mijn doen onder ogen komen, dat zie ik niet zitten. Ik besluit terug te gaan naar Parijs.

Ik wacht in de stationsrestauratie, een terras onder de glazen overkapping van het perron. Ik heb sigaretten maar geen vuur en om de vijf minuten vraag ik mijn buurman om een vuurtje, die me zwijgend en hoffelijk zijn aansteker aanreikt. Twee niet meer zo jonge dames, met een hondje, komen aanlopen en wenden zich als ze zien dat alle tafels bezet zijn, tot mij: Mogen we gaan zitten, bent u alleen? Ja, antwoord ik, maar dat zou ik graag zo houden. Woedende aftocht, gelach aan een tafeltje met jonge mensen. Tijdens de twee uur die ik moet wachten, probeer ik voor mezelf te formuleren wat er zojuist allemaal is gebeurd, met het idee dat de teleurstelling, het slaapgebrek, de ongerustheid door je onbereikbaarheid, me misschien op het verkeerde been hebben gezet en me dingen verkeerd hebben laten interpreteren terwijl er volstrekt niets bijzonders aan de hand zal blijken te zijn. Maar het werkt niet. Het blijft van a tot z absurd. Ik denk weer aan mijn roman, *La Moustache*, waarin de hoofdpersoon op helse wijze heen en weer wordt geslingerd tussen hypothesen die geen van alle houdbaar zijn, en aan wat Michel Simon zegt in *Drôle de drame*: 'Door gruwelijke dingen te schrijven, gaan de gruwelijke dingen uiteindelijk ook gebeuren.' Ze gebeuren precies op het moment waarop ik dacht eraan ontkomen te zijn, dat is nog het ergste.

Eén minuut voor het vertrek van de trein en bijna drie uur na mijn ultimatum bel je terug.

Emmanuel, waar ben je?

Op het station.

Ik geef je Véro.

Nee, te laat.

Ik bel af. Ik spotlach. Het heeft je drie uur gekost om haar te pakken te krijgen; je bent niet alleen een leugenaarster, maar nog stom ook. Weer de telefoon. Ik druk op de toets om het geluid af te zetten en stap in de trein. De berichten volgen elkaar op, uiteindelijk luister ik ze af.

Hallo, met Véro. Hoor 's, ik snap je niet en ik vind je behoorlijk waardeloos. Jezus, iemand zit wel eens in de rotzooi, je zou toch kunnen snappen dat dat een ander ook wel 's overkomt en jij met je zielenroerselen niet de enige bent op de wereld. Dus, het zal je niet ontgaan, ik ben bij Soso, alles oké, geen zorgen, ik had het een beetje gehad daarnet, da's niet zo raar, toch?

Dit keer geen kusjes. Haar hip-proletarische jargon heeft me altijd op de zenuwen gewerkt maar voor jou deed ik mijn best, ik zei bij mezelf dat ze het niet gemakkelijk heeft gehad in het leven, dat ze als het erop aankomt een ruim hart heeft en vol leven is. Nu heb ik een hekel aan haar, maar minder dan aan jou; uiteindelijk heeft ze jou alleen maar aan een alibi geholpen.

Volgende bericht. Alweer Véro die, met wat zij wel voor humor zal houden, zich meldt als staatsvijand nummer één; voor iemand op de rand van de zelfmoord en drie uur daarvoor niet in staat een woord tot me te richten, is ze behoorlijk spraakzaam geworden. Dan jij, die me smeekt terug te bellen, te zeggen hoe laat mijn trein aankomt, dan kom je me afhalen, liefste ik begrijp het niet, het is vreselijk wat er bezig is te gebeuren. Het wordt even eentonig als mijn eigen oproepen van de laatste 24 uur.

Ik sta op van mijn plaats om een paar sigaretten te roken. Het avondlicht, buiten, is hartverscheurend. Veel lezers van *Le Monde*, sommige verdiept in mijn verhaal, en onder hen drie alleenreizende knappe vrouwen. Wat jammer, zullen al die mensen wel denken, ik heb de verkeerde trein genomen, en dat is ook de aanhef van de meeste van de mails die ik zal ontvangen. In de bar is het stampvol, ik sta twintig minuten in de rij voor een mineraal-water. De enige serveerster, die het werk nauwelijks aankan, is van een ongelooflijke vriendelijkheid en opgewektheid, met een grapje voor iedereen, en ondanks het lange wachten raakt niemand geïrriteerd, al die mooie vrouwen zouden naar het toilet kunnen gaan om zich te bevredigen en met een glimlach naar de vrouw na hen weer naar buiten kunnen komen, het is echt een betoverde trein. Als ik terugloop naar mijn wagon, kom ik een wat oudere, elegante dame tegen met een mooi, open gezicht, die vraagt of ik niet Emmanuel Carrère ben. Nee, zeg ik, ze glimlacht en zegt: Complimenten, evengoed!

Het eerste wat ik doe als ik thuis ben, is het bericht op het antwoordapparaat wijzigen. Direct nadat je bij me was ingetrokken, had jij dat ingesproken, en ik weet nog met hoeveel plezier je had gezegd: 'U luistert naar het antwoordapparaat van Sophie en Emmanuel', en hoeveel plezier het mij deed die woorden te horen. Een vriend van me, die door zijn vrouw was verlaten, liet het bericht met haar stem en hun twee namen nog een jaar staan. Dat is mijn stijl niet, en op dat moment ben ik daar trots op. Ik ben trots op de kille haat, die onomkeerbaar is en de kwellende onzekerheid heeft verdreven. Je bestaat niet meer voor me, je betekent niets meer voor me. Maar al beteken je dan ook niets meer voor me, ik wacht tot je belt, om te zwelgen in jouw ontreddering en mijn vastberadenheid. Omdat een telefoontje uitblijft, ben ik in de verleiding jou te bellen, en om me daarvan te weerhouden, begin ik de e-mails te lezen. 85. Een begin. Op een paar knorrige na zijn ze allemaal enthousiast: Dat is nog eens een liefdesbrief! Wat had ik graag in die trein gezeten, wat had ik graag willen weten hoe het is afgelopen, ik hoop dat we snel het vervolg te lezen krijgen. Ze moet wel gelukkig zijn, uw verloofde, het is de droom van alle vrouwen, dat hun vent hun zoiets stuurt, jullie moeten wel heel gelukkig zijn samen...
Stumpers, jullie moesten eens weten.

Omstreeks middernacht bel je, naar de mobiele telefoon.
Emmanuel, waar ben je?

In mijn huis.

Mijn huis?

Ja, en ik heb je maar één ding te zeggen, daarna neem ik niet meer op: vanaf twaalf uur morgenochtend kun je beginnen met het inpakken van je dozen. Welterusten.

Volgt, op het antwoordapparaat van de vaste telefoon, een reeks telefoontjes waarop ik niet reageer, ik luister alleen de berichten af. Smeekbeden, huilbuien, woede. In het bijzonder de boodschap die ik heb veranderd, schiet je in het verkeerde keelgat. Dus ik besta niet meer? Betekent onze liefde dan werkelijk niets, voor jou? Je wilt alles kapotmaken omdat ik mijn mobiel heb afgezet, omdat Véro in de vernieling was? Emmanuel, neem op, praat met me, ik smeek het je, ik weet dat je er bent...

Ik glimlach boosaardig: elk op zijn beurt.

Om elf uur kom je aanzetten, terwijl ik het honderdtal mails door-
neem dat 's nachts is binnengekomen. Je doet de deur open met je
sleutel. Zonder op te kijken van de computer, zonder een blik in
jouw richting zeg ik kortaf: Twaalf uur had ik gezegd, ik zou graag
willen dat je je daar in de loop van deze week aan houdt en dat je
aanbelt, je woont hier niet meer.

Emmanuel, tot nader order is dit nog mijn huis.

Niet meer, en mag ik je eraan herinneren dat ik de huur betaal.

Emmanuel, we moeten praten.

Waarover? Heb je iets uit te leggen? Een uitleg die ergens op
slaat, bedoel ik, niet de flauwekul van je vriendinnetje?

Kom nou, ze heeft je gebeld! Je wilde haar spreken, zij jou niet,
de hele terugweg heb ik op haar ingepraat en ze heeft je gebeld!

Ik lach honend. De uitdrukking van smartelijke onschuld op je
gezicht tart elke beschrijving, niemand heeft er ooit zo trouwhar-
tig en oprecht uitgezien. Je draagt een tussen je borsten diep uitge-
sneden zwarte jurk, geen bh, ik kijk naar je schouders, je armen, ik
probeer mezelf ervan te overtuigen dat ik daar nooit met heimwee
aan terug zal denken. Je gaat op de bank in de woonkamer zitten,
je steekt een sigaret op, ook jij bent weer gaan roken.

Emmanuel, ik weet niet wat er in je verhaal staat, ik heb het nog
niet gelezen, maar ik had niet begrepen hoe belangrijk dat voor je
was.

Het was ook belangrijk voor jou. Voor ons.

Oké, het was belangrijk, maar je moet begrijpen dat niet alles
om jou draait, alleen om wat jij wilt, dat de mensen niet per se de
trein nemen wanneer jij dat hebt beslist. Je hebt dat kaartje voor
me gekocht, je zei dat je een verrassing voor me had en natuurlijk
vond ik dat leuk, ik wilde graag komen, maar ik zat met Véro die er
zo slecht aan toe was, Véro is als een zusje voor me, als ik er slecht

aan toe was, was ze er altijd, en je chantage was inacceptabel voor mij.

Ik heb je niet gechanteerd, ik heb je niet gevraagd om Véro in de steek te laten, ik heb alleen gezegd dat ik er verdriet van had en dat het jou ook verdriet zou doen. Behalve dat heb ik je gevraagd me te bellen om te laten weten hoe het ging, dat was toch waarachtig wel het minste.

Maar ik heb toch gezegd dat ik alles onder controle had, dat alles goed zou gaan...

Sophie, dit gesprek slaat nergens op en dat weet je. Het zou ergens op slaan als jij kon bewijzen dat je dit weekend met Véro was. Gisteren om vier uur was dat doodsimpel, nu ligt dat beduidend gecompliceerder. Dus ja, ik voelde me rot, ik was teleurgesteld, ik redeneerde niet kalm, maar zelfs als ik dat wel had gedaan, Véro die om vier uur geen woord met me wil wisselen en die me om halfacht bombardeert met verzoenende berichten, je moet het me niet kwalijk nemen, maar er is maar één conclusie mogelijk.

En wat is die conclusie dan wel? Zeg op. Dat ik met een man was?

Ik denk niet dat je bij je moeder was, nee.

Hoor je wel wat je zegt? Denk je nou echt dat ik met een man was, terwijl Véro er zo aan toe was?

Ik sta op, ontmoedigd, in de wetenschap dat ik niet over de vastberadenheid zal beschikken het gesprek werkelijk af te kappen. Je kijkt naar me alsof ik niet goed snik ben. Het liefst zou ik je in mijn armen nemen. Ik ga in de grijze fauteuil zitten, tegenover je, en zeg, kalmer nu: Sophie, ik wil maar één ding, en dat is je geloven en je om vergiffenis vragen. Erkennen dat ik jaloers ben en paranoia, maar tot nu toe ben ik dat niet geweest, je hebt me vier maanden lang ontrouw kunnen zijn zonder dat ik ook maar de geringste argwaan heb gehad en dat heb je me zelfs verweten. Nu zou echt iedereen in mijn plaats zo zijn twijfel hebben gehad en met die twijfel kan ik niet leven, dus we moeten zien hieruit te komen. Je moet met een bewijs komen.

Je kijkt op, met een glimp van hoop: Waarmee zou je genoegen nemen, als bewijs?

Ik weet niet... Waar hebben jullie overnacht?

186

Dat heb ik je al gezegd, in Saint-Valéry-en-Caux...

In een hotel? Hoe heette het, dat hotel?

Hotel Éden... Een snerthotel, alles was vol...

Wie heeft betaald?

Je aarzelt, dan zeg je: Véro. Wat me verbaast, want een van de redenen, behalve het stalken van Denis, waarom Véro het zo slecht maakt, is dat ze financieel aan de grond zit.

Ik vraag door: Hoe heeft ze betaald?

Ik verwacht dat je 'contant' zult zeggen, maar die tegenwoordigheid van geest heb je niet: Met een betaalkaart, geloof ik, of met een cheque...

Dan zijn we gered. Dat is te traceren. Ze heeft het reçu bewaard en zelfs als ze dat niet heeft bewaard, hoeft ze alleen haar rekening maar te checken en mij de kopie van de afschrijving te geven. Hotel Éden, 19 juli, zo simpel als wat.

Zo simpel als wat, maar kennelijk niet voor jou. Even denk je na, met je hoofd tussen je handen, dan zeg je: Dat doet ze nooit. Dat geeft ze je nooit.

Waarom niet?

Omdat een vent die bewijzen wil zien, daar heeft ze een bloedhekel aan.

Op dat moment gaat je mobiel over. Hallo, Véro, schat, antwoord je met honingzoete stem... ik kan nu even niet met je praten, ik ben bij Emmanuel, hij gaat helemaal door het lint, het lijkt of ik in een nachtmerrie zit... ik bel je zo terug.

Je belt af. Ik ben totaal verbijsterd.

Sophie, als je niet liegt, Véro is bezig willens en wetens onze relatie kapot te maken. Je zou haar moeten smeken op te houden met dat gedoe, meteen haar bank te checken, en anders krab je haar de ogen uit, maar nee, je staat haar poeslief te woord zonder er ook maar iets over te zeggen, dit is te gek voor woorden.

Voor jou, omdat je nooit in staat bent geweest verder te kijken dan je eigen standpunt. Je kent Véro niet.

Maar dat wil ik ook helemaal niet! Ik wil alleen dat ze je dat papier geeft.

Je zucht. Dan, me recht aankijkend: Weet je hoe het zal gaan? Ik zal je vertellen hoe het zal gaan. Ik zal doen zoals jij hebt gezegd, mijn spullen pakken, verhuizen, vrijdag krijg je de sleutel in een envelop en in die envelop zul je ook het bewijs aantreffen dat je vraagt. Dan zul je het wel zien.

Ik zeg niets, ontdaan opeens.

Oké, zeg ik eindelijk, en op dat moment zal ik wanhopig ongelukkig zijn. Maar een minuut geleden beten we ons vast in de waanzin van Véro, en nu zeg je dat je beschikt over dat bewijs. Waarom doe je ons dit dan aan? Je geeft het me nu, ik wentel me aan je voeten, je vergeeft me of je vergeeft me niet maar deze nachtmerrie behoort tot het verleden. Wat is het, dat bewijs?

Even blijf je zwijgen. Je kijkt naar me, met tranen in je ogen, dan, heel zacht maar ook heel duidelijk, zeg je: Een zwangerschapstest.

Een mokerslag.

Ben je zwanger?

Je knikt. Tranen stromen over je wangen.

Je zit op de bank, met dichte ogen, je hoofd naar achteren geworpen, ik zie een ader kloppen over de volle lengte van je hals. Ikzelf blijf, met stomheid geslagen, zitten in de grijze fauteuil tegenover je. Al een uur lang roken we de ene sigaret na de andere. De aansteker heb je niet weggelegd uit je stijf dichtgeknepen hand, en telkens als ik er, door woord of gebaar, om vroeg, zorgde ik ervoor als ik hem van je aanpakte je niet aan te raken. Je nooit meer aanraken, zoals een alcoholist die zijn leven heeft gebeterd, de blik afwendt van een likeurbonbon. Nu sta ik op en druk de sigaret, die bezig was op te branden tussen je vingers en die ik daar heel voorzichtig heb weggehaald, uit in de asbak en ik zeg: Dit is nu afgelopen. Dan pak ik het pakje en de volle asbak die ik ga leeggooien in de keuken. Daar blijf ik even, alleen. Ik bedenk dat je tijd nodig zult hebben om me te vergeven maar dat je me zult vergeven. Je zult het verhaal lezen, je zult erin zien hoe ik van je houd, je zult mijn aanval van waanzin begrijpen. Er was dus een verklaring. De meest voor de hand liggende, waaraan ik niet had gedacht. Ik mag je dan wel hebben gezegd dat je me kon vertrouwen, je was bang dat ik dat kind niet echt wilde, dat als ik het accepteerde dat meer noodgedwongen zou zijn dan omdat het iets was wat ik wenste. Je wilde weg zonder mij om na te denken, met je mobiele telefoon uit omdat je moest vermijden om met me te praten, als je met me praatte had je je niet in kunnen houden en had je het me verteld en je durfde het me nog niet te vertellen. Er blijven onopgehelderde plekken, wat heeft dat gedoe rond Véro te betekenen, Véro van wie je denkt dat ze dood is, Véro met wie het zo slecht gaat, Véro die niet met me wil praten, maar daar denk ik allemaal niet aan. Ik denk eraan dat je zwanger bent, dat we een kind krijgen. Een paar weken geleden nog zou ik gezegd hebben dat het te vroeg was, dat we nog moesten nadenken, wachten, maar ik vergiste me: datgene waarvan ik dacht dat ik het nog niet wilde, dat wilde ik onbewust al wel, ik vind het zelfs fantastisch dat het samenvalt met het verschijnen van het verhaal, er zit een onthutsende logica in, en bovendien, ik kan het niet laten daaraan te denken, een gedroomd einde voor het boek dat ik zal schrijven.

Ik ga terug naar de kamer. Ik loop om de lage tafel, leg de anderhalve meter af die me scheidt van de bank en ik ga naast je zitten, zonder je aan te raken. Je zit ineengedoken, haast met je rug naar me toe, je handen omklemmen je armen. Even raak ik je hand aan, ik weet niet of je je hand in de mijne zult leggen maar dat doe je. Ik houd je hand vast, die slap in de mijne rust. Met mijn vingers om de jouwe tel ik tot negen. Het wordt maart. Waarschijnlijk heb je het begrepen. Je omklemt mijn hand, die je naar beneden schuift, op je buik legt. Het is idioot, zeg je, mijn borsten zijn al twee keer zo groot geworden.

Je legt je hoofd op mijn schouder. Emmanuel, zeg je, liefste, waarom is liegen zo'n obsessie voor je? Wie heeft er tegen je gelogen?

We gaan naar de slaapkamer. We gaan op het bed liggen. Ons uitkleden, dat doen we niet, niet nu meteen al, maar we liggen in elkaars armen en ik streel je borsten terwijl ik liefste m'n liefste zeg, en jij huilt zachtjes.

Je valt in slaap. Ik niet. Alles wat er de laatste twee dagen gebeurd is, tolt door mijn hoofd. Van welke kant ik het ook bekijk, iets ontgaat me. Maar ik schuif alles op rekening van Véro. Iedere andere vriendin die verstandig is en aan wie je de situatie had uitgelegd, zou hebben gezegd dat je, vrolijk gestemd, naar mij toe moest. Je zou de trein hebben genomen, mijn verhaal hebben gelezen, en 's avonds, in het restaurant, zou je me met glanzende ogen hebben verteld dat jij ook een verrassing voor mij had. Het feest dat we elkaar hadden kunnen bereiden, heeft niet plaatsgehad omdat die valse gestoorde griet je weet ik veel wat voor onzin heeft aangepraat, dat ik het misschien niet leuk zou vinden, dat het iets was om tussen vrouwen te bespreken, wat voor lulkoek heeft ze je niet allemaal verteld, en waarom? Omdat ze mannen haat, waarschijnlijk omdat ze jou haat. Ze is jaloers, min of meer onbewust zou ze niets liever willen dan tussen ons voor splijtzwam spelen omdat ik niet de vent met baardje en paardenstaart ben die zo af en toe op het toneel verschijnt en volgens haar bij jou zou passen, dat wil zeggen die je naar beneden zou halen, naar haar pover niveau. Arme meid, arme malloot, je moet echt ophouden haar te zien, dat soort gefrustreerde, rancuneuze grieten die lekkere hapjes voor elkaar klaarmaken om kwaad te kunnen spreken over hun kerels, dat is net zoiets als roken, een slechte gewoonte. De laatste drie dagen rook ik als een ketter, maar morgen stop ik, morgen stoppen we samen.

Ik ga naar beneden om, tot het zover is, een nieuw pakje te kopen, evenals *Le Monde*, die ik op een caféterras vluchtig doorkijk. Het verslag van Grangeray en Fralon staat op de achterpagina; niet echt vilein, hoewel ik er uiteraard in naar voren kom als een teleurgesteld, stampvoetend kind. Het laat me koud, ik ken het einde van het verhaal.

Je slaapt nog als ik thuiskom. Even ga ik dicht tegen je aan liggen, lepeltje-lepeltje, maar je slaap sust mijn onrust niet: je slaap lijkt onrustig. Je gezicht is verkrampt, smartelijk, je beweegt, als in een boze droom. Ik sta weer op, zet de computer aan die standby stond. Er zijn nu 220 mails binnen, voor het merendeel heel hartelijk. Een paar oneerbare voorstellen, sommige charmant. Een paar scheldpartijen die ik, niet onpartijdig, onnozel vind. Reacties al op het vandaag verschenen artikel. Velen hebben te doen met mijn teleurstelling en proberen me te troosten: de tekst, daar gaat het om; of de vrouw echt bestaat of niet, doet er niet toe. Maar ik wil het

vel van de daken schreeuwen, jawel, ze bestaat echt! En een van de
aatst binnengekomen mails is deze:

Kan ik beginnen met lezen?
   Nog niet, wacht tot de trein zich in beweging zet. De instructies
an de tekst dienen nauwkeurig te worden gerespecteerd. Als de
rein gaat rijden, dan begin je. Niet eerder. Nog tien minuten.
   Zeg me hoe de eerste zin luidt.
   Nee, we hebben gezegd dat we de regels in acht zouden ne-
nen.
   Alsjeblieft, alleen de eerste zin.
   Vooruit dan, maar daarna houd ik op. Het begint zo: "Voordat
e in de trein stapte, heb je bij de kiosk op het station *Le Monde* ge-
:ocht."
   Maar hij heeft de krant een uur eerder gekocht. Hij had er niet
p gerekend om die dag een treinreis te maken. Om met haar mee
e reizen naar La Rochelle. De tekst van de echtgenoot heeft hem
laartoe doen besluiten. Dat vreemde, deze vrijdag verschenen
erhaal. O ja, ze had hem verteld over het verhaal, voor *Le Mon-
!e*, maar over de inhoud van de tekst had ze geen bijzonderheden
ermeld. Toen hij de laatste regel uit had, legde hij de krant weg,
)etaalde zijn koffie en sprong in een taxi die hem naar het station
)racht. Hij zou zich, onopvallend, bij haar voegen in de coupé.
Ze scheen niet verrast hem te zien. Hij ging tegenover haar zit-
en en gaf haar zijn instructies. De instructies van de minnaar. In
eite niets anders dan dat ze nauwgezet de instructies van de tekst
noest opvolgen. Maar met het niet onaanzienlijke verschil dat hij
rbij zou zijn; dat hij, terwijl zij voor het eerst kennisnam van het
erhaal, het tegelijk met haar voor de tweede keer zou lezen. En
lat ze samen de echtgenoot een rad voor ogen zouden draaien.
Iij door haar de hele reis lang te observeren, de geringste rim-
)eling van haar huid waar te nemen, te weten dat ze naakt was
)nder haar kleren, door te zien hoe haar vinger onder haar oksel
choof, om de woorden af te lezen van haar lippen: ik verlang naar
e pik in mijn kut. Ja, maar dan wel naar zijn pik. Zijn enorme pik
lie maakt dat ze het uitschreeuwt. Want de minnaar is niet fijnbe-
naard, geen genieter-op-de-lange-baan, geen estheet in de liefde.

De minnaar neemt haar als een teef en met felle stoten, haar rug tegen een muur gedrukt of ergens in een uithoek van een parkeerplaats. Hij penetreert haar tot ze naar adem snakt, met heftige bewegingen van zijn lendenen, hij woelt haar open, en als ze de grens naar het hoogtepunt overschrijdt, uitgeput, haar hele lichaam aan spasmen ten prooi en hij haar overspoelt met genot, in ruwe golven die haar de adem afsnijden, dan weet hij dat ze meer is dan alleen dat ene, veel meer dan een getemd dier. Dat ze een deel is van hem. Omdat haar vagina zich heeft gevormd naar zijn enorme pik, haar buik zich vanbinnen heeft aangepast aan hem, omdat zijn zurige, sterk ruikende zweet, het zweet van een man uit een zuidelijk land, op haar een onzichtbare maar levende laag heeft afgezet vol verborgen onderaardse groeven diep in haar huid en omdat het haar bevochtigt maar ook tot voedsel is. En omdat wanneer die putten van zweet zullen opdrogen, als haar buik zich ontspant, het genot wegebt, haar honger naar hem zal terugkomen.

Maar nu niets van dat alles. Alleen naar haar kijken. In wezen slaat hij haar gade terwijl ze, vanuit de verte, in een trein de liefde bedrijft met haar man. De oorspronkelijke opzet vooral intact laten. Omdat naarmate ze vordert in de tekst, hun begeerte zal toenemen. Omdat de opwinding veroorzaakt door de woorden van de echtgenoot onder de blik van de minnaar haar een nieuw en hevig genot zal schenken. Op het laatst zullen ze samen masturberen, beiden op het toilet. Zij voor de spiegel, hij achter haar. Hij zal erop letten zijn zaad niet te lozen over haar heen, zijn vocht langzaam over de grond te laten stromen zonder haar te besmeuren. Ze zullen sterk moeten zijn om elkaar niet aan te raken; zij om zich ervan te weerhouden zijn enorme pik in haar mond te nemen, zijn pik waarvan ze alles zalig vindt. De geur, de vorm, de gedrongen, ronde eikel, de gezwollen ader die zich om de roede slingert als een klimoprank en die ze zo graag streelt en samendrukt met de punt van een nagel, en zijn sperma, dat ivoorkleurig en zo overvloedig is en waarmee ze haar gezicht inwrijft. Wanneer ze tijd hebben, vraagt ze hem soms om zijn zaad uit te storten in haar blonde haar. Daarna masseert hij haar schedel en zegt dat hij vol van zijn zaad en van minuscule levende wezentjes haar hoofd binnen laat gaan.

Maar dit keer niets fysieks. Het zal alleen zijn zoals het geschreven staat. En ter afsluiting de mail verzonden bij aankomst. Hij heeft zijn notebook bij zich. Meteen na uit de trein te zijn gestapt op zoek gaan naar een internetcafé om het bericht te versturen. Dat windt hen misschien nog het meest op. Dat de echtgenoot het weet zonder op te houden te twijfelen. Wordt meegesleept door zijn eigen spel. *Le Monde*, 600 000 lezers en waarschijnlijk een niet gering aantal mails. En niet eenvoudig om echt en vals te de-maileren; de gebruikelijke doorsnee-reacties van de lezers, de onbeholpen vervolgverhalen van de beginnende schrijvers, de voorstellen van diverse aard, en deze tekst. Aanvankelijk zal hij glimlachen. Niet slecht, zal hij bij zichzelf zeggen. Het is correct geschreven, en het is grappig. En dan zal uiteindelijk de twijfel hem bekruipen. Ze hebben afgesproken dat, welke vorm het vervolg van dit verhaal ook zal krijgen, zij alles zal ontkennen. Geen woord, geen vingerwijzing, niets. Nooit zal nog met een woord van deze reis worden gerept.

Ziezo, Emmanuel. Mijn verhaal is af. Ik ben de minnaar. Dit is een performatieve uitspraak. Ik verklaar je de oorlog. Met mijn enorme pik. Voordat je deze tekst weglegt en meteen vergeet, alleen nog een paar woorden om voorgoed twijfel te zaaien en een lichte onrust bij je teweeg te brengen: Philippe, uit Nice. En wat ze 's nachts het prettigst vindt? Lepeltje-lepeltje slapen, op haar zij, haar rug gekromd en jij (of ik) dicht tegen haar aan.

La Rochelle, 20 juli 2002, 18 uur.'

Geen enkele tikfout en geen enkele taalfout. Onversneden wreedheid. Het is niet expliciet genoeg om me te laten geloven dat die vent werkelijk je minnaar is of werkelijk is geweest, dan zou hij op het fysieke vlak meer in details zijn getreden, maar het is expliciet genoeg om me pijn te doen. Jij en ik, slapend, lepeltje-lepeltje. Jij, lepeltje-lepeltje met een ander, slapend met een ander. Ik zeg bij mezelf dat perversiteit hem, die Philippe uit Nice, niet vreemd is. Maar mijn verhaal dan, was dat niet ook pervers? Nee, nee, toch niet, geloof ik. Naïef misschien, puberaal, maar pervers, nee. Ik doe de computer uit, ik blijf voor het scherm zitten, ik begin weer te piekeren en hoe meer ik pieker, hoe duidelijker het me wordt dat je hele verhaal geen hout snijdt. Ik draai de film terug, voor de zoveelste keer. Eind mei ben ik naar Rusland gegaan en toen ik terugkwam had ik een aanval van herpes waardoor we met condoom moesten vrijen, en dat duurde tot de dag voor mijn vertrek naar Île de Ré toen ik, voor het eerst sinds anderhalve maand, in je ben klaargekomen. Dat was vrijdag en een week later weet je dat je zwanger bent en zijn je borsten gezwollen. Is dat niet wat aan de korte kant, een week? Het liefst wil ik je wakker maken, om je het een en ander te vragen. Nog eens ga ik naar de slaapkamer, kijk hoe je ligt te slapen. Wat zie je er gekweld uit! Ik sluit me op in mijn werkkamer, met het telefoonboek; op gedempte toon bel ik met een paar gynaecologen hier in de buurt. Bij dokter Weitzmann, in de rue de Maubeuge, kan ik om zes uur 's middags terecht. Ik neem me voor je niets te vragen voordat ik hem heb gesproken.

Om vijf uur sta je op, uitgeput. Je laat het bad vollopen. Zo te zien voel je je beroerd. Ik maak thee, die ik je breng in de badkamer. Ik ga op de rand van het bad zitten en zeg, mijn voornemen vergetend, dat ik je graag nog één ding wil vragen, één ding maar.

Nee, Emmanuel, hou op, op dit moment ben ik niet in staat om antwoord te geven op je vragen, je doet me zo al genoeg pijn.

Luister, mijn vraag is alleen deze: wanneer heb je die zwangerschapstest gedaan?

Dat weet ik niet meer, dit weekend...

Hoe dat zo, dat weet je niet meer, zo'n test is toch niet iets wat je vergeet.

Toch wel, ik ben totaal de kluts kwijt, ik vergeet alles, data, plaatsen, ik heb niet jouw geheugen, schei uit met me te kwellen, wat wil je nou? Dat het crepeert in mijn buik, dat kind?

Sophie, bij een zwangerschap komt meer kijken, meer dan alleen de test, je moet naar je gynaecologe...

Daar ga ik morgenochtend heen.

Ik ga met je mee.

Nee, nee liever niet, dit is iets wat alleen mij aangaat.

En mij niet?

Hoe langer we praten, hoe zekerder ik ben van mijn zaak, en ik schep er een wreed genoegen in om te zien hoe je je steeds meer vastpraat, maar voordat ik de officiële bevestiging heb gekregen, wil ik de genadeslag niet toebrengen. Dan zeg je dat het beter zou zijn als we elkaar een paar dagen niet zouden zien: ik heb er behoefte aan om alleen te zijn en bovendien, jij hebt de kinderen, ze zullen wel ongerust zijn, je zou terug moeten naar Île de Ré...

Wat heb ik te zoeken op Île de Ré? Niemand daar snapt er iets van waarom jij er niet bent, waarom ik ben weggegaan, en aangezien ik er zelf ook niets van snap, zie ik niet hoe ik ze gerust zou kunnen stellen.

Ik zeg toch dat ik er behoefte aan heb om alleen te zijn, dit is een vrouwenkwestie, kun je dat snappen?

Nee, dat kan ik niet snappen. Tenzij, uiteraard, dat kind niet van mij is.

Ziezo, dat is eruit. Met afschuw kijk je naar me.

Hoor je wel wat je zegt? Je zegt dat je van me houdt en dat zeg je tegen de vrouw van wie je houdt?

Ik zeg dat het me te veel wordt, dat ik een ommetje ga maken.

Dokter Weitzmann dient zich te houden aan zijn beroepsgeheim, maar ik niet, en ik mag zeggen dat ik een uitstekende indruk van hem had. Vijftig jaar, amicaal, direct. De tijd tussen conceptie en een positieve test is in principe twee weken, uiteraard kan het wat korter zijn, vooral bij vrouwen op wie je de klok niet gelijk kunt zetten – maar dat kun je bij jou wel. Vrijdag 12, zondag 21, het spijt me maar eerlijk gezegd is de kans dat het kind van u is zeer gering. Er kan nu meteen al een echo worden gemaakt, dat zal sowieso moeten als ze het kind wil houden, en als er iets op te biechten valt, dient het nergens toe dat op de lange baan te schuiven. Ook ik verwonder me daarover: dat je hardnekkig volhardt in je leugen terwijl de kans dat je geloofd wordt afwezig is.

Als hij me uitgeleide doet, vraagt dokter Weitzmann, die me heeft herkend en mijn verhaal heeft gelezen: is zij het?

Ja.

Triest, werkelijk waar.

Ik ga in de grijze fauteuil zitten, ik wacht tot je er bent en op de bank tegenover me zit. Het is of we tot die plaatsen veroordeeld zijn; de handelingen en eventuele loopjes door het appartement zijn het laatste etmaal afschrikwekkend zeldzaam geworden. Van de badkamer naar de slaapkamer, van de slaapkamer naar de zitkamer lopen was vroeger simpel, vandaag is het een valstrik.

Beheerst vertel ik je van mijn bezoek aan dokter Weitzmann. Ik moet alles twee keer zeggen, de data, de termijnen, en je luistert naar me alsof je er niets van begrijpt. Op mijn gezicht ligt de vreselijke glimlach die je me later zo bitter zult verwijten. Als een schaker die zeker weet dat hij mat zal geven en zijn tijd neemt.

Uiteindelijk: Je denkt dat het kind niet van jou is, is dat wat je wilt zeggen?

De echo zal het uitwijzen. Wil je dat we morgen gaan? Het zal er hoe dan ook vandaag of morgen van moeten komen.

Je hebt een hekel aan me, is dat het?

Inderdaad ja.

Je staat op, je pakt je tas, je loopt weg zonder te zeggen waar je heen gaat.

Je slaat niet met de deur, je trekt hem ook niet zacht dicht. Als er een neutrale manier bestaat om een deur achter je dicht te trekken, dan is het zoals jij op dat moment de deur dichttrekt.

Vier uur in de ochtend. Ik heb net alles genoteerd wat er de laatste twee dagen is gebeurd. Veel later heb ik wat correcties aangebracht, wat geschrapt, maar in grote lijnen heb ik al het voorafgaande die nacht geschreven. Wat er tussen ons werd gezegd zo nauwkeurig mogelijk noteren was voor mij de enige manier om wat ons gebeurde en wat ons in de komende dagen nog zou gebeuren, door te komen.

Je moet de goden niet verzoeken; dat zegt mijn moeder altijd. Heb ik dat gedaan? Is het mijn lot de goden te verzoeken, wat ik ook doe?

Die gedachte zet ik maar liever van me af. Liever zou ik willen denken dat dat verhaal een daad van liefde was, dat gelijktijdig daaraan zich een verraad heeft voltrokken dat niet door dat verhaal is uitgelokt. Ik zou graag willen geloven dat ik vrij van schuld ben.

Maar dat lukt me niet.

Vreemd, dat het me zo weinig kan schelen wie de ander is. Of hij het kind wil houden, of hij met je wil leven. En jij, wat wil jij?

Op sommige momenten zeg ik tegen mezelf dat je een monster bent, een pathologische leugenaarster, en dan weer dat ik in de war ben. Een slippertje, met als gevolg een ongewenste zwangerschap, dat is een ongelukje, aanleiding voor een crisis, maar niet iets monsterlijks. Als het niet samenviel met de publicatie van mijn verhaal, zou ik die crisis aankunnen zonder gek te worden. Maar er is de teleurstelling, en meer nog dan die teleurstelling, gekwetste eigenliefde, vernedering, de triomf waarop ik had gerekend en die erop uitdraait dat ik me belachelijk maak; dat verdraag ik niet, dat maakt dat ik je het vuur zo na aan de schenen leg en je dwing je steeds meer te verstrikken in een warnet van leugens.

Bij het aanbreken van de dag houd ik het niet meer, ik bel je op je mobiel. Je stem klinkt uitgeblust, we praten zacht, alsof er mensen in de buurt zijn die we niet wakker willen maken.

Ik ben bang, om jou, zeg ik.

Ja.

Waar ben je?

Ik hoef je vragen niet te beantwoorden. Ik heb van je gehouden zoals ik nooit van iemand gehouden heb.

Dat weet ik. Ik heb ook van jou gehouden zoals ik nooit van iemand gehouden heb. Maar ik kan je die dingen niet níet vragen. Het is te belangrijk.

Wat is er belangrijk? Dat ik niet in een trein ben gestapt? Dat ik niet heb gedaan wat jij wilde zoals iemand in een roman?

Nee. Dat je zwanger bent van een andere man en dat je mij wijs hebt willen maken dat dat kind van mij is.

Ik heb je niet wijs willen maken dat het van jou is.

Dus het is niet van mij?

Ik wil je vraag niet beantwoorden.

Oké.

Je weet de waarheid niet. Je weet niets.

Maar die vraag ik je nu juist, de waarheid. Ik wil dat je met me praat.

197

Geef me een beetje tijd. Ik moet nu echt slapen. Het is goed dat je hebt gebeld.

Als je zegt dat je nooit van iemand hebt gehouden zoals van mij, iemand hebt begeerd zoals mij, dan weet ik dat dat zo is, met alle respect voor Philippe uit Nice en zijn enorme pik die me de oorlog verklaren.
En als ik jou hetzelfde zeg, dan weet jij dat dat ook waar is.
Graag zou ik nog eens willen zeggen: liefste. Minstens een jaar lang heb ik dat vaak gezegd, als ik alleen was, zachtjes: m'n liefste.
Ik heb zo van je gehouden.

339 mails. Een beetje meer van hetzelfde begin ik ze te vinden. Steeds dezelfde lovende woorden, steeds dezelfde vragen. Maar tussen die vele berichten is er dit, dat me net zo ontroert als dat van Philippe uit Nice me pijn heeft gedaan:

'Dit is om u te zeggen: dank.
Le Monde van 20 juli kreeg ik toevallig in handen, vrienden die langskwamen lieten de krant bij me liggen. Tot vanmiddag had ik er nog niet in gekeken.
Het is rustig in huis. Het is prachtig weer, en heel warm.
We houden siësta – begrijpt u?
Toen heb ik *Le Monde* gelezen, en er gebruik van gemaakt.
En dat was prettig.
Degene die het me op die manier prettig maakte, heeft daartoe tegenwoordig de mogelijkheid niet meer, niet meer voor de eenvoudige, directe wijze althans. Maar hij weet dat woorden bij mij hun uitwerking niet missen. Dus heeft hij zich bediend van u, denk ik, hij heeft zich bediend van uw woorden, en het is niet meer dan terecht dat ik u bedank me zijn boodschap te hebben overgebracht.
Binnenkort is hij die het me prettig maakte, al vijf jaar dood.
Sindsdien had ik geen siësta meer gehouden.
Ik ben zeventig.
Nogmaals: dank.'

Ben je teruggekomen om met me te praten?

Ja, ik ben teruggekomen om met je te praten.

Maar luister dan eerst naar me. Ik ga dood van liefde voor je, misschien is er een kans dat we hier uitkomen, maar dan moet je me vandaag alles vertellen. Zonder te liegen. Als je liegt, kom ik daarachter, niet doordat ik detectives zal inhuren, maar vanwege dat vreemde fenomeen dat speelt tussen ons en waardoor ik je 's morgens in alle vroegte bel, vanuit Kotelnitsj, op de dag dat je vreemd bent gegaan, en waardoor je weet dat je zwanger bent van iemand anders op de dag dat ik je ten overstaan van de hele wereld mijn liefde verklaar. Als ik merk, en ik zal het merken, dat je vandaag tegen me hebt gelogen, dan is het gebeurd met ons.

Ik zal niet tegen je liegen. Maar ik wil je niet alleen vertellen wat er de afgelopen dagen is gebeurd, ik wil je het hele verhaal van onze liefde vertellen, vanaf het begin.

Weet je die eerste keer nog dat we samen hebben gegeten, in dat Thaise restaurant, in de buurt van Maubert?

Natuurlijk weet ik dat nog.

Jij kwam te laat. Ik had papieren uitgespreid op de tafel die te maken hadden met een baan die me werd aangeboden, op mijn kantoor. Ik vroeg me af of ik daarop in moest gaan. Dat was belangrijk voor me, ik wilde er met je over praten en jij luisterde een paar minuten naar me terwijl je deed of het je interesseerde, maar al snel ging je over op iets anders, je begon te praten over de reportage die je ging maken in Rusland, en je vertelde me het verhaal van die Hongaar. En ik hoefde niet te doen of dat me interesseerde, het interesseerde me echt. En daarmee was de trend gezet, meteen die avond. Jouw verhalen interesseren ons allebei, de mijne alleen mij. Die vind jij het aanhoren niet waard. Maar dat heb ik pas later zo voor mezelf geformuleerd. Op die avond ben ik verliefd geworden. En jij ook, dat weet ik, daar twijfel ik geen moment aan. Ik was naar dat restaurant gekomen met het idee dat we misschien zouden eindigen in hetzelfde bed, en toen ik daar wakker werd, de volgende morgen, wist ik dat we elkaar diezelfde avond opnieuw zouden zien, en de daaropvolgende avonden, en dat jij dat ook wilde, en zo is het ook gegaan. Het was vanzelfsprekend, en een beetje een wonder.

Toen je voorstelde dat ik in de rue Blanche zou komen wonen, maakte me dat gelukkig; tegelijkertijd was ik bang, omdat ik wel voelde dat het jou bang maakte. Je hebt het niet met zoveel woorden gezegd, maar ik besefte dat het je wel goed was uitgekomen als ik met twee koffers met kleren kwam aanzetten en mijn flat aanhield voor het geval het niet zou gaan tussen ons. Ik weet nog dat toen je kwam voorrijden met het busje, iedereen moest lachen omdat je het kleinste model had gekozen en verbijsterd leek door de hoeveelheid spullen die moest worden overgebracht. Toch was dat niet veel, maar nog te veel voor jou. Ik voelde me niet op mijn gemak toen ik je de vrienden voorstelde die me kwamen helpen verhuizen. Je deed je best om aardig te zijn, maar ik zag wel dat ze je niet aanstonden. Je was ouder dan zij, rijker, je had een beroep dat in hoger aanzien staat, en je reactie op hen werd instinctief ingegeven door standsgevoel, en dat deed me pijn. Ze zijn belangrijk voor me, mijn vrienden, ik houd van ze, en ik voelde er niets voor ze te laten schieten om jou.

Ik onderbreek haar: Maar Sophie, ik heb nooit van je gevraagd dat je je vrienden voor mij zou laten schieten. We hebben jouw vrienden even vaak gezien als die van mij, we hebben feesten gegeven waar ze het prima met elkaar konden vinden. En wat me verontrust, als ik naar je luister, is dat je praat alsof je nooit gelukkig met me geweest bent.

Dat ben ik wel, ik ben gelukkig geweest. Intens gelukkig. Gelukkiger dan ik ooit met iemand ben geweest. Ik vond het heerlijk om met je samen te wonen, om met je te vrijen, 's ochtends met je te ontbijten. Maar ik heb me nooit veilig gevoeld. Je was trots op me en tegelijkertijd schaamde je je een beetje. Alsof ik te min voor je was, alsof ik in je leven een niet onprettige fase was, niet meer dan dat, in afwachting van het moment dat je de vrouw zou ont-moeten die werkelijk bij je zou passen. Omdat ik iets had gezegd dat je ordinair vond of omdat ik iemand had gebeld met zo'n bij-naam die je zo ergert, kon je gezicht dat liefde uitdrukte, van het ene moment op het andere hard en afstandelijk worden, het ge-zicht van een vijand. Ik hield van je, ik wist dat jij van mij hield, maar ik ben voortdurend bang geweest dat je bij me zou weggaan. Natuurlijk, we weten allemaal dat niets eeuwig is, dat verhoudin-gen stuk kunnen lopen, maar normaal gesproken is dat alleen een mogelijkheid terwijl het bij jou een permanente dreiging werd. Je hield niet op tegen me te zeggen dat ik niet op je moest vertrou-wen, dat het tussen ons op proef was, dat het altijd op proef zou blijven, dat we verliefd waren maar dat we niets samen zouden op-bouwen. Weet je nog, die avond dat je in de keuken, waar iedereen bij was, zei dat als ik een kind wilde, jammer dan, maar dat dat niet met jou zou zijn? Herinner je je die vent die me begon te bestoken met mails, me op kantoor bloemen en boeken ging sturen? Toen ik je dat vertelde, vatte je het luchtig op, alsof geen enkele rivaal voor jou een bedreiging kon zijn. Ik vond toen dat je al te zeker was van mijn liefde voor jou, te overtuigd dat als een van ons bij de ander weg zou gaan, jij dat zou zijn. Dat heb ik je kwalijk genomen, ver-schrikkelijk kwalijk genomen.

Daarna kwamen je reizen naar Rusland. In het begin droomde ik ervan dat je me zou voorstellen met je mee te gaan of je er op z'n minst een week te komen opzoeken, om met je te delen waarvan je zei dat het zo belangrijk voor je was. Ik weet zeker dat die ge-dachte niet eens bij je is opgekomen. Je wilde het beleven zonder mij, en bovendien gaf je me telkens als je wegging te verstaan dat er daarginds wel eens van alles kon gebeuren, dat je leven daar wel eens een nieuwe wending zou kunnen nemen. Ik dacht aan de Rus-sische vrouwen, natuurlijk, ik was jaloers. Ik had het gevoel dat je daarginds naar iets op zoek was wat ik je nooit zou kunnen geven. Ik voelde me buitenspel gezet, en het enige wat ik kon doen was op je wachten, op je wachten zonder er zeker van te zijn dat je bij me terug zou komen.

Herinner je je die maaltijd met Valentine, afgelopen zomer, vlak voordat je naar Moskou ging? Herinner je die o zo grappige verhalen die je ons vertelde over de wandelaars die ons zouden versieren in de hut op de Col Agnel terwijl jij je zou laten versieren door Russische mannequins? Op dat moment heb ik gelachen, maar in werkelijkheid vond ik ze helemaal niet zo grappig, die verhalen van je. Ik dacht dat als je had willen zeggen: voel je vrij, leef je eigen leven omdat ik in elk geval mijn gang zal gaan, je het niet anders zou hebben aangepakt. En weet je wat er gebeurde? Ik heb je dat deze winter niet verteld, want in wezen had ik het gevoel dat het je een rotzorg was, maar daar, in de hut op de Col Agnel, heb ik Arnaud leren kennen. Op de avond dat jij belde vanuit Moskou. Hij maakte ook een voettocht, met vrienden. We raakten aan de praat, ik merkte dat het indruk op hem maakte, mijn vent die me belde vanuit Moskou, en ook dat hij zich afvroeg wat die vent van me deed in Moskou en ik in de Queyras, hij zei zelfs dat hij me in jouw plaats had meegenomen naar Moskou of met mij naar de Queyras was gegaan, maar dat hij in elk geval bij me in de buurt was gebleven, dat hij me geen tel alleen zou hebben gelaten. Hij durfde me niet te versieren, maar ik zag wel dat hij me leuk vond en dat vond ik prettig. Ik had liever gehad dat dat niet zo was geweest, maar ik voelde me beschikbaar. Ik had het gevoel dat jij, met je verhalen, me in de armen van die jongen dreef, dat je dat zo had gepland, dat dat in wezen was wat je wilde. Dus ja, ik ben naar hem toe gegaan. Wat er daarna is gebeurd, heb ik je verteld. We zagen elkaar opnieuw in Parijs, we hebben gemaild...

Jullie zijn met elkaar naar bed geweest.

Ja, maar voor hem was dat niet het belangrijkste, dat we met elkaar naar bed gingen. Trouwen en kinderen krijgen samen, dat wilde hij. Dat we ons leven lang bij elkaar bleven. Hij geloofde daar echt in, en ik wilde het graag geloven. Het voelde goed, dat iemand op die manier van me hield. Simpel, oprecht, met een toekomst. Hij wist dat ik van je hield, zeker, maar hij zei dat jij me niet gelukkig maakte en dat hij me gelukkig kon maken. Daar was hij van overtuigd, en hij was bereid te wachten tot ook ik dat zeker zou weten. Hij heeft gewacht. Hij leed eronder, ik leed ook onder de situatie, jij was de enige die nergens last van had omdat je niets zag. Zelfs de ring heb je niet gezien. Uiteindelijk heb ik het je gezegd. Je hebt me gevraagd niet weg te gaan en ik besloot om te blijven.

Diezelfde dag nog heb ik hem dat gezegd. Ik heb het uitgemaakt.

Definitief?

Definitief ja, en daarna hebben wij het er nooit meer over gehad, en dat heb ik vreselijk gevonden. Voor jou was de zaak afgehandeld, na twee dagen dacht je er niet meer aan. Een man hield echt van me, wilde met me trouwen en kinderen bij me maken, ik voelde me verscheurd, en jij hebt het geen seconde serieus genomen.

Jawel, ik heb het wel serieus genomen. Ik heb begrepen dat als ik het leven met jou wilde voortzetten, we een kind zouden moeten nemen. Ik heb je alleen gevraagd nog een jaar te wachten, om zeker van onze zaak te zijn.

Ja, je hebt me gevraagd een jaar te wachten. Ook hier weer, jij was degene die besliste, die de agenda bepaalde, en ik had niets in te brengen.

Toch, denk daar eens aan, hebben we gedronken op dat kind, op een avond dat we aten bij Jean-Philippe, en ik was degene die iedereen verraste door die toost uit te brengen.

Dat is zo, en je hebt tegen me gezegd dat je het idee dat ik zwanger zou zijn, heel erotisch vond. Ik vond het heerlijk dat je dat zei, ik dacht dat het echt een geschenk was, voor mij en voor het kind.

Je snikt en zachtjes zeg je nog eens: Dat is zo...

Toen je weer wegging om je film te maken in Kotelnitsj, ik begreep niet goed wat me bezielde, maar toen heb ik de knoop doorgehakt. Ik voelde me alleen, in de steek gelaten, ik voelde hoe mijn leven me op alle fronten ontglipte. Ik heb een nacht doorgebracht met een man.

Eén nacht?

Eén nacht, de nacht dat je hebt geprobeerd me te bellen om te zeggen dat je eerder naar huis zou komen.

Ik wist het. Ik wist dat je loog.

Ik heb gelogen omdat het er niet toe deed.

Wie is het, die man?

Ik zeg toch, dat doet er niet toe.

Ken ik hem?

Nee.

En jullie hebben geneukt zonder condoom?

Stilte.

Wanneer heb je gemerkt dat je zwanger was?

Afgelopen donderdag. Een paar dagen daarvoor zei je tegen me: Vertrouw me maar. Dat is voor het eerst dat je dat zei. Het is de eerste keer dat ik zwanger ben. Het is mijn eerste abortus.

Je buigt het hoofd. Je huilt.

Ik durf je niet aan te raken. Heb je besloten een abortus te laten doen? vraag ik zacht.

Je kijkt op.

Ik wilde een kind van jou, Emmanuel, niet van iemand anders. Ik wilde dat het zo snel mogelijk voorbij was om zaterdag naar je toe te komen met een lege buik, maar er is een wettelijk vastgestelde bedenktijd waar je je aan moet houden, het kon niet voor maandag. Daarom was het uitgesloten dat ik het afgelopen weekend kwam. Ik wilde geen weerzien zolang dat niet achter de rug was. En toen is alles door elkaar gaan lopen, dat, en die toestand met je verhaal. Ik weet niet wat erin staat, mijn hoofd staat er op dit moment niet naar om het te lezen, alles wat ik begrepen heb, is dat je absoluut wilde dat ik kwam, dat je bereid was om naar mij toe te komen in Parijs, en dat kon absoluut niet. Elk telefoongesprek tussen ons werd een nachtmerrie. Daarom heb ik uiteindelijk mijn telefoon uitgezet. Ik zei bij mezelf dat ik het je later wel zou uitleggen, dat je het zou begrijpen of dat je het niet zou begrijpen, maar voor mij was het dringende noodzaak om elke communicatie tussen ons af te kappen.

Je was met die ander, is dat het? Degene van wie je zwanger bent?

Ik kon die last niet alleen dragen, Emmanuel.

En hij, wat zei hij? Wat wilde hij?

Het kind houden.

Sophie, ik snap het niet. Je gaat met een man naar bed, één enkele keer, je vertelt me dat dat onbelangrijk is, en hij wil het kind houden?

Hij houdt van me, fluister je.

Een stilte, dan vraag ik: Is het Arnaud?

Je slaat je ogen neer. En dan, na een lange stilte, zeg je dat je maandag de eerste abortuspil hebt genomen, dat je vanavond de tweede moet innemen en dat de gynaecologe je heeft gezegd dat je een nacht met veel pijn en bloedingen te wachten staat. Je zou graag een paar dagen over het appartement willen beschikken, je moet alleen zijn.

Goed, morgen ga ik naar Île de Ré.

Dan kom ik morgen terug.

Maar vannacht dan?

Vannacht ga ik ergens anders slapen. Dit is iets wat alleen mij aangaat, ik wil dit niet met jou doormaken.

Met hem dus? Ga je bij hem slapen?

Dat hoef ik je niet te vertellen.

We lassen een wapenstilstand in. Ik kom naar je toe op de bank, je ligt in mijn armen. Met mijn lippen in je haar fluister ik: M'n liefste, m'n liefste, terwijl ik je gezicht streel. Maar het duister rukt op. Ik denk aan Arnaud, de jongeman die ik niet ken en die van je houdt, die op je wacht, die wacht tot je begrijpt dat het met mij een doodlopende weg is, en tot je voor hem kiest. Ik denk aan zijn verdriet, als hij van je houdt zoals je zegt dat hij doet, en ik denk dat hij van je houdt zoals je zegt dat hij doet, toen je hem moest vertellen dat je een kind van hem verwachtte en meteen ook dat je had besloten het niet te houden. Ik denk aan het moment waarop je mijn hand op je gezwollen borsten legde. Zoals je zou hebben gedaan als je zwanger geweest was van mij.

Je bent weg, ik blijf alleen achter. Ik bekijk de mails. Een Engelstalige scribent van wie ik me, op grond van zijn bloemrijke stijl vol hoofdletters, voorstel dat hij een adept is van transcendentale meditatie en het chanten van mantra's, schrijft: 'You say in your story that you love the Real but it exalts the Unreal and the Evil. I hope that woman slapped you when you met her for degrading her in that way. I hope she left you. You deserve it. You deserve to have your heart broken.'

Verdien ik een gebroken hart? Verdien ik het dat je bij me weggaat? Dat je me slaat? Je hebt me niet geslagen, je hebt iets ergers gedaan, omdat ik je heb laten lijden. Ik ben niet in staat geweest van je te houden, niet in staat geweest je te zien. Je hebt tegen me gelogen, je hebt me verraden, maar als je ontdekt dat je zwanger bent van een andere man, aarzel je geen moment om tot een abortus te besluiten. Omdat je een kind wilt van mij.

Zullen wij samen ooit een kind hebben?

Voordat ik in de auto stap, kijk ik *Le Monde* door in een café. De 'mediateur', die eens in de week commentaar geeft op de brieven van lezers, wijdt zijn rubriek aan mijn verhaal en spreekt, in naam van de krant, een akte van berouw uit. Hij citeert alleen boze brieven die vergezeld gaan van dreigementen het abonnement op te zeggen, waaruit hij concludeert dat *Le Monde* een misstap heeft begaan door een zo aanstootgevende en ook nog eens slechte tekst te publiceren. Als ik er de moed toe had, zou ook ik die mediateur schrijven om hem deze elementaire journalistieke regel in herinnering te brengen: wanneer een lezer een artikel goed vindt, schrijft hij de auteur, wanneer hij het slecht vindt, schrijft hij de redactie. De laatste vijf dagen heb ik ruim 800 berichten ontvangen waarvan negen tiende enthousiaste, de mediateur wist dat ik mijn e-mailadres had gegeven, het zou een kleine moeite zijn geweest me om een paar voorbeelden van die reacties te vragen. Het meest kwetsende van zijn rubriek is uiteraard niet de verontwaardiging, maar de ironie. Mijn verhaal komt erin naar voren als de provocatie van een kwajongen die uitdraait op een fiasco, iets nogal belachelijks en gênants. In mijn onbeduidende, tot dusverre zonder uitglijders verlopen carrière is dit de eerste keer dat me op die toon de mantel wordt uitgeveegd, en een van de eerste dingen die ik verneem als ik op Île de Ré aankom, is dat Philippe Sollers zich in *Le Journal du dimanche* aan de kant van de mediateur heeft geschaard, mijn tekst hooghartig belachelijk maakt, dat ook hij er zijn verbazing over uitspreekt dat *Le Monde* dat onvolwassen stuk pornografie heeft afgedrukt en dat hij besluit met een grap over wat de secretaris voor het leven van de Académie wel niet van dat alles zal denken.

Wat zij daarvan denkt is wel duidelijk, maar ze zou nog liever haar tong afbijten dan het uit te spreken en ze volstaat ermee het over iets anders te hebben, over de buren, het weer, premier Raffarin, de boodschappen die gedaan moeten worden, zonder ook maar één keer te zinspelen op het verhaal, op jouw afwezigheid, op mijn heen-en-weergereis waarop geen peil valt te trekken. Mijn vader lijkt getroffen te zijn door een met radjaidjah-vergif ingesmeerde pijl, het vergif dat gek maakt in *Kuifje*, wat betekent dat zodra ik bij hem in de buurt kom, hij begint te ijsberen, de blik op oneindig, en dat als ik in de woonkamer, voor de televisie, vraag waar Jean-Baptiste, mijn jongste zoon, uithangt, hij verwilderd antwoordt: Nou eh, waarschijnlijk op zijn kamer, of voor de televisie.

Papa, zeg ik voorzichtig, voor de televisie is hij niet, dat zie je toch.

Nou, ik heb toch gezegd dat hij wel op zijn kamer zou zijn of voor de televisie, als hij niet voor de televisie zit, dan is hij dus op zijn kamer.

(Dit gesprek heeft plaats op een meter van het toestel.)

In die sfeer van catastrofe en wezenloos geleuter vraagt Jean-Baptiste me nog maar één ding: Gaat het wel? Ik antwoord dat nou nee, niet echt, over een poosje gaat het vast wel weer beter maar op dit moment niet zo geweldig, en een minuut later vraagt hij: Gaat het wel? Uiteindelijk gaan we de gaat-het-wels tellen, het wordt een spelletje in de trant van alle-vogels-vliegen, en lachen we erom.

Gabriel, zijn broer, is weg op een bergbeklimmingskamp. Hij is alleen met mijn ouders achtergebleven, ik ben voor hem gekomen, ik dacht twee, drie dagen te blijven, maar ik begrijp algauw dat een etmaal al veel zal zijn.

We gaan samen zwemmen, het water is wild en vol algen, als we thuiskomen begint het te regenen, een onweer barst los, mijn vader bergt de ligstoelen weg zoals iemand een dode ten grave zou dragen, in de keuken staart mijn moeder naar de snelkookpan waarbij ze eruitziet of ze stoïcijns staat te wachten tot het ding in haar gezicht explodeert. Ik bedenk dat ook als alles volgens plan was verlopen, het pure waanzin was om te hebben gemeend dat mijn ouders het verhaal goed zouden opvatten. En wat heeft mij bezield? Wat heeft me bezield om hun huis als landingsbaan te kiezen, en hen als getuigen? Zwijgzame, moeizame maaltijd, waarna ik, vastbesloten de confrontatie niet uit de weg te gaan en me niet te verschuilen, naar Ars ga om Olivier, Valérie en een stel min of meer gemeenschappelijke vrienden op te zoeken: een zeer Ré-aans, dat wil zeggen zeer Parijs clubje dat als ik aankom gonst van nieuwsgierigheid. Jouw verdwijning, mijn ontwijkende antwoorden aan de telefoon, niemand snapt er iets van, iedereen wil graag alles weten. Ik houd de boot af, zeg dat zich een beetje iets ingewikkelds heeft voorgedaan tussen ons maar dat het niets om het lijf heeft en dat ik geen zin heb het erover te hebben. Het publiek is teleurgesteld. Meer zal ik er niet over loslaten, in arren moede begint men maar over het verhaal. Olivier, die niet van preutsheid kan worden verdacht, vond het... hoe zal hij het zeggen? het zit goed in elkaar, maar, nou ja, je weet hoe de mensen zijn, toch komt het wat vreemd over... Valérie zegt dat het helemaal niet overeenstemt met haar fantasieën en dat je pik erbij halen, zomaar, in het zicht van ouders en kinderen, dat was als je het haar vroeg toch wel een tikkeltje onvolwassen. En Nicole kan dan wel uitroepen: Ik zou het zalig vinden als een man dat voor me schreef! Zou jij zoiets niet voor mij willen schrijven, François? (François haalt zijn schouders op, schenkt zich nog eens een glas wit in), de mening overheerst dat er sprake is van een mengsel van vindingrijkheid en seksuele grootspraak, van een uit de hand gelopen situatie die, zonder onverschillig te laten, de lezer een ongemakkelijk gevoel geeft.

Ik drink veel, rook veel. Als het gesprek overgaat op iets anders, draag ik zo goed als ik kan mijn steentje bij, ben hier vóór, daar tégen, en in mezelf zeg ik dat ík dan af en toe wel op mijn plaats kan zijn in dit soort gezelschapjes, maar dat jou dat niet lukt, jij zult altijd uit de toon vallen, je zult altijd jaloers zijn op een vrouw als Valérie die wat is? journaliste bij *Elle*, maar die over alles haar mening klaar heeft, zelfverzekerd, en niet met die trilling van verontwaardiging en vernedering die doorklinken in jouw stem – maar van jou houd ik, om jouw vreugde waarvan ik soms een glimp heb gezien en die wordt verduisterd doordat je als bastaard ter wereld bent gekomen, door het feit dat bij je geboorte, een lelijke baby met veel zwart haar, je moeder huilde omdat er niemand was om naar je te kijken behalve zij, m'n liefste.

M'n liefste.

Mijn moeder, Jean-Baptiste en ik hebben ons teruggetrokken in huis en spelen monopoly. Tijdens het spel, waarbij ze al snel van het bord is geveegd, ademt mijn moeder zwaar, zoals wanneer ze zich ellendig voelt. Aanvankelijk staan Jean-Baptiste en ik er gelijk voor, maar dan volgt mijn totale nederlaag – geen enkel gebouw meer, geen cent meer, niets meer – waarop commentaar wordt geleverd in zinnen die op twee manieren zijn op te vatten, wat bij Jean-Baptiste halfbewust gebeurt en bij mijn moeder zeer bewust: Nou, je kunt nu echt geen kant meer op... je bent echt dood.

Je bent echt dood.

Ik voel me nog doder als ik de vijftien regels van Sollers, in *Le Journal du dimanche* lees. Sollers is moeilijker te verkroppen dan de mediateur van *Le Monde*, omdat hij de aanvoerder is van de partij van de spotters, degene die de meute erop attendeert wie ze gevaarloos kunnen uitlachen. Dat is wat ik graag had willen zijn, als ik had gekund, ik die er altijd zo bang voor ben geweest om me belachelijk te maken: iemand die aan alles en iedereen lak heeft, in het bijzonder aan degenen die het er minder goed afbrengen dan hij, iemand die alles bekijkt met een fijn lachje vol hooghartige ironie, en ik denk bij mezelf dat ook mijn arme, zo door het leven verpletterde grootvader graag zo'n soort man had willen zijn.

Omstreeks middernacht bel je. Zowel triest als stormachtig gesprek. Je zegt dat ik de enige man ben met wie je erin geloofd hebt. Ik vraag of je er nog steeds in gelooft. Je antwoordt dat je tijd nodig hebt. Op het laatst zeg ik dat niet de leugen erg is, niet het ongelukje, niet de consequenties, maar het feit dat je met een andere man naar bed bent geweest. Dat verdraag ik niet. Ik wil nooit meer dat het geslacht van een andere man in je binnenkomt. Nooit meer.

Zeg je dat omdat je weet dat me dat goed doet?

Ik zeg het omdat het zo is. Nooit meer een andere pik in je dan die van mij, en plotseling lijkt die zin me het toppunt van erotiek.

De volgende morgen zit ik met mijn moeder op het terras voor een laatste kop koffie voordat ik op weg ga. Stilte, rinkelen van lepeltjes, onbehagen. Dan opeens, zonder me aan te kijken: Emmanuel, ik weet dat je van plan bent om over Rusland te schrijven, over je Russische familie, maar ik vraag je één ding, en dat is om het niet over mijn vader te hebben. Niet voor mijn dood.

Het is vreemd, maar daar zat ik op te wachten. Ik verwachtte dat ze dat op een dag zou zeggen, en ik verwachtte het zelfs precies op dit moment, toen de stilte voortduurde. Nu is het mijn beurt om even te blijven zwijgen, dan zeg ik dat ik hoor wat ze zegt, dat ik het heb gehoord, maar dat dat, van haar afkomstig, een verschrikkelijk verzoek is, dat neerkomt op mijn dood als schrijver.

Je bent niet goed wijs, als je belangstelling hebt voor je Russische afkomst, dan zijn er duizend andere interessante verhalen die je kunt vertellen, ik begrijp niet wat je ertoe drijft net dat ene op te rakelen.

Maar maman, ik ben schrijver geworden om ooit dat verhaal te kunnen vertellen, om daar ooit een streep onder te zetten. Als er iets is wat absoluut niet verteld mag worden, dan begrijp je wel dat je juist dat mag en moet vertellen.

Het is niet jouw verhaal, het is het mijne. Trouwens, je weet niets, Nicolas weet niets, het berust alleen bij mij en ik wil dat het met mij sterft.

Je vergist je: misschien weet ik er niets van, maar het is ook mijn verhaal. Het heeft jou achtervolgd in je leven, daarom heeft het mij achtervolgd, en als we zo doorgaan zal het mijn kinderen, jouw kleinkinderen, achtervolgen en kapotmaken, zo gaat dat met geheimen, een paar generaties kunnen erdoor worden vergiftigd.

Wacht tot ik dood ben.

Op dat moment merk ik dat Jean-Baptiste, languit op een bed in de kinderkamer die uitkomt op het terras, dit hele gesprek moet hebben gehoord, iets over een geheim dat iedereen vergiftigt en dat hem op zijn beurt zal vergiftigen. Het enige wat ik weet uit te brengen, is een pathetisch: Gaat het wel?, net zoals hij, dan zet ik mijn tas in de kofferbak van de auto en ik vraag of ze willen gaan zitten, zoals in Rusland gewoonte is wanneer iemand op reis gaat. Dat duurt nog geen tien seconden, mijn moeder staat meteen op om Jean-Baptiste van me over te nemen die bij me op schoot zit – vlug, hem weghalen bij zijn gestoorde vader –, en ik vertrek zonder dat iemand me vraagt waar ik heen ga of wanneer ik terugkom. Dat ik verdwijn, dat is, voor hen en voor mij, dringende noodzaak.

In de auto, terugrijdend naar Parijs, denk ik aan mijn eerste verblijf in Rusland, samen met mijn moeder. Ze was uitgenodigd voor een congres van historici in Moskou, en had besloten mij mee te nemen. Ik zal tien jaar zijn geweest. Mijn liefde voor Maman – ze was toen Maman, niet mijn moeder – was totaal en vol vertrouwen, zodat een reis alleen met haar, naar een ver land, het land waar zij vandaan kwam, me waarschijnlijk van alles op de wereld het meest in verrukking bracht.

We hadden een kamer met twee bedden in het immense hotel Rossia, waar het congres plaatsvond. Ze nam me overal mee naartoe, braaf luisterde ik naar de voordrachten. Ze was helemaal van mij, ik helemaal van haar. Het was een door niets onderbroken intimiteit, een liefdesreis. 's Morgens liepen we door de eindeloze gangen van het hotel, op weg naar een van de talrijke *stolovye*, waar het ontbijt werd geserveerd en waar de dienst werd uitgemaakt door norse *dezjoernye*, om wie wij ons stiekem vrolijk maakten. Maman lachte graag, in het bijzonder met mij, maar ze moest wel óm iemand kunnen lachen. De mensen moesten een beetje lachwekkend zijn om te laten uitkomen hoe intelligent, ontwikkeld, ironisch, in één woord superieur, wij, zij en ik, waren. Zodra het congres even werd onderbroken, gingen we samen wandelen. We bezochten het Kremlin, en Novodevitsji, en Zagorsk, en zelfs Vladimir en Soezdal. Het monument voor Minin en Pozjarski op het Rode Plein vond ik prachtig, ik herinner me niet goed wie die helden precies waren, maar hun namen vond ik grappig, ik noemde ze Mimin en Pirozjki, ik gaf mezelf de bijnaam Monsieur Mimin, en ik was in de wolken als mijn moeder me met die bijnaam aansprak. Ik was al Manoesjok voor haar, in onze familie bestond een soort aftelversje dat Nana had bedacht en dat mijn vader niet moe werd te neuriën in de Franse versie: 'Manou, viens chez nous...', maar het leukst vond ik nog, waarschijnlijk omdat het iets was alleen tussen ons tweeën, om Monsieur Mimin te zijn voor Maman. Tijdens dat congres leerde Maman een man kennen van wie ik me niets herinner, behalve dat hij bruinharig, gedrongen was, en dat hij haar uitnodigde om op zijn kamer Dagestaanse cognac te komen proeven. Of die uitnodiging ook mij gold, is niet duidelijk, al was het wel duidelijk dat hij zijn cognac liever samen met haar had gedronken – in elk geval sloeg ze de invitatie beleefd af. Maar we troffen hem wel in de *stolovaja*, dronken met hem thee en koffie, uiteindelijk waren we vaak met ons drieën. Hij was gecharmeerd van de knappe donkerharige Française, dat was onmiskenbaar, maar hij moet al snel hebben beseft dat de zoon een onoverkomelijk obstakel vormde. In zijn plaats zou ik een hekel hebben gehad aan dat pedante ventje dat geen duimbreed week van zijn moeders zijde. Ik heb het gevoel dat ik, Manoesjok, Monsieur Mimin, me er niets van aantrok. Die knappe jonge vrouw die aantrekkelijk was voor de mannen, dat was mijn Maman en ik was haar lieveling, ik twijfelde er niet aan dat ze liever met mij ging slapen in onze hotelkamer dan dat ze met iemand anders meeging naar zijn kamer om met hem Dagestaanse cognac te drinken. Destijds zag ik andere mannen niet als een bedreiging. Ik was zeker van de exclusieve liefde van Maman en om die reden niet jaloers. Dat is vandaag nog steeds zo: ik ben er zeker van dat de vrouw die van me houdt, alleen van mij houdt en wat ik ook doe, niet zal ophouden van me te houden – maar als dat niet waar blijkt te zijn, ga ik door het lint.

Als ik thuiskom, zit je in bad. Ik kleed me uit en laat me tegenover je in de badkuip glijden. We passen goed in elkaar, het water is warm, ik streel je benen, je voeten die op mijn schouders rusten, ik doe mijn ogen dicht, ik voel me veilig. Ik zal wel even in slaap zijn gesukkeld, en ik weet nog dat toen ik weer wakker was, we kalm hebben gepraat, met lange tussenpozen tussen elke zin, een gesprek dat door de vermoeidheid een grote mate van tederheid krijgt. Maar daarna gaan we eten in de rue des Abbesses, ik giet witte wijn na witte wijn naar binnen zonder mijn bord aan te raken en ik word onuitstaanbaar. Ik zeg dat jij, jij die zo jaloers bent, toch maar kans hebt gezien me een jaar lang ononderbroken ontrouw te zijn. Dat je niet een meid bent die iedereen in haar bed heeft weten te krijgen maar een meid die iedereen in zijn bed heeft weten te krijgen, het slag dat je neukt als je ladderzat bent aan het eind van een feest en dat je niet nog eens belt. Dat je vrienden beneden peil zijn en je minnaars ook. Ik maak spottende opmerkingen over Arnaud, die zo rechtschapen is, zo betrouwbaar, om misselijk van te worden. Ik zie je al voor me, over tien jaar, als je woont in een eengezinswoning in een buitenwijk met je lieve echtgenoot die op zondag zijn auto in de was zet en die jij bedriegt zoveel en zo vaak als je kunt, trouwens, nee, je bedriegt hem niet meer, je bent niet zo jong meer, niet meer zo mooi. De liefde die ik voor je voel, zeg ik, is een drug, het zal meer tijd kosten dan ik dacht om af te kicken, maar het zal me lukken, maak je geen zorgen, om jou maak ik me trouwens ook geen zorgen, jij zult altijd mannen vinden die zwakker zijn dan jij, andere Arnauds die je kunt afbranden, arme Arnaudje, ik heb met hem te doen. Ik overlaad je met minachting en haat, je hoort me aan zonder te reageren. Op een gegeven moment zeg je alleen iets over het afgrijselijke lachje dat je op mijn gezicht hebt gezien toen ik terugkwam van dokter Weitzmann.

Maar dat afgrijselijke lachje heb jij op mijn gezicht gebracht, door te liegen zoals je hebt gelogen.

Dat kan wel zijn, toch leek het of je er zo van genoot, om ons te beschadigen...

Als ik thuiskom, ben ik dronken en steeds weer zeg ik dat ik je met geen vinger meer wil aanraken, dat ik een afkeer van je heb, ik ga slapen in het bed van Jean-Baptiste terwijl het voelt of ik, omdat ik a heb gezegd en dus ook b moet zeggen, een kinderachtige scène maak en wacht op het moment waarop ik daar zonder gezichtsverlies uit tevoorschijn kan komen. In alle vroegte kom je me halen, je neemt me mee naar ons bed, ik val in slaap dicht tegen je aan, lepeltje-lepeltje, je borsten in mijn handen, en ik heb een gruwelijke droom waarin een kleine jongen tot de ontdekking komt dat hij bezig is mongool te worden. Hij huilt, hij is opstandig, ik sta erbij en ik kijk ernaar, verbijsterd, machteloos, en alles wat ik tegen hem weet te zeggen is: Je wordt niet ongelukkig, omdat je het niet zult beseffen.

Je gaat naar je werk, ik blijf alleen achter. Ik heb een kater, ik rook als een ketter. Om me bezig te houden bestudeer ik de nieuwe mails die zijn binnengekomen. Bijna duizend. Een letterkundige die zegt dat ze bekend is maar haar naam niet geeft, wil een anonieme briefwisseling met me beginnen met als thema: in hoeverre kan een schrijver de privacy van zijn naasten prijsgeven aan het publiek, hen voor de leeuwen gooien omwille van het plezier dat hij daar zelf aan ontleent? Ze is ervan overtuigd dat het verhaal verschrikkelijke gevolgen heeft gehad in mijn leven en in onze relatie, als de heldin tenminste mijn partner is en niet af en toe mijn maîtresse. Noch de geheimzinnigheden noch de toon van dat bericht bevallen me, maar het slaat de plank niet ver mis. Ik vraag me af of schrijven, voor mij, onvermijdelijk neerkomt op iemand vermoorden.

Over drie dagen zullen we afreizen naar Corsica, waar we een huis hebben gehuurd samen met mijn vrienden Paul en Emmie. Zullen we echt gaan? En zelfs als we gaan, wat te doen in de tussentijd? Ik heb niets meer te noteren in dit bestand, de paar mails die me aanleiding gaven erop te antwoorden, heb ik beantwoord en elk ander werk is onmogelijk. Ons verhaal schrijven, daarvoor is het te vroeg, gesteld al dat ik het ooit zal schrijven. Schrijven over Rusland, over mijn grootvader is me verboden door mijn moeder en al weet ik dan ook zeker, absoluut zeker dat ik, om te kunnen leven, op een of andere dag, op een of andere manier haar wil naast me zal moeten neerleggen, ik kan het niet, ik ben als verlamd. Vaak heb ik bij mezelf gezegd dat de herfst van 2003, wanneer ik de leeftijd van mijn grootvader zal bereiken, het moment van mijn bevrijding zou zijn, maar de kans is even groot dat zijn lot ook het mijne zal worden, dat de dode zonder graf wraak op me zal nemen en dat ook ik verdwijn.

Ik ben bang.

In het telefoonboek vind ik het nummer van Arnaud, dat ik bel waarbij ik ervan uitga dat hij op dit tijdstip niet thuis zal zijn. Ik hoor het bericht op zijn antwoordapparaat. Hij heeft een heel jonge stem, de stem van een jonge man die zijn houding nog niet heeft bepaald maar die zich geen houding geeft, de stem van iemand die zich niet anders voordoet dan hij is. Er klinkt geen enkele ironie in door, geen enkele distantie ten opzichte van zichzelf of van zijn rol, geen enkel vermoeden dat iemand in gezelschap een rol te vervullen kan hebben, maar een soort argeloze, enthousiaste directheid. Het is de stem van een jongen die niet eindeloos naar zichzelf kijkt in spiegels, die te realiseren plannen heeft, die anderen vertrouwt en hun vertrouwen inboezemt; het tegenovergestelde van wat ik was op zijn leeftijd en vandaag nog steeds ben.

Ik snuffel tussen je spullen, diep uit een lade van je bureau een notitieboekje op waarin je af en toe lijstjes hebt gemaakt van dingen die je moest doen, boeken die je moest lezen, maar ook, beknopt, hebt genoteerd wat je dwarszat. Afgelopen herfst heb je je, in twee kolommen, de vraag gesteld wat je zou verliezen en wat je zou winnen als je mij in de steek liet voor Arnaud. Aan de ene kant unieke seksuele verstandhouding, momenten van intens geluk, milieu met meer glamour, maar ik ben verknipt, egocentrisch, ik bied geen veiligheid; aan de andere tederheid, vertrouwen, loyaliteit, kinderen – voornamen van onze kinderen? Verderop, we zijn in juni, ik ben in Kotelnitsj en het is de verjaardag van Arnaud, die je, na lang aarzelen, belt om hem te feliciteren. Sinds jullie het hebben uitgemaakt, heb je hem niet meer gesproken. Jullie zien elkaar weer. Hij is nog steeds verliefd op je, maar aangezien je hem geen enkele hoop hebt gegeven, probeert hij je te vergeten. Hij heeft een vriendinnetje gevonden en daar, je noteert het onomwonden, kun je niet tegen.

Als je van je werk komt, doodmoe, val ik je daarop aan. Ook ik ben doodmoe door het in een kring ronddraaien, het snuffelen en malen, maar ik heb de tijd gehad om voor te bereiden wat ik zal gaan zeggen, ik wil dat dat zo kwetsend mogelijk is, en vanavond is Arnaud mijn favoriete doelwit. Arme Arnaud. Een naïeve, kwetsbare jongen die waanzinnig van je houdt en die je gewetenloos gebruikt om je problemen met mij het hoofd te bieden. Een veilige haven, voor het geval ik van je weg zou gaan. Als ik er niet ben, of als het slecht gaat tussen ons, zoek je hem op maar je geeft hem niets, niets dan valse hoop. Als hij een vriendinnetje heeft, raak je van slag, je gaat weer met hem naar bed om er zeker van te zijn dat je nog macht over hem hebt. Van de manier waarop je omgaat met mij, van wie je houdt, kun je op z'n minst al zeggen dat die niet deugt, maar hem behandel je ronduit schandalig.

Je luistert naar me. Je zwijgt. Je trekt andere kleren aan, je maakt het avondeten, ik loop achter je aan van het ene vertrek naar het andere terwijl ik je beledigingen naar je hoofd slinger. Op het laatst zeg je: Een kind dat ik in mijn buik droeg heb ik gedood omdat het niet van jou was, dat is waar in dit hele verhaal.

Je huilt.

Later vrijen we. Ik zeg dat ik van je houd, dat ik bovenal van je houd. Je zegt dat het je spijt me pijn te hebben gedaan. Je wilt dat we samen naar Corsica gaan, zoals het plan was. Slapen, zee, een bed, tijd: we zullen kunnen uitrusten, kunnen praten. Ik zeg ja, dat wil ik ook, ik beloof dat ik tot kalmte zal komen. Dicht tegen elkaar aan slapen we in en als ik wakker word, ben ik bezig je te vermoorden.

We rijden op een motor over een piste in de woestijn. De nacht valt in. Ik rijd met hoge snelheid, jij zit achter me, je hebt je armen om mijn middel geslagen. Ik draai mijn hoofd half om om met je te kunnen praten, ik moet schreeuwen vanwege de wind en de snelheid. Ik zeg dat het een goed idee zou zijn als we zaterdag in plaats van zondag van Corsica weggingen, om nog even een rustig moment te hebben voordat je weer aan het werk moet. Je antwoordt, ook schreeuwend, dat als we zaterdagavond thuiskomen, je iets te eten voor me zult maken, er zal een maaltijd voor me klaarstaan. Ik ben verbaasd. Hoe dat zo? Ben je er zaterdagavond dan niet? Ga je die avond uit? Ja zeg je, je moet weg. Ik heb het gevoel dat je een loopje met me neemt. Woedend zeg ik dat ik in dat geval maar één ding van je vraag: snel maken dat je wegkomt, zodat ik je niet meer hoef te zien en er geen spoor van jou in het huis achterblijft. Lachend zeg je dat ik voortdurend van gedachten verander. Kus me, liefste, voeg je eraan toe. Ik draai me helemaal naar je om, ik zie de weg niet meer, terwijl ik tegelijkertijd de snelheid opvoer. Ik kus je en bijt je, ik bijt in je mondhoek alsof ik je gezicht aan flarden wil scheuren. Je lacht steeds luider. De motor valt naar opzij waarbij een regen van zand opstuift, het is donker, je bent gevallen, je blijft maar lachen, je gezicht half afgerukt, en ik begin je te schoppen. Ik wil je vermorzelen, je doodschoppen. Je lacht, je lacht me uit, en ik vermoord je.

Trillend sta ik op, ga een sigaret roken in de werkkamer. Het is nog donker. Ik noteer de droom in het document waarin ik alles opschrijf wat tussen ons gebeurt. Een beetje hoogdravend zeg ik bij mezelf dat de droom het begin van het rouwproces is. Ik wil niet dat je doodgaat, maar ik wil mijn liefde voor jou doodmaken omdat die me te veel pijn doet. Je zult altijd blijven liegen, je zult me altijd verraden. Wanneer ik je hoor zeggen: m'n liefste, hoor ik ook: Véro wil niet met je praten. Ik begin boosaardige zinnen te bedenken, maar ik krijg mezelf weer onder controle: ik moet niet gemeen zijn, alleen verdrietig en vastberaden. Spijtig van de vakantie, het is beter dat ik alleen naar Corsica ga, ik vraag je de flat te hebben verlaten als ik terugkom. Ik hoop dat je, als begenadigd leugenaarster die zichzelf even gemakkelijk voorliegt als je liegt tegen anderen, snel een scenario in elkaar weet te zetten waarin jij het bent die bij mij is weggegaan omdat ik een akelige, egocentrische, perverse, alles wat je maar wilt, vent ben. Wees maar gerust, ik zal niets doen om het te weerspreken. Bedenk maar wat je kan helpen om 's ochtends naar jezelf te kunnen kijken in de spiegel, alles wat ik van je vraag is om op te stappen. Als Arnaud je nog wil, grijp die kans. Bel hem om te zeggen: M'n liefste, ik heb gekozen, ik ga weg bij Emmanuel, jij bent degene van wie ik houd. Maak een nieuwe start op basis van een leugen, op het punt waarop jij bent aangeland, is dat het enige wat je nog te doen staat.

Nee. Niet gemeen zijn.

Die neiging verontrust me; wanneer je nog steeds liefhebt, ben je boosaardig, en natuurlijk ben ik bang voor de momenten waarop de begeerte terug zal komen, maar vannacht weet ik zeker dat mijn beslissing de juiste is. Die ik je morgen meteen zal meedelen. We zullen elkaar niet meer zien. Ik blijf alleen in het appartement dat is ontdaan van jouw aanwezigheid, jouw spullen, jouw geur, het zal pijnlijk zijn maar ik zal aan het werk gaan. Ik ga vertellen wat er de laatste twee jaar is gebeurd: de Hongaar, mijn grootvader, de Russische taal, Kotelnitsj en jij, dat allemaal samen. Onmogelijk het te publiceren, vanwege mijn moeder vooral, vanwege jou ook wie ik geen kwaad wil doen, maar niet onmogelijk het te schrijven. Een periode waarin ik me terug zal trekken, zonder iets van iemand te vragen, zonder met alle geweld een nieuwe vrouw te willen vinden. Niet boosaardig zijn, gewoon zeggen dat het uit is. Het daarbij laten.

Zo gaat het niet, dat spreekt vanzelf. Nauwelijks ben ik begonnen aan mijn betoog, op de ernstige en vastberaden toon die ik heb ingestudeerd, of ik weet al dat mijn vastbeslotenheid zal veranderen in wankelmoedigheid en dat ik dan wel mooi de onvermurwbare kan spelen, dat dat maar een spel zal zijn, en dat ik uiteindelijk door de knieën zal gaan zoals een kind dat zijn boze bui zo ver mogelijk doordrijft totdat zijn moeder het in haar armen neemt. Je hoort me aan als ik mijn redevoerinkje afsteek en hoewel je niet lacht, zoals je in de droom hebt gedaan, zie ik dat je het niet serieus neemt. Je zegt dat, in de eerste plaats, als je weg moet, je weg zult gaan wanneer en hoe het jou uitkomt, dit is jouw huis, in de tweede plaats dat ik voortdurend van idee verander, dat we van plan waren samen naar Corsica te gaan en dat we gaan doen wat het plan was. Ik zeg dat het simpel is, dat als jij gaat, ik niet zal gaan: ik bel Paul om hem in te lichten. Ik loop naar de telefoon maar je zegt kalm dat ik dat niet moet doen en ik maak me nog net niet zo belachelijk om het nummer te draaien en meteen weer op te hangen. Ik heb verloren en in wezen is me dat liever, om verloren te hebben. Ik zeg dat de liefde tussen ons hoe dan ook dood is, je antwoordt dat dat niet waar is, en ik weet best dat je gelijk hebt.

Sinds het een week geleden verscheen, ben jij waarschijnlijk de enige die ik ken die het voor jou geschreven verhaal niet heeft gelezen. Je zei dat je het zou lezen op Corsica. We zijn voor dag en dauw opgestaan om de koffers te pakken en ik houd de bijlage in het oog die ik duidelijk zichtbaar op je bureau heb gelegd, in afwachting van het moment dat je hem zult oppakken. Ik zeg bij mezelf dat alles nog mogelijk is als je de krant pakt, als je dat cadeau dat rampzalig is geworden maar dat ik je toch wil geven, niet vergeet mee te nemen, anders is het definitief een verloren zaak. Je lijkt de krant niet te zien. Ik ga mijn eerste sigaret roken op het balkon, ik ga de slaapkamer weer in en vraag tweemaal of je niets vergeet. Je voelt het belang van mijn vraag, maar nee, je hebt niets door.

Emmanuel, wat vergeet ik? Zeg het.

Nee, laat maar, het doet er niet toe.

In de taxi zeg ik het, met een spotlach vol bittere voldoening: Als jij iets stoms kunt doen, zul je het echt niet laten.

Maar waarom heb je dan niets gezegd?

Het was aan jou om eraan te denken. Ik ken het verhaal al, weet je.

Bij aankomst op het vliegveld loop ik over van haat, en vlak nadat we zijn opgestegen, zeg ik iets afschuwelijks waarvoor ik me nu nog schaam. Weet je hoe het zal gaan? Moet ik het je vertellen? Zwemmen, luieren in de zon, joints roken. Het zal leuk zijn. Ik zal charmant zijn, teder, attent, ik zal met je vrijen, ik zal zeggen dat ik van je houd, maar ik waarschuw je: het zal een leugen zijn. Twee weken lang zal ik tegen je liegen, terwijl de vreselijke dingen die ik tegen je heb gezegd, de waarheid zijn. Dat is zoals ik over je denk en daarom zal ik je als we terug zijn het huis uit zetten. Is dat goed tot je doorgedrongen? Over vijf minuten zal ik precies het tegenovergestelde zeggen, ik zal je smeken niet te geloven wat ik daarnet heb gezegd, maar je moet weten dat ik dan zal liegen. Begrepen?

Je doet je ogen dicht, even wordt je de adem afgesneden, ik zie hoe je buik verkrampt. Na een halfuur zwijgen pak ik je hand en zeg ik dat het me spijt.

Het huis, in een bergdorp, ligt hoog boven zee. Het is oud, de deuren zijn gewelfd, binnen is het koel, buiten warm. Paul en Emmie ontvangen ons vriendschappelijk en opgewekt, maar ze lopen op eieren. Zoals al onze vrienden vermoedden ze wel dat de verschijning van het verhaal een ramp heeft betekend tussen ons, welke daarvan hebben ze geen idee en ze durven niets te vragen. In elk geval hoeven ze maar naar ons te kijken om te snappen dat de gevolgen ervan nog niet voorbij zijn. Ze stonden op het punt om naar het strand te gaan, vragen of we meegaan, ik zeg dat we misschien naar ze toe zullen komen, later, en we sluiten ons op in onze kamer om te vrijen. Als ik in je ben, dan alleen voel ik vaste grond, om me heen drijfzand, en vier dagen achtereen houden we vrijwel niet op. Mijn erecties duren twee, drie uur, ik ben tot niets anders in staat, ik heb geen zin uit bed te komen, op te staan, naar het strand te gaan, te eten, seks met jou, iets anders bestaat er niet, de uitzinnige, smartelijke begeerte voor jou. Steeds weer zeg ik dat ik niet wil dat je ooit nog met een ander slaapt, ik zeg hoe essentieel, maar hoe seksueel opwindend ook, trouw zijn is, je zegt ja m'n liefste ja. Ik houd je gezicht tussen mijn handen, ik kijk hoe je klaarkomt, ik vraag je je ogen niet dicht te doen, je spert ze wijd open, ik zie er ontzetting in, evenveel als liefde. We slapen met onderbrekingen, verstrengeld, stinkend naar zweet en angst. Zelfs de slaap is geweldddadig. Zodra we niet langer in elkaars armen liggen, word ik weer afgrijselijk, ik zeg dat je onschuldige gezicht voor mij het gezicht is van de leugen, onvermoeibaar kom ik terug op de gruwel die je me hebt aangedaan, op de gruwel van die coïncidenties, op de liefdesverklaring die haar bestemming niet heeft bereikt. Paul en Emmie zien hoe radeloos we zijn, begrijpen er niets van, proberen ongedwongen te blijven en geven soms toe aan de verleiding met ons te praten – wanneer de gelegenheid daartoe zich voordoet

zoals je praat met overlevenden van een vliegramp. Jij brengt het
er beter af dan ik, die zelfs tijdens de maaltijden geen mond open-
doe. Toch zijn er een paar momenten van windstilte: als we gaan
zwemmen bij de rotsen, een glas drinken op een terras waar we
rustig kunnen praten. Wanneer twee mensen die van elkaar houden door zo'n crisis zijn gegaan, als elk voor de ander het gezicht
van het geluk maar ook van de verschrikking is geweest, dan wordt
alles mogelijk, dan moet het vertrouwen uiteindelijk weer kunnen
opbloeien. Op dat moment geloven we daarin, ik zeg dat ik van je
houd en ik geloof erin. Op een avond maak ik een ratatouille klaar.
Je bent ontroerd, dat zeg je als je ziet hoe ik de lange houten lepel in de pan steek, de groenten proef die sudderen op het vuur, je
vindt het prettig, het dagelijks leven met mij, en dat het ook vredig
kan zijn, dat het niet alleen die honger naar seks is. Maar op een
gegeven moment, tijdens de voorbereidingen voor de maaltijd, ga
je zonder me te waarschuwen weg om hoger in het dorp op te bellen – de mobiele telefoons hebben rond het huis geen bereik. Zodra ik je afwezigheid opmerk, raak ik van slag. Ik ren weg om je te
zoeken in de twee straten en op de drie trappen die omhooggaan
naar de kerk. Ik tref je aan op de treden van een van de trappen. Ik
ruk je de telefoon uit handen, ik scheld je uit, ik beschuldig je ervan me te kwellen, mijn jaloezie aan te wakkeren, me gek te willen
maken. Je bent onthutst, maar in plaats van me op jouw beurt uit
te schelden, zeg je dat ik op het stenen muurtje moet gaan zitten
dat hoog boven het dorp ligt en je vertelt me zo rustig als je maar
kunt dat je, nee, niet Arnaud belde, je belde de Corsicaanse vriend
bij wie je samen met mij twee dagen zou willen doorbrengen, in
Ajaccio. Mijn razernij maakt je bang maar je zegt dat je het begrijpt, je erkent dat het verkeerd was weg te gaan zonder het me te
vertellen, je vraagt me je te vergeven. Het gaat er niet om, zeg ik,
dat ik jou vergeef of jij mij vergeeft, het gaat erom dat het leven op
deze manier onleefbaar is. Het is me onverdraaglijk die wantrou-
wige, wrede vent te zijn die door zulke vlagen van haat en paniek
wordt bestormd, die gek wordt omdat jij even uit de buurt bent.
Het is me onverdraaglijk dat kind te zijn dat mokt en dat wacht
tot iemand hem troost, dat haat voorwendt zodat er maar van hem
wordt gehouden en dat speelt dat hij weggaat om niet in de steek

te worden gelaten. Zo wil ik niet zijn, en ik neem het jou kwalijk
dat van me te hebben gemaakt. Ik loop over van zelfmedelijden,
ik snik, je streelt mijn haar. Ik heb pijn, ik verafschuw mezelf, ik
zwelg in de afschuw voor mezelf.

We gaan weg om je vrienden in Ajaccio te bezoeken. De hele rit
rijd ik zonder naar je te kijken en ik doe geen mond open. Jij wil
graag dat ik geniet van het landschap, ik antwoord dat het landschap me een rotzorg is. Het stel Corsicaanse vrienden is zeer
Corsicaans, heel hartelijk. Ze waren van plan ons 's avonds mee te
nemen naar een concert waar zowel nationalistische Corsicaanse
liederen als revolutionaire Chileense liederen ten gehore gebracht
zullen worden. Ik doe geen enkele poging de schijn op te houden
en zeg dat ik me niet goed voel, dat ik liever alleen blijf. Je biedt aan
bij me te blijven, wat ik afsla. Ze laten een sleutel voor me achter,
ik ga een paar biertjes drinken op de cours Napoléon, daarna ga ik
terug naar het huis, rook een joint op het balkon dat uitkijkt over
de haven en probeer te slapen. Het is bloedheet, het lawaai en de
muziek van de cafés komen naar binnen door het geopende raam.
Op een gegeven moment gaat mijn mobiel over, ik zie jouw naam
op het scherm maar ik neem niet op. Ik bedenk dat het een goed
idee zou zijn om er weer uit te gaan en pas heel laat terug te komen, na jou, om je ongerust te maken, of om de auto te pakken, de
hele nacht te rijden zonder een briefje met tekst en uitleg voor je
achter te laten, maar ik ben uitgeput, lichtelijk aangeschoten, af en
toe val ik in een lichte slaap totdat je terugkomt, tegen een uur of
een. Ik hoor je vrienden en jou even praten in de keuken. Jullie lachen en ik ben boos op je omdat je lacht. Ik ben boos omdat je niet
meteen naar me toe gaat. Als je eindelijk de slaapkamer inkomt, lig
ik met mijn gezicht naar de muur, opgerold onder het klamme la-
ken. Ik hoor hoe je je uitkleedt, ik voel hoe je tegen me aan schuift,
je doet je armen om me heen en ik duw je weg, vol weerzin, ik duw
de vrouw weg die me tot die vreselijke man maakt. Als je je zou af-
wenden, je pogingen moe, zou ik kwaad zijn, maar je wendt je niet
af, geduldig breng je me naar je terug. Wat later neem je me mee
naar de keuken voor een kop thee en een boterham. Ik heb niet
gegeten, je wilt per se dat ik iets eet. Je vrienden slapen, de café

beneden zijn dicht. We zijn beiden naakt. De keuken is mooi, vrolijk, met geel gemarmerde wanden en tegels die doen denken aan azulejo's. Ik kijk naar je als je, naakt, thee maakt, en als ik je zie bewegen, naakt, gebruind en beeldschoon, ga ik fantaseren over het leven dat met jou mogelijk zou zijn. We hebben het er al eens over gehad, om ergens in het zuiden te gaan wonen. Jij zou werk vinden dat je leuk vond, ik zou schrijven, we zouden nieuwe vrienden krijgen, mijn kinderen zouden de vakanties bij ons doorbrengen, ons dagelijks leven zou vredig zijn, ik zou je af en aan zien lopen, naakt, naakt en zwanger misschien, in een huis dat misschien zou lijken op dit huis. Wat goed zou dat zijn! En wat simpel, als we zo'n besluit zouden nemen! Maar ik ken mezelf, binnen de kortste keren zou ik mezelf gaan zien in de huid van de vent die door een meisje van lagere komaf dat jaloers en bezitterig is, van alles wordt afgesneden en wordt veranderd in bezadigde, onderhuids verbitterde provinciaal. Dat zou ik gruwelijk vinden. Ik vind alles gruwelijk. We drinken onze thee, je glimlacht naar me, je bent mooi en ik zeg dat ik er te beroerd aan toe ben, dat ik hier niet blijf. Dadelijk, als we een beetje hebben geslapen, pak ik de auto en ga terug naar Novella. Je zucht, je gaat niet in discussie. Luister, zeg ik ook nog, als we bij elkaar blijven, kun je de achterdeur niet openhouden. Of je doet de deur dicht, of je gaat erdoor naar buiten. Of je ziet Arnaud helemaal niet meer, je laat hem geen enkele hoop, of je gaat met hem weg, maar je stopt met op twee paarden te wedden. Dit is belangrijk, ik zou graag willen dat je erover nadenkt.

Je knikt.

We gaan terug naar bed. We vrijen niet. De laatste keer was de dag voor ons vertrek, en de gedachte flitst door me heen dat dat misschien wel echt de laatste keer was.

Paul en Emmie zijn enigszins verbijsterd als ik alleen in Novella terugkom. Bij het avondeten drink ik veel en ik vertel hun het hele verhaal. Al heb ik het dan nog aan niemand verteld, ik weet al dat er twee manieren zijn om het te vertellen. Vertel ik het op de ene manier, dan reageert degene tegenover me met te zeggen: Je hebt gelijk, dat meisje is leugenachtig, jaloers en ontrouw, de verhouding verbreken is het beste wat je te doen staat. En vertel ik het op de tweede manier: Jullie hebben net een heel heftige crisis achter de rug, maar uit wat je zegt maak ik op dat jij van haar houdt en dat zij van jou houdt, dus maak schoon schip, geef de liefde de ruimte, wees gelukkig. Vanavond vertel ik de tweede versie, maar de daaropvolgende dagen switch ik van de ene naar de andere, speelbal van de slingerbeweging die bij mij symptomatisch is, en ergerlijker dan alle andere symptomen.

Je belt laat. Je Corsicaanse vrienden hebben je meegenomen om het weekend door te brengen in hun bergdorp en je voelt je er ellendig. Het huis is beklemmend, de vrienden zijn hinderlijk opgeruimd, omdat je niet rijdt, ben je afhankelijk van hun auto, de mobiele telefoon heeft geen bereik en de enige telefoon is midden in de eetkamer, waar de buren bijeenkomen om eindeloos te discussiëren. Gelukkig zijn ze zo-even naar het dorpsfeest gegaan, eindelijk ben je even alleen. Je trilt, je huilt, je bent bang. Onophoudelijk denk je aan wat ik je heb gevraagd voordat ik uit Ajaccio wegging: geen achterdeur, zo ja, dan ga je erdoor naar buiten. Je zegt dat je me dat niet kunt beloven. Als je geen vertrouwen in mij kunt hebben, ga je terug naar Arnaud, er zit niets anders op.

Doe dat dan nu. Ga met hem mee.

Maar Emmanuel, ik houd van je.

Je houdt van me, maar Arnaud houdt van je zoals je wilt dat iemand van je houdt en zoals ik je niet kan beloven van je te houden. Als je bij mij weggaat om hem, moet je het risico nemen, niet achteromkijken, alleen dan word je misschien gelukkig.

Ik vind het vreselijk als je zo praat. Het is pervers. Jij kunt je de luxe veroorloven me in Arnauds armen te drijven omdat je weet dat ik van je houd en dat als ik bij je wegga, ik dat doe om ooit naar je terug te kunnen gaan. Als ik het doe, is het daarom, om eindelijk met jou te zijn zonder de hele tijd bang te zijn dat je me in de steek laat, omdat ik je zal hebben laten zien dat ik bij jou weg kon gaan.

Als je met die gedachte naar Arnaud gaat, kun je het beter laten. Maar het is wel de gedachte die meteen bij je opkomt, in verband met mij. Als je met hem was, zou het anders zijn. Wat er nu gebeurt, heeft misschien al niet meer met ons te maken, met jou en mij, maar met jullie verhouding.

Zeg dat niet, ik smeek het je, zeg dat niet.

Sophie, ik zeg dat niet ironisch, dat zweer ik je. Ik heb het beste met je voor en dat beste, dat ben ik niet. Ik ben te gekwetst, ik neem het je te zeer kwalijk, en zelfs vóór de verschrikking van deze zomer ben ik nooit in staat geweest je vertrouwen te geven. Ik zou graag zien dat je gelukkig bent en als je dat met Arnaud kunt zijn, dan is dat echt mijn wens, en ik kan je één ding beloven: vanaf het moment dat je ervoor gekozen zult hebben om bij mij weg te gaan, zal ik er niet meer zijn, er werkelijk niet meer zijn, je zult Arnaud nooit ontrouw zijn met mij, met anderen als je dat wilt, daar sta ik buiten, maar niet met mij. Ik zal geen stoorzender zijn in wat er tussen jullie is, ik zal nooit je achterdeur zijn.

Maar ik wil niet dat je mijn achterdeur bent, ik wil met jou leven, ik wil een kind van je en ik begrijp tegelijkertijd dat wil dat ooit mogelijk zijn, ik bij je weg moet. Ik heb het gevoel dat ik gek word. Ik heb pijn. Het doet vreselijk pijn.

Ik heb ook pijn, waarschijnlijk gaat het mij nog meer pijn doen dan jou. Jij gaat weg met een man die op je wacht, jij begint een nieuw leven, ik blijf alleen achter, liefde wil voor mij zeggen liefde met jou. In de flat in de rue Blanche was geen fantoom, nu wel, dus je kunt me geloven, ik heb moed nodig om je geen dingen te beloven waarvan ik niet zeker weet of ik ze waar kan maken. Ik heb je verdriet gedaan, maar ik heb nooit tegen je gelogen, ik wil niet dat dit de eerste keer zal zijn.

Ik houd van je. Je weet dat je de man van m'n leven bent.

Dat weet je niet, misschien is Arnaud dat wel. Neem het risico.

Dronken val ik in slaap, verdoofd door de drank. Omstreeks negen uur doe ik mijn ogen open, tot het middaguur blijf ik apathisch op bed liggen. Ik lig doodstil, alsof het verdriet een dier is, binnen in me, dat door de geringste beweging wakker zou worden. Door de deur heen zegt Emmie dat Paul en zij die dag weg zullen zijn, ik antwoord met een grom die, bij gebrek aan iets anders, aangeeft dat ik nog leef.

Aan het begin van de middag bel je weer. Je zegt dat je teruggaat naar Parijs. Aan het eind van de week zul je verhuisd zijn.

Oké.

We zullen toch moeten bellen, zodat je weet wat ik meeneem.

Neem mee wat je wilt, ik wil alleen graag dat je twee of drie foto's van jou en van ons tweeën voor me achterlaat. En ik denk dat het beter is dat we elkaar niet spreken.

Goed. Maar weet je, ik heb het gevoel een enorme stommiteit te begaan en geen andere keus te hebben.

De dagen die volgen, zijn verschrikkelijk. Ook ik heb het gevoel een enorme stommiteit te begaan. Ik denk me in hoe mijn terugkeer in Parijs zal zijn, het appartement ontdaan van jouw aanwezigheid, de maanden van gemis waarin ik me zal afvragen waar je bent, wat je voelt, wat je tegen Arnaud zegt wanneer hij met je vrijt. Ik zou je willen bellen, tegen je willen zeggen dit kan niet, ik houd van je, kom terug, maar ik weet dat meteen als je terug was, de helse mallemolen in mijn hoofd weer op gang zou komen: ik zou je afwijzen, opnieuw zou je je van me losmaken, weer zou ik je smeken, dat moet ophouden.

Ik denk aan je rug, voor me, als we samen sliepen, lepeltje-lepeltje. Ik denk aan de vreselijke Philippe uit Nice. Ik verlang ernaar je rug te strelen, met mijn lippen zacht het blonde dons tussen je schouderbladen aan te raken, voorzichtig je billen uiteen te duwen terwijl je slaapt en in te gaan in jou, die altijd nat bent voor mij.

Niet meer door jou te worden gezien betekent lelijkheid, dood. Ik wilde graag dat je me mooi vond, bij jou was ik mooi, ik hield van mijn lichaam, mijn geslacht, jij zei mijn lul, ik zei mijn pik, ook jij begon mijn pik te zeggen. Je keek naar me als ik 's ochtends uit bed kwam om het ontbijt te maken, meestal had ik een stijve, de hele tijd had ik een stijve voor jou, en jij zei, met een glimlach: mijn pik, het is mijn pik. Dat zijn de liefdeswoorden die me in mijn leven het liefst zijn geweest.

Je gezicht als je klaarkwam. Je woorden wanneer je klaarkwam. Emmanuel, het komt, voel je hoe het in me omhoogkomt? In die tijd dacht ik dat je dezelfde woorden zei tegen alle mannen, dat je de mannen in je macht had door ze te laten voelen dat ze je een genot schonken zo intens als niemand je nog had geschonken. Ik denk niet dat het waar is. Ik denk, bijvoorbeeld, dat niemand je heeft gelikt zoals ik, dat je je daarbij nooit zo hebt laten gaan als met mij. Dat heb je gezegd, en ik weet dat je overgave nog totaler had kunnen zijn als je volstrekt vertrouwen had gehad, en dan was het het paradijs geweest, ik denk dat ik met je getrouwd zou zijn om dat te bereiken, een kind bij je had verwekt, mijn verlangen om met je te vrijen als je zwanger was, was zo groot, en nu zal een ander dat doen, met liefde, maar niet zoals ik.

Als ik nu aan Arnaud denk, dan zeg ik bij mezelf dat hij van ons tweeën in de meest benijdenswaardige positie verkeert. Hij weet wat hij wil. Hij is in staat lief te hebben. Hij is je waard.

Ik zou je waard willen zijn, ook al weet ik dat het te laat is. Ik zou, in de afwezigheid en het gemis, een boek willen schrijven dat ons verhaal, onze liefde vertelt, de waanzin die zich deze zomer van ons meester heeft gemaakt, en dat je door dat boek bij me terug zou komen, dat zou ik willen.

Ik zou willen dat er een tweede eerste keer was.

6

Sasja Kamorkin was degene die Sasja, onze tolk, inlichtte, en Sasja lichtte op zijn beurt Philippe in, die mij belde. Anja was dood, vermoord, samen met de kleine Lev. Door wie, waarom, dat wist Philippe niet. Hij wist alleen dat het een week geleden was gebeurd, op 23 oktober 2002, en dat het morgen de negende dag van rouw zou zijn, die heel belangrijk is bij de Russen. Vanuit Moskou, waar hij woonde, kon hij de nachttrein nemen die wij doorgaans namen en op tijd aankomen. Ik zei dat ja, het zou goed zijn erheen te gaan.

Die herfst was ik begonnen met het monteren van de film. Daartoe had ik besloten, bij gebrek aan een ander project, om de angst te verdrijven die me sinds het vertrek van Sophie permanent in zijn greep had. Ik verwachtte niet veel van dat werk, maar goed, het was werk, een reden om op te staan, ergens naartoe te gaan, iemand te treffen. 's Morgens kwam ik aan, ik ging naast Camille, mijn cutter, voor de monitor van de computer zitten en we bekeken, cassette na cassette, alles wat Philippe in juni in Kotelnitsj had gefilmd. Ik had de notitieboekjes meegenomen waarin ik, terwijl hij filmde, mijn dagboek had bijgehouden. Dat las ik hardop voor, zodat mijn indrukken van destijds zich bij de beelden voegden, vervolgens bij die indrukken en die beelden de uitleg die ik er in de zaal bij gaf, want ik moest Camille toch uitleggen wie wie was, wat er voor en na elke sequentie was gebeurd, alles wat voor ons daarginds vanzelfsprekend was en waarop noch de rushes noch mijn dagboek voldoende toelichting verschaften. Ik deed dat met plezier omdat Camille mijn commentaar fascinerend vond en ik merkte hoe Kotelnitsj voor haar van dag tot dag vertrouwder terrein werd, alsof ook zij er had verbleven. Ze kon zich oriënteren in de straten, Trojka beviel haar beter dan Zodiac, en ze wachtte erop tot ze een bepaalde figuur terugzag die ze op het feest in de stad leuk had gevonden. Zonder te anticiperen op vorm of inhoud twijfelde zij er niet aan dat er uiteindelijk een film uit zou komen. Zelf geloofde ik er nauwelijks in. Ik zag niet goed hoe uit die beelden, die misschien zouden volstaan om een documentaire samen te stellen over het dagelijks leven in een Russisch stadje, iets kon ontstaan wat vorm zou geven aan wat mij obsedeerde: iets wat zou kunnen fungeren als grafsteen voor mijn grootvader zodat, nu ik de leeftijd bereikte waarop hij was gestorven, ik verlost zou zijn van zijn schim, eindelijk zou kunnen leven.

Als Anja gestorven was bij een auto-ongeluk, dan zou me dat verdriet hebben gedaan, zeker: ik mocht haar graag. Van alle mensen met wie we in Kotelnitsj hebben verkeerd, waren zij en Sasja degenen met wie, wat mij betreft, de band het nauwst was geweest, aanvankelijk omdat ik hen mysterieus vond en omdat, zelfs toen dat mysterie vervloog, ze nog steeds gecompliceerder, meer eenlingen, smartelijker waren dan de anderen. Haar gewelddadige dood, waarvan ik vermoedde dat hij gruwelijk was geweest, vervulde me niet met triestheid maar met afgrijzen. En de kern van dat afgrijzen is de wijze waarop voor de tweede keer in een paar maanden de realiteit reageert op wat ik verwacht, op waarop ik wachtte. Dit voorjaar bedacht ik een liefdesscenario dat gestalte moest krijgen in de realiteit, en de realiteit heeft dat verijdeld, heeft er een ander scenario voor in de plaats gesteld dat de ondergang van mijn liefde heeft betekend. In Kotelnitsj heb ik, zolang ik er heb verbleven, gewenst dat er eindelijk iets zou gebeuren, en zie, er is iets gebeurd, en wat er is gebeurd, is dit: deze verschrikking.

Dat de dood van Anja en haar zoontje de film mogelijk maakt, ook dat is verschrikkelijk. De film gaat nu ergens over. We zullen naar Kotelnitsj teruggaan voor de veertigste dag, de belangrijkste fase in de rouw, het moment waarop de ziel van de overledenen voorgoed de aarde verlaat en opstijgt naar de hemel. Ik denk niet dat we dan Sasja en de familie zullen kunnen filmen; dat zullen zij niet willen, wij zullen het niet durven. Maar we gaan opnamen maken van de stad in de winter, van de sneeuw, de kale bomen, het park bij het station waar Anja en ik onze wiegeliedjes zongen voor de kleine Lev. Die beelden, waarbij ik zal vertellen wat er gebeurd is, zullen de afsluiting van de film vormen.

Vanuit Moskou hebben we de trein genomen die we altijd namen, maar in plaats van uit te stappen in Kotelnitsj reizen we door naar Vjatka, waar Anja's moeder woont. Ze heeft geen telefoon, onmogelijk haar ons bezoek aan te kondigen. Van het centrum, waar ons hotel is, maken we een lange rit per taxi naar een afgelegen buitenwijk waar de breznjeviaanse huizenblokken afwisselen met houten krotjes, half bedolven onder de sneeuw. Het kost ook weer tijd om de ingang buiten te vinden, het portaal, de met gescheurd kunstleer gecapitonneerde voordeur. We bellen, bellen nog eens, tevergeefs. We besluiten te wachten. De thermometer geeft een buitentemperatuur van min 25 aan en op het vuilgroen geschilderde portaal waar een knetterend kaal peertje een zwak schijnsel verspreidt, is het nauwelijks warmer. Ook onze gezichten zien groen onder onze capuchons, wolken damp komen uit onze monden. In de flat beginnen leidingen plotseling te suizen, we horen in de verte mensen praten. Sasja's gezicht staat op onweer. Hij neemt Philippe en mij deze tocht bij voorbaat kwalijk. Hij heeft erin toegestemd met ons mee te gaan op deze derde reis, maar hij verwacht er niets goeds van: hij had liever dat er alleen Russen bij alles aanwezig waren, en geen vreemde pottenkijkers. Zelfs vóór het drama, tijdens ons vorige verblijf, liet hij me vaak voelen dat ik me bemoeide met wat me niet aanging. Wanneer ik, als ik even aarzelde, hem vroeg om te vertalen, haalde hij de schouders op: ik was hoe dan ook niet in staat iets te begrijpen. Hij zucht herhaaldelijk, zegt dat de oude vrouw niet zal komen, dat we beter naar het hotel terug kunnen gaan, maar na twee uur ijsberen wijken de deuren van de lift al sissend uiteen en komt ze tevoorschijn: een klein vrouwtje met een gerimpeld gezicht, en gehuld in een zware pelsjas. Als ze ons drieën op het portaal ziet staan, slaat de schrik haar om het hart: drie vreemdelingen voor haar deur, drie potentiële vijanden. Dan herkent ze Philippe en haar gezicht klaart op, ze omhelst hem uitbundig. Hij stelt ons voor, ze omhelst ook mij: Anja heeft het zo vaak over ons gehad. Ze heeft verteld dat ik de kleinzoon was van de laatste gouverneur van Vjatka, en ze is ontroerd, maar ook beschaamd een zo aanzienlijk personage in haar smerige woning te moeten ontvangen. Vergeef me, zegt ze steeds weer, vergeeft u me alstublieft mijn armoede. Ik ben een behoeftige vrouw, ik schaam me voor mezelf, ik schaam me voor mijn huis. Als ze ons langs laat, beduidt ze ons stil te doen: de buren mogen niet horen dat we er zijn. Ze is bang voor hen, bang voor iedereen, en bovendien weten die buren van niets: niets van de dood van haar dochter en van haar kleinzoon, niets van Anja's contacten met Fransen. Ze heeft niets gezegd, alleen de naaste familie is op de hoogte, ze wil liever niemand iets vertellen, alsof de tragedie beschamend is, alsof haar dochter iemand vermoord heeft in plaats van vermoord te zijn, alsof ze te arm is om het zich te kunnen veroorloven een dochter te hebben die is vermoord. In het enige vertrek laat ze ons plaatsnemen om de tafel, maar geruisloos, stiekem als het ware. Ze zegt dat ze thee gaat maken, maar ze komt terug uit de keuken met een fles wodka en een worst en schenkt ons in, grote glazen die ze tot de rand toe vult. Als ik, na één slok, mijn glas wil neerzetten, fronst ze en draagt me met een gebiedend gebaar op het in één teug leeg te drinken. Er zit niets anders op, ik gehoorzaam, ze schenkt nog eens in, ik begrijp dat zij al dronken is en dat we haar voorbeeld zullen moeten volgen. Wat ze zegt, ontgaat me voor de helft, vooral omdat ze heel snel spreekt, in uiterst korte, afgehakte zinnen, en omdat Sasja, die zich op zijn gemak heeft genesteld in een leunstoel en vastbesloten lijkt zich een stuk in de kraag te drinken, alleen voor me vertaalt wat hem goeddunkt, en dan nog met de grootste achteloosheid. Philippe van zijn kant heeft de camera uit zijn tas gehaald en begint ons gesprek te filmen zonder dat zij protesteert anders dan voor de vorm, als voerden ze samen een toneelstukje op. Philippe! Je mag me niet filmen! Ik ben lelijk, ik ben oud, mijn huis is afschuwelijk... Ze begint hem ervan langs te geven met een tederheid die me ontroert. Ze vergeet niet dat hij is gekomen voor de negende dag, dat hij naast haar heeft gestaan voor het graf, dat hij ons op die dag heeft vertegenwoordigd, ons de Fransen van wie haar dochter had gehouden. Ze had het de hele tijd over jullie, zegt ze, de hele tijd. Ze zei dat jullie komst in Kotelnitsj een soort sprookje was, een kerstverhaal. Ze hield zoveel van jullie, en ze was zo ongelukkig, omdat ze jullie teleur had gesteld...

Ons teleurgesteld? Ze heeft ons nooit teleurgesteld, waar hebt u het over?

Toch wel, je weet het best, je doet of je het bent vergeten omdat je aardig bent, Emmanuel, omdat je een heilige bent, omdat je de kleinzoon van de vroegere gouverneur bent, maar ze heeft jullie teleurgesteld. Dat heeft ze me verteld, dat bezoek aan de jeugdgevangenis, ze begreep niet wat er aan de hand was maar waarschijnlijk heeft ze niet goed vertaald, m'n kleine meid, omdat je daarna ontevreden was, ze heeft wel gemerkt dat je niet tevreden was, en zij was zo ongelukkig omdat ze haar werk slecht had gedaan...

Als ik dit hoor, ben ik ontzet. Ik herinner me dat bezoek aan de strafkolonie nog precies, toen ik de schuld voor mijn slechte humeur op Anja afwentelde. Ik hield me voor dat het niet erg was, een kort moment van wrijving en misverstand, en als ik haar moeder moet geloven, heeft dat korte moment van wrijving en misverstand een schaduw geworpen op haar leven, tot aan haar dood heeft ze het niet van zich kunnen afzetten en is ze zich blijven afvragen waaraan ze het te danken had gehad in ongenade te zijn gevallen.

En bovendien schaamde ze zich, gaat Galina Sergejevna door. Ze leefde door jullie aanwezigheid, ze ademde door jullie aanwezigheid, begrijp je dat, Emmanuel, en ze schaamde zich vanwege de 200 dollar die jullie haar hebben betaald, voor haar was het of ze die had gestolen. Jullie hadden al een tolk bij je, dus hoe kon zij zich nog nuttig maken? Hoe?

Nee, zo is het helemaal niet, zet Sasja de zaak recht, en ik ben hem dankbaar dat hij met de officiële versie op de proppen komt. Ik had ergens anders dingen te doen, in de stad, we hadden haar echt nodig. Niemand heeft niemand bestolen, tob daar maar niet over...

En hoe wil je dat ik dat doe, niet tobben? Zij deed dat de hele tijd. Ze dacht dat jij een hekel aan haar had, Sasjoelja, omdat ze probeerde je je baan af te pakken. Ze dacht dat jullie haar aanzagen voor een intrigante, een meisje dat zich inlikt en dat probeert het werk van anderen af te pakken en dat zich geld laat betalen zonder er iets voor te doen... Weten jullie wat ze van die 200 dollar heeft gekocht? Ze heeft jeans gekocht en schoonheidsproducten. En ook nog maskers, maskers van papier...

Maskers van papier? Maar waarvoor?

Voor mij, die moest ik dragen, wanneer ik Levotsjka kreeg om op hem te passen... Omdat ik op het postkantoor werk, zie ik veel mensen, achter mijn loket, en Anjoetotsjka was bang voor microben en ze wilde dat ik een masker droeg als ik voor Levotsjka zorgde... zo.

Ze rommelt in een lade, haalt er maskers uit zoals in een operatiekamer worden gedragen. Onhandig schuift ze het elastiek over haar achterhoofd, het blijft vastzitten in haar kortgeknipte grijze haar, ze trekt het witte masker naar beneden over haar gezicht, en opeens, waaraan de drank die rijkelijk is blijven vloeien niet vreemd is, zien we een beeld uit een nachtmerrie, het dronken vrouwtje met haar witte ziekenhuismasker voor dat, overweldigd door wanhoop, opgewonden heen en weer loopt door haar naargeestige flatje en dat schreeuwt en begint te huilen: Zo heeft hij zijn grootmoeder gezien, Levotsjka, nooit anders dan zo, ik mocht niet naar hem lachen, hem niet kussen, omdat ik altijd mijn mond moest verbergen, vanwege de microben die ik kon oplopen op het postkantoor... Ik heb op haar gemopperd om de dwaze dingen die ze had gekocht. Gemopperd, gemopperd, ik mopperde de hele tijd op haar, op m'n arme meisje. Ik zei wat ze van die 200 dollar had moeten kopen. Weet je wat ze had moeten kopen? Een deur. Een nieuwe deur. Dat had ze moeten doen, een nieuwe deur kopen voor hun flat. Omdat die deur bij hen, die leek wel van karton. En dat op de begane grond, in die stad van gekken, Kotelnitsj! Ik bleef het maar zeggen: Sasja, je moet er een andere deur in zetten, het is gevaarlijk, die deur is van karton, en hij zei dat hij het zou doen, maar wat dacht je! Hij had nooit tijd. Altijd aan het werk, dat was wat hij zei, maar ik ken de waarheid, hij maakte goede sier bij zijn minnaressen... Meisje van me, had ik tegen haar gezegd, ga niet met hem in zee, hij kijkt je niet recht aan, hij ontwijkt je blik, hij heeft maling aan alles, en hij had maling aan alles, het zou hem een zorg zijn of zijn meisje en zijn zoon in een huis woonden met een deur van karton in een stad waar het wemelt van de gekken... De moordenaar hoefde maar een schop te geven om het huis binnen te komen en hij heeft de bijl gepakt en hij heeft ze alletwee met de bijl aan stukken gehakt!

Met een bijl in stukken hakken, dat is *toporom stoekat*. Ik wist dat niet, Sasja vertaalde het voor me, met gebogen hoofd, zijn gezicht drukte verslagenheid uit. Wat Galina Sergejevna zei over de omstandigheden van de moord, was verward, onderbroken door gekerm van razernij en machteloosheid, maar met behulp van wat Sasja Kamorkin me drie dagen daarna vertelde, heb ik dit kunnen reconstrueren: in de middag van 23 oktober kreeg Sasja op zijn kantoor een telefoontje van een doodsbange Anja. Ze was alleen thuis met de kleine Lev toen een onbekende aan de deur klopte. Ze weigerde hem open te doen waarop hij probeerde die in te trappen. Sasja, die het hoofd koel hield, zei tegen zijn vrouw dat ze de indringer bezig moest houden, tegen hem moest praten: hij kwam er zo meteen aan. Het kostte hem vijf minuten om het huis te bereiken, maar toen hij, in gezelschap van twee collega's, het huis binnenkwam, was het te laat: Anja was gewurgd met het snoer van de telefoon, daarna waren zij en de baby afgeslacht met de bijl die ze in de hal lieten staan om hout te hakken. Het bloed, de hersenen, de ingewanden lagen overal verspreid door het vertrek. Terwijl Sasja zich al schreeuwend op de grond liet vallen bij de lijken, zetten zijn collega's de achtervolging op de moordenaar in. Hij had door het bloed gelopen, overal sporen achtergelaten, het kostte ook niet meer dan vijf minuten om hem uit de kelder te verjagen waar hij een heenkomen had gezocht.

De man was een bekende in de stad, vader van twee kinderen, werkzaam als verwarmingstechnicus in de broodfabriek, hij was nooit met justitie in aanraking geweest. Hij had nooit iets met Sasja of met Anja te maken gehad. Tijdens zijn eerste verhoor, meteen na de gebeurtenis, zei hij dat hij stemmen had gehoord die hem opdroegen een vrouw en een kind te vermoorden en dat, toen hij de flat binnenkwam, hij hen allebei had zien stralen. Ze straalden, herhaalde hij, *ani svetilis*. Hij zei ook dat hij had gedronken, maar uit het meteen uitgevoerde onderzoek bleek dat hij geen alcohol in zijn bloed had. En toen hij, de volgende dag, een psychiatrisch onderzoek had ondergaan dat werd uitgevoerd door onze oude bekende, dokter Petoechov, was er geen sprake meer van stemmen of van stralen: hij herinnerde zich niets meer.

Dit heb ik bij stukjes en beetjes opgevangen, de eerste avond bij Galina Sergejevna. Een paar van de woorden die voortdurend terugkeerden in haar kreten en huilbuien, en die ik niet allemaal begreep, waren *toporom stoekat*, maar ook *palatsj*, en toen ik Sasja vroeg wat dat woord *palatsj* betekende, boog hij het hoofd niet maar schudde het met de geërgerde uitdrukking die ik goed kende en waarmee hij aangaf dat mij dat wat hem betrof geen bal aanging, en het heeft me veel moeite gekost uit hem te krijgen dat het een beul, een huurmoordenaar was. Een huurmoordenaar? Galina, haar dronkenschap ten spijt, volgde nieuwsgierig en nauwlettend wat hij voor me vertaalde, draaide haar hoofd van hem naar mij, van mij naar hem, en knikte toen om zijn woorden te beamen, en ik had het absurde gevoel dat ze begreep wat we zeiden. Op het laatst nam ze me op met de triomfantelijke hoonlach van een krankzinnige, alsof ze na hevige strijd van Sasja gedaan had gekregen dat hij haar beweringen bevestigde, en ze herhaalde: *palatsj*, *palatsj*.

Maar hoe dat zo, *palatsj*? Afgaande op wat zij vertelde, kon het alles zijn behalve de misdaad van een huurmoordenaar. Alleen een gek, zei ik, een fanaat of een sadist kan een jonge vrouw en haar kindje *toporom stoekat'*...

Opnieuw hoongelach van Galina: Jij wilt me wijsmaken dat het een gek is? Ze bonkt op de tafel, brengt haar verdorde, door verdriet getekende gezichtje vlak bij mijn gezicht, haast neus tegen neus. Nee, Emmanuel, nee! Het is niet een gek! Mijn zoon zegt tegen me: Mamma, hou je mond dicht. Je moet niets zeggen want dat is te gevaarlijk, maar ik weet wat ik weet, ik weet dat hij doet of hij gek is. Hij is de *palatsj*, maar wie heeft hem de opdracht gegeven, de *palatsj*? Ik zou je zijn naam kunnen noemen, Emmanuel, je zou je oren niet geloven.

Ze kijkt me aan, vorsend kijkt ze me aan, dan ineens richt ze zich op, komt overeind, plechtig maakt ze het gebaar zich de mond te snoeren, een gebaar zoals wanneer je een ritssluiting dichttrekt. Nu, fluistert ze, begint het zwijgen.

En het treedt in, het zwijgen. We zijn alledrie sprakeloos van ontzetting rond de oude vrouw die dronken is en gek van verdriet en die, zoals ze daar staat, met rechte rug, de handen in de zij, ons uitdaagt. Ten slotte haalt Sasja de schouders op, schenkt zich nog eens een glas wodka in en brengt, met zijn meest logge stem, het gesprek weer op gang: Dus, Galja, je bent bezig ons te vertellen dat het een in opdracht gepleegde misdaad is. Maar wie heeft de opdracht gegeven en waarom, dat is de vraag.

Ze lacht spottend. Je bent intelligent, Sasjoelja, jij weet een vraag te zien als er echt een vraag is. Waarom moesten mijn dochter en Levotsjka gedood worden door ze met een bijl in stukken te hakken? Wie heeft daar baat bij? Denk na, Sasjoelja, laat die kop van je eens werken!

Goed, ik denk na. Wie heeft daar baat bij?

Je bent toch niet stom, Sasja, of wel soms?

Nee, ik ben niet stom. Ik hoop van niet.

Wie, wel allemachtig? Wie heeft er baat bij om mijn dochter en mijn kleinzoon met een bijl in stukken te laten hakken? In wiens belang is dat?

We durven het niet te begrijpen. Ze dringt aan: Snappen jullie nog altijd niet wie daar baat bij heeft?

Nee, liegt Sasja, om het haar zelf te laten uitspreken.

Dan doet ze een stap achteruit en zegt, helder en duidelijk: Sasjenka.

En meteen als ze het heeft gezegd, gaat ze ineengedoken op haar stoel zitten, slaat de hand voor haar mond, haar ogen wijd opengesperd door de angst, en fluistert: Ze zullen me vermoorden.

Wat er daarna werd gezegd, herinner ik me niet precies. Ze zette ons de deur uit, maar terwijl we onze jassen aantrokken, vastbesloten ervandoor te gaan en het er verder bij te laten zitten, was ze al volledig vergeten dat ze ons de deur uitzette en wilde opnieuw gaan drinken, praten, me de gordijnen laten zien. Die gordijnen, met een patroon van rode en groene cirkels op een witte ondergrond, had ze weggehaald uit de flat van Sasja en haar dochter. Ze waren besmeurd geweest met sporen van bloed en hersenen. Ze heeft ze een paar maal uitgekookt, het meeste is er wel uitgegaan maar niet alles, en met een vinger geeft ze de omtrek aan van bruinige vlekken, die beter te zien zijn onder de lamp, en ze brengt de lamp dichterbij zodat ik ze goed zal zien. Kijk, Emmanuel, kijk, zegt ze, zachtmoediger gestemd, het bloed van mijn dochter en mijn kleinzoon. Elke keer dat ik de gordijnen dichttrek, omdat dichte gordijnen mijn ogen beschermen tegen het licht van de maan en van de straatlantaarns buiten, zie ik het bloed van mijn dochter en van mijn kleinzoon.

Ja, zeg ik, ja Galina Sergejevna, ik zie het.

Dat weet ik nog, dat van die gordijnen, en ook ons gesprek als we terug zijn in het hotel. Omdat we toch al dronken waren, bestelden we wodka en begonnen te discussiëren over de beschuldigingen van Galina. Ze raaskalt, zei Sasja, met een nadrukkelijk schouderophalen, en vol weerzin omdat we daar al was het maar één woord aan vuil wilden maken, liet hij ons al snel in de steek om zich in beter gezelschap te gaan bezatten in de bar. Ze raaskalt, vast, meende Philippe, maar hij vroeg zich af of dat geraaskal niet een grond van waarheid bevatte.

Ik wierp tegen dat die slachtpartij toch echt alles van het werk van een gek had. Een in opdracht gepleegde misdaad wordt voltrokken met een kogel en, verondersteld dat iemand redenen had om de arme Anja te vermoorden, waarom dan ook de baby, waarom die barbaarse daad?

Misschien wel juist om het idee uit te sluiten dat het om een in opdracht gepleegde misdaad ging. Om het op de misdaad van een gek te laten lijken. Over de identiteit van de moordenaar bestaat geen twijfel, en Galina zegt niet dat hij het niet heeft gedaan, ze zegt dat hij doet of hij gek is.

Maar welk belang zou hij erbij hebben om te doen of hij gek is? Hij is aangehouden, de rest van zijn levensdagen zal hij slijten in de gevangenis, of anders wel in een psychiatrisch ziekenhuis, voor een huurmoordenaar is het hoe dan ook geen lucratief zaakje. Een huurmoordenaar schiet en maakt dat hij wegkomt, die laat zich niet pakken, onder het bloed, op de plaats delict.

Moet je luisteren, zette Philippe zijn gedachtegang voort, ik zeg maar wat, maar stel je eens voor: Sasja wil weg bij Anja. Daarvan weten we dat het waar is, dat hij dat van plan was en dat zij daar vreselijk onder leed. Dus ze bedreigt hem. Ze dreigt de malversaties waarbij hij betrokken is, openbaar te maken. Hij is de baas van de FSB in Kotelnitsj en ik denk echt niet dat hij helemaal zuiver op de graat is. Anja was niet achterlijk: hij beseft dat ze veel meer weet dan ze zou moeten weten. Dus besluit hij haar uit de weg te laten ruimen. Ik zeg niet dat het zo gegaan is, ik probeer alleen te begrijpen hoe wat Galina vertelt, hout zou kunnen snijden. Laten we ervan uitgaan dat hij zijn vrouw uit de weg wil laten ruimen. Dit speelt zich af in Kotelnitsj, niet in Moskou, oké, maar ik woon al tien jaar in Rusland en ik kan je garanderen dat het niet iets onuitvoerbaars is. Een vent die bereid is een ander een kogel door zijn kop te jagen, die vind je overal. Alleen wil Sasja niet dat het eruitziet als een contract. Dan zouden ze hem verdenken. Dus komt hij op het idee van de misdaad gepleegd door een gek en hij bedenkt dat als de baby er ook aangaat, het nog onwaarschijnlijker wordt dat de verdenking op hem valt. Hij komt die vent op het spoor, die verwarmingstechnicus, die zeg maar stommiteiten heeft uitgehaald en die hij voor het blok zet, hoe weet ik niet maar wel zó dat hij geen kant meer op kan: of ik zorg ervoor dat je de bak in draait en ik regel dat je daar niet meer uitkomt, of je doet wat ik vraag, je speelt de moorddadige gek en je belandt in het ziekenhuis, eerst bij Petoechov en daarna ergens ver weg waar iedereen je zal vergeten, en ik zal ervoor zorgen dat je daar na een paar maanden wegkomt. Ik zeg niet dat het waar is, zelfs niet dat het waarschijnlijk is, ik zeg alleen dat in Rusland dit soort dingen gebeuren.

De volgende morgen, als we onze kater bestrijden met te vette worst en te sterke thee, durven Philippe en ik elkaar niet recht aan te kijken en ontwijken we de blik van onze Sasja, die het nog later heeft gemaakt dan wij en met een gemelijke kop zijn eigen kater met donker bier te lijf gaat. We voelen ons een beetje beschaamd zo'n monsterlijke hypothese te hebben geconstrueerd, maar de zes uur doorgebracht bij de oude Galina Sergejevna hebben ons dusdanig beïnvloed dat de argwaan ten opzichte van Sasja Kamorkin zich niet laat verdrijven. Zonder werkelijk in onze hersenspinsels te geloven houdt het vage gevoel stand dat waar rook is, vuur is, en de dramatische beschuldigingen van de oude vrouw, de manier waarop ze ze te berde bracht in de benepen ruimte van haar flatje, blijven rondspoken in ons beneveld brein. We weten niet wat ons te wachten staat als we in het begin van de middag opnieuw naar haar toe gaan, misschien een gevoel van gêne dat gelijk zou zijn aan dat van ons, maar ze schijnt zo niet ons bezoek, dan toch de strekking van ons gesprek volledig te zijn vergeten. Ze is nuchter, zo kalm als maar kan, zwalkt niet meer zoals de vorige dag heen en weer van argwaan naar oeverloze dankbaarheid, en als ze over Sasja begint, wat niet lang op zich laat wachten, is dat om ons haast liefdevol te vertellen over de omstandigheden waarin hij haar dochter heeft leren kennen. Anja was net uit Vjatka weggegaan om in Kotelnitsj te gaan wonen. Ze had er werk gevonden in de broodfabriek, wat voor soort werk wordt niet duidelijk want op het ene moment is er sprake van gezondheids- en technisch toezicht, dan weer van een baan als tolk, zonder dat we begrijpen op grond waarvan een bakkerij, zij het dan op industriële basis, in Kotelnitsj een beroep zou doen op de diensten van een tolk die Frans kent. Er staat me niettemin vaag iets bij dat tijdens onze eerste ontmoeting, in Trojka, de directeur van de bakkerij, Anatoli, met zware tong toosts had uitgebracht niet alleen op de Frans-Russische vriendschap, maar ook op zijn eigen succes in het veroveren van de Afrikaanse markt, en was blijven mijmeren over het idee dat de mensen in Senegal of Zambia misschien in Kotelnitsj gemaakte broodjes zouden eten. Hoe het ook zij, die veronderstelde betrekkingen met het buitenland vormden voor Sasja, toen Anatoli hen aan elkaar voorstelde, aanleiding om Anja streng te vragen of ze wel gerechtigd was zich bezig te houden met internationale handel. Hij dreigde zelfs, vertelt Galina Sergejevna, haar te arresteren, maar dat was voor de grap en ook om haar te versieren. Hij deed of hij haar bang wilde maken, zij of ze bang was, en meteen de dag daarop gingen ze samen wandelen langs de rivier. Ze beklommen het heuveltje dat Anja ons tijdens ons boottochtje trots had aangeduid als 'de liefdespiek', de plaats waar de verloofde stelletjes van Kotelnitsj elkaar eeuwige liefde beloven, en daar hebben ze elkaar voor het eerst gekust.

Tijdens die wandeling, en hier wordt de zaak interessanter, heeft

Anja Sasja verteld dat ze half Française was, van de kant van haar moeder die in het kraambed was gestorven, en dat ze zelfs een huis bezat in de buurt van Parijs, waar ze dikwijls kwam. Sasja, al onder de indruk van het feit dat ze Frans kende, raakte door deze onthullingen nog meer geïmponeerd. Net als ik toen we elkaar ontmoetten, vond hij Anja romantisch, anders dan alle meisjes die hij in Kotelnitsj kon ontmoeten, en volgens Galina Sergejevna werd hij vanaf dat moment verliefd op haar. Een paar dagen daarna verliet hij zijn vrouw en zijn dochter en ging samenwonen met haar, die hij voortaan *frantsoezjenka* noemde, de kleine Française. Anja had haar moeder in vertrouwen genomen, die haar had aangeraden alles op te biechten. Ze had eigenlijk geen andere keus tenzij ze haar familie verborgen hield en zich verstrikte in een langdurige leugen, en met enige tegenzin had ze haar nieuwe geliefde meegenomen naar Vjatka en hem aan Galina Sergejevna voorgesteld. De verrijzenis van de in het kraambed gestorven moeder was voor Sasja een bittere pil, en Galina, die zoals gewoonlijk geen blad voor de mond nam, had ervoor gekozen hem ronduit in de maling te nemen: Zo, meneer de grote baas, dus dat doet of-ie mijn meisje bang maakt, dat zegt dat-ie haar in de handboeien zal slaan? Het was je verdiende loon, dat zij jou bij de neus heeft genomen. Frankrijk, dat huis in de buurt van Parijs, ben je daardoor voor haar gevallen? Maar denk toch eens even na, Sasja! Als ze een huis bij Parijs had, dacht je dan echt dat ze in Kotelnitsj zou blijven?

Voor een man van de geheime dienst, van de argwaan en het wantrouwen was hij wel erg naïef geweest en had hij het er zelf naar gemaakt dat ze een loopje met hem had genomen. Toch, wat blijkt zowel uit het verhaal van Galina als uit de versie die Sasja me twee dagen daarna zou geven, bleef er ondanks de bekentenis en de hilariteit, bij hem het gevoel bestaan dat er iets geheimzinnigs aan de hand was. Meer dan eens legde hij haar het vuur na aan de schenen: Galina Sergejevna, zeg me de waarheid, bent u echt haar moeder? En of ze het ook bevestigde, de twijfel hield stand, wat, paradoxaal genoeg, werkte in Anja's voordeel. Ze was doodsbang geweest zijn liefde te verliezen door voor haar leugen uit te komen. Als ze alleen nog zichzelf was, een meisje dat rijk noch bijzonder knap was, dat haar enige prestige ontleende aan haar beheersing van het Frans, had ze alle reden te vrezen dat een man als Sasja snel genoeg van haar zou krijgen. Maar zonder erin te geloven, bleef hij er desondanks een klein beetje in geloven, geloven dat hem niet alles werd verteld, dat er achter dat verhaal van het Frans en van reizen naar Frankrijk iets was wat hem werd verzwegen, dat Anja hem uiteindelijk niet helemaal had bedrogen door zich voor te doen als een meisje dat anders was dan anderen. Ze sprak echt Frans, ook al was hij op geen enkele manier in staat te beoordelen in hoeverre ze die taal beheerste. Ze had echt een reis naar Frankrijk gemaakt, daarvan was het visum in haar paspoort het bewijs en hij haalde het vaak tevoorschijn uit de la om ernaar te kijken, erbij weg te dromen. Ze kreeg echt brieven van een Franse vriendin, cassettes met Franse liedjes. Ik denk dat Sasja er trots op was en dat hij alles wat hij daarachter verzon, nooit helemaal liet varen.

In de ochtend van de veertigste dag kwam hij uit Kotelnitsj, in een busje volgeladen met spullen van Anja die hij naar haar moeder terugbracht. Er waren dozen met kleren, maar ook haar gitaar, in plastic verpakt, waardoor het instrument de lugubere aanblik bood van een bewijsstuk, en een keukenkast die niet dan met de grootste moeite een plaats kreeg in het piepkleine flatje. Galina Sergejevna draaide om hem heen al protesterend tegen de invasie, maar hij schonk er geen aandacht aan en stapelde alles op, in wankel evenwicht, in de enige hoek van het vertrek waar nog een beetje ruimte vrij was. Onder zijn pelsjas droeg hij zwarte kleren, en zijn gezicht was bleek en pafferig: ze stopten hem vol met medicijnen, vertelde hij. In de dagen volgend op Anja's dood was hij zwaar van de wijs geraakt, gewapend met een revolver zwierf hij door de stad, al dreigend de isoleercel waar de moordenaar werd vastgehouden binnen te vallen om met hem af te rekenen, en hij was voor drie weken afgevoerd naar een kliniek waar hij een slaapkuur had ondergaan. Sinds kort was hij weg bij de FSB en het leek me beter om niet te vragen of hij uit eigen beweging ontslag had genomen of daartoe was aangezet, als gevolg van zijn losgeslagen gedrag of misschien van duidelijker omschreven verdenkingen. Ook hij was ontroerd om ons te zien, omhelsde ons hartelijk en Philippe maakte van de gelegenheid gebruik te vragen of hij er op deze plechtige dag in zou toestemmen te worden gefilmd. Hij sloeg zijn fletsblauwe ogen op, keek naar de lens. Philippe frummelde aan de lensdop als wachtte hij op het sein om hem er helemaal af te halen, toen lachte hij, een van de meest trieste lachjes die ik ooit heb gehoord, en antwoordde: Wat denk je dat dat me nou nog kan schelen? Film wat je wilt. Ik dacht weer aan de krankzinnige beschuldigingen geuit door zijn schoonmoeder, en ik zei bij mezelf dat als hij toneelspeelde, hij dat goed deed, maar ik geloofde absoluut niet meer dat hij toneelspeelde. Ik herinnerde me de arrogante en geheimzinnige tsjekist die we hadden leren kennen, die ons had geïntrigeerd, die we hadden geprobeerd in de val te lokken, ik herinnerde me hoe met onszelf ingenomen we waren op de avond waarop we, door onze toevlucht te nemen tot een list, in het geniep een paar opnames in verloren profiel van hem hadden weten te maken, en nu stonden we oog in oog met die ontredderde man, een wrak, die ons als oude vrienden in de armen sloot, en ik begreep dat ondanks onze verdenkingen van twee dagen geleden, ondanks de kinderachtige, morbide opwinding die we aan die verdenkingen hadden ontleend, we precies dat voor hem waren geworden, oude vrienden die hem in onze armen sloten zonder nog aan iets anders te denken, alleen aan de verschrikking van zijn nachten en zijn kolossale verdriet.

Op het kerkhof treffen we Galina's broer, Sergej Sergejevitsj – een man van een jaar of vijftig van wie zij ons heeft verteld dat hij zichzelf niet meer was sinds onbekenden hem twee jaar geleden midden in de stad uit zijn auto hadden gesleurd, in elkaar hadden geslagen en meer dood dan levend in een goot hadden achtergelaten, zelfs zonder te proberen hem een kopeke afhandig te maken, gewoon voor de lol –, en ook haar zoon Serjozja, die onderofficier is en in Tsjetsjenië dient. Deze Serjozja – kaalgeschoren schedel, gekleed in gevechtspak – barst telkens uit in een bulderende lach, deelt aan iedereen vriendschappelijke klappen uit en loopt over van een bijna verontrustende hartelijkheid die me, in de gegeven omstandigheden, lichtelijk misplaatst voorkomt. Aangezien het min 30 is, blijft het ritueel tot een absoluut minimum beperkt: er worden twee kaarsen aangestoken en in de sneeuw neergezet, uit een mand komt een fles wodka tevoorschijn en een paar schijven worst die snel naar binnen worden gewerkt, waarna iedereen de warmte van de auto's weer opzoekt, en we zouden meteen zijn weggereden als Galina Sergejevna niet alleen bij het graf achterbleef. Ze loopt eromheen, kermt, raapt met haar gehandschoende handen sneeuw op die ze met een mechanisch gebaar samenpakt. Ik kijk naar haar door de ruit van het busje van Sasja waar ik mijn toevlucht heb genomen samen met hem en met Sergej Sergejevitsj, die op fatalistische toon de litanie begint op te dreunen van de sterfgevallen in de familie. Zelf heeft hij, Gode zij dank, twee zoons die nog in leven zijn, maar van de zes kinderen van zijn drie zusters is Serjozja de soldaat nu de enige overlevende. De vijf anderen, de hele jonge generatie, zijn een gewelddadige dood gestorven: Afghanistan, een stalactiet op het hoofd, dronkenmansruzie, Tsjetsjenië, en voor Anja de bijl.

Sasja, achter het stuur, lijkt half in slaap, maar draait zich dan om naar mij en vraagt plompverloren: Emmanuel, geef me een eerlijk antwoord. Hoe was haar Frans?

Goed, zeg ik, uitstekend, maar ze sprak het als een buitenlandse die goed Frans spreekt.

Als een buitenlandse? Niet als een Française? Ze had niet voor een Française door kunnen gaan?

Het spijt me dat ik ontkennend moet antwoorden, ik voel wel dat mijn antwoord hem teleurstelt.

Maar denk je niet, dringt hij aan, dat ze misschien maar deed alsof haar Frans niet helemaal perfect was?

Deed alsof? Maar waarom?

Zodat niemand haar zou verdenken.

Haar zou verdenken van wat?

Nou, dat ze Française was...

Ik keek hem aan, lichtelijk onthutst. Misschien, zeg ik, misschien wel, wat kan ik anders zeggen?

De maaltijd die daarna komt, duurt drie, vier uur. In de loop van die uren drinkt Galina Sergejevna zich een flink stuk in de kraag, haar goede voornemens ten spijt: aanvankelijk houdt ze het bij water, ze weet dat haar broer en haar zoon haar niet uit het oog verliezen. Ze wil zich netjes gedragen, de dame spelen die weet hoe het hoort en die haar gasten ontvangt, en het eerste halfuur speelt ze die rol met toewijding, maar als Sasja het moment gekomen acht om een toost uit te brengen, begint het meteen mis te gaan. Toch hebben ze haar, speciaal wat hem betreft, strenge instructies gegeven: de beschuldigingen die wij twee dagen eerder hebben gehoord, heeft ze waarschijnlijk tegenover iedereen geuit en ze hebben haar opgedragen haar mond te houden, niet alleen vanwege de welvoeglijkheid, maar vooral omdat ze vrezen last te krijgen. Ook al is hij dan ontslagen, in de ogen van de familie is Sasja nog steeds de man van de FSB, en op grond daarvan zijn ze bang voor hem. Dus vanaf het begin van de dag omhelst ze hem, vleit hem, noemt hem Sasjoelja, Sasjoelenka, maar als hij opstaat, zijn glas heft en met toonloze, door de medicijnen trage stem een lange redevoering begint af te steken waarin sprake is van zijn liefde voor Anja, van hun liefde voor elkaar, kan ze het niet laten er verbitterde sarcastische opmerkingen tussendoor te strooien. Toch stelt Sasja zichzelf niet voor als een modelechtgenoot, noch het paar dat Anja en hij vormden als een toonbeeld van harmonie. Hij spreekt juist zijn gevoelens van spijt uit, hij zegt dat hij werkelijk van haar hield maar dat hij niet in staat is geweest van haar te houden zoals ze dat verdiende. Hij zegt dat je achteloos omgaat met wat je meent te bezitten, dat je er pas als je het kwijt bent, om treurt, en dit laatste doet hij op een manier die mij oprecht en ontroerend voorkomt. Mij, maar niet Galina Sergejevna, die hem om de twee zinnen pal in zijn gezicht uitlacht en hem uitmaakt voor draaikont. Ze gaat nog net niet zo ver hem ervan te beschuldigen dat hij haar dochter heeft laten vermoorden, maar verwijt hem alleen dat hij haar heeft verwaarloosd, ongelukkig heeft gemaakt en vooral dat hij haar naar Kotelnitsj heeft gehaald, die stad waar het wemelt van de gekken. Het verhaal van de onfortuinlijke Hongaar wordt te hulp geroepen als treffend voorbeeld van het soort dingen dat in Kotelnitsj gebeurt en algauw herken ik, in een wijdlopige zin, het woord *palatsj*. Ja hoor, ze begint er weer over: een *palatsj* heeft Anjoetotsjka en Levotsjka vermoord. De twee Sasja's schudden het hoofd, vermoeid, als iemand die voor de zoveelste keer hetzelfde liedje hoort en niet meer de moed opbrengt ertegen in te gaan. Sergej Sergejevitsj, die het waarschijnlijk ook vaker dan nodig was heeft gehoord, zucht en gaat er wel tegen in: Galja, je zegt maar wat. Als je dochter miljonaire was, of een hooggeplaatste persoonlijkheid, vooruit, maar ze was huismoeder in Kotelnitsj, waarom zou iemand haar hebben laten vermoorden? Waarop zij losbarst: Sergej Sergejevitsj, naast wie zit je? Aangezien Sergej Sergejevitsj naast Sasja Kamorkin zit, vraag ik me bezorgd af of ons een nieuwe versie van de beschuldigingen van twee dagen geleden te wachten staat en of dat in tegenwoordigheid van de voornaamste belanghebbende niet op narigheid zal uitdraaien. Maar ze vervolgt: Denk je soms dat hij geen vijanden heeft? Denk je dat niemand hem iets kwalijk neemt?

Dit keer zegt ze iets anders, niet dat Sasja Anja en Lev heeft laten ombrengen, maar dat iemand toen zij werden gedood, het eigenlijk op hem hadden gemunt, en dat slikt hij zonder iets te zeggen. Hij buigt het hoofd, schenkt zich met trillende hand een groot glas wodka in en laat de storm over zich heen gaan, waarbij hij er zo bedremmeld, zo schuldig uitziet dat ik opeens bij mezelf denk: dat zou wel eens waar kunnen zijn. Hij is degene op wie vijanden wraak hebben genomen, hem hebben ze getroffen door de zijnen af te slachten, en het ergste is dat hij het weet, dat hij er niets tegen in kan brengen. Hij draait zich alleen om naar mij en vraagt, met zwakke stem: Emmanuel, zullen we gaan? Gaan we terug naar Kotelnitsj?

Ook ik zou wel weg willen, ik zou graag willen stoppen met drinken, maar de maaltijd is nog niet afgelopen, Galina heeft voor nog meer gerechten gezorgd, we kunnen er niet zomaar vandoor gaan. Later is het de beurt aan Serjozja om een toost uit te brengen. Hij staat op, de borst vooruit onder het gevechtspak, maar hij is nog maar net begonnen de nagedachtenis van de overledenen te eren of zijn moeder barst los in verwensingen. Niet langer zijn het sarcastische opmerkingen, wat ze zegt houdt geen enkel verband meer met de woorden van haar zoon, al haar wanhoop, haar woede en schaamte rollen uit haar mond, worden verwoord zoals het in haar opkomt. Ze krijst, op dezelfde manier als ze borden van de tafel zou pakken en tegen de muur stuk zou gooien. Ze krijst dat niemand meer iets van haar wil weten, dat ze uitgerangeerd is, nergens meer goed voor behalve dan om eenzaam te creperen, en dat niemand op haar begrafenis zal komen omdat ze een arme, lelijke en schadelijke oude vrouw is. Ze krijst dat het haar schuld is dat ze haar dochter en haar kleinzoontje hebben vermoord omdat ze had moeten verhinderen dat ze naar Kotelnitsj gingen. Ze krijst dat Serjozja een stuk vuil is omdat hij haar aan haar lot overlaat, maar ook omdat hij zijn vrouw en zijn kinderen in de steek laat, dat hij weggaat om de bink uit te hangen in zijn kazerne in Tsjetsjenië in plaats van hout te hakken voor de winter. Het argument dat Serjozja 'm smeert om het er eens lekker van te nemen in Tsjetsjenië en om zich aan het houtjes hakken te onttrekken is zo bizar dat iedereen, hij voorop, in lachen uitbarst, en zij, als ze merkt dat ze haar publiek in haar macht heeft, de lachers op haar hand, en dat ze de aandacht gevangenhoudt, dan weet ze van geen ophouden meer, doet er nog een schepje bovenop, nog even en ze zou op de tafel klimmen en gaan dansen. En dan opeens zwijgt ze, ze krimpt ineen op haar stoel, barst in tranen uit, en met een dun stemmetje mompelt ze voor zich uit: Waarom?

Goed, luidt de reactie van Sergej Sergejevitsj, *na posasjok*, een afzakkertje. We heffen ons glas, we drinken. Galina Sergejevna, die deze omslag heeft gemist, begrijpt niet wat er gebeurt en waarom; na gedronken te hebben, trekken we onze jassen aan en beginnen afscheid te nemen. Het is of we door de dingen te doen die iedereen doet als het moment van vertrek is aangebroken, een haar totaal onbekende reeks handelingen uitvoeren waarvan de betekenis haar ontgaat en die haar verbijsterd en volstrekt ontredderd en vervolgens verslagen achterlaat. Eindelijk begrijpt ze het, en als ze het heeft begrepen, maakt het haar ongelukkig, diep ongelukkig. Ze smeekt ons nog even te blijven, ze trekt ons één voor één aan onze mouw om ons tegen te houden, ze zegt dat er nog massa's dingen te eten zijn en ik neem het mezelf kwalijk zo weg te gaan, haar helemaal alleen achter te laten met haar maaltijd voor driemaal meer mensen dan ons gezelschap telde, haar alleen te laten met haar dronkenschap, en haar schaamte, en haar verdriet. Natuurlijk zou het aardig zijn om bij haar te blijven tot 's avonds, nog wat te eten, haar te helpen alles op te ruimen, de bergen voedsel die ze voor ons zou klaarmaken niet te weigeren. Maar Sasja wil dat niet, hij wil meteen terug naar Kotelnitsj.

Het zal de opluchting zijn dat hij ervandoor heeft kunnen gaan: in de auto is hij bijzonder vrolijk. Na zich vier uur lang te hebben ingehouden, verwijten, beledigingen en uitingen van aanhankelijkheid te hebben geïncasseerd waarop hij, denk ik zo, niet zat te wachten, valt de spanning van hem af. Voor onderweg heeft hij een worst geratst en een fles wodka waaruit hij grote slokken neemt en al rijdend begint hij uit volle borst *Comme d'habitude* te zingen in het Frans. Jammer, zegt hij spijtig, dat ik de Franse cassettes van Anja niet bij me heb. Weet je nog, Emmanuel, die avond dat we elkaar hebben leren kennen, in Trojka? Ze had ze speciaal voor jullie meegebracht. We hebben gedanst op liedjes van Claude François, van Adamo... *Tombe la neige... Permettez, monsieur...* Flarden van die liedjes komen weer bij hem boven, hij probeert ze te zingen, spoort ons aan ze in koor te herhalen. Ik weet nog dat ik, tijdens die nachtelijke reis, heb geprobeerd om te slapen, omdat ik terecht voorzag dat er een avond zou volgen die even zwaar zou zijn als de middag was geweest, maar Sasja wilde niet dat ik sliep, hij wilde zingen en praten, hij rekende erop dat hij door ons nieuwe vrouwen zou ontmoeten, Françaises van het soort Juliette Binoche of Sophie Marceau, en waarom niet Juliette Binoche of Sophie Marceau in eigen persoon? Ik moest hem teleurstellen door te bekennen dat ik de een noch de ander kende en hem dus niet aan hen kon voorstellen. Ik had het gevoel dat ik, en misschien zelfs mijn voorvader de ondergouverneur, in zijn achting daalde. Later kwam hij nog eens terug op wat hem niet losliet: was het echt uitgesloten dat Anja Française was geweest? Hij ging niet door op die kwestie, noch op mijn antwoorden die dezelfde waren als die ochtend, want in werkelijkheid had hij ons iets anders te zeggen. Een onthulling te doen. We moesten hem niet uitlachen, hij wist wel dat het onwaarschijnlijk was, dat er 99 procent kans was dat het niet waar was, maar de ene procent onzekerheid die bleef bestaan, liet hem niet met rust. Het was iets wat Anja hem had verteld kort na hun ontmoeting, iets wat gebeurd zou zijn in Oost-Duitsland, waar haar ouders in garnizoen lagen, eind jaren zeventig. Iets met een verwisseling van kinderen. Als ik probeer het te reconstrueren, dan zouden Galina Sergejevna en haar man hun dochter op jonge leeftijd aan de zorgen van een Frans gezin hebben toevertrouwd en voor haar in de plaats een Frans meisje hebben gekregen. En dat Franse meisje, dat opgroeide onder de naam Anja, was bestemd om spionne te worden. Dat was de enige reden voor de ruil, die was georganiseerd door de Franse geheime dienst. Ze was opgegroeid in het gezin van een onderofficier van het Rode Leger, had later aan de militaire tolkenschool gestudeerd en tijdens dit hele traject inlichtingen doorgespeeld aan haar land van herkomst. Haar ontmoeting met Sasja maakte deel uit van haar missie, dat sprak vanzelf. Was er voor een spionne uit het Westen een betere prooi denkbaar dan een kaderlid van de FSB? Ik was dronken, Sasja ook, en ik hoorde het allemaal aan in een mist, maar met groeiende verbijstering. Ik wist uit persoonlijke ervaring, en door de verhalen van haar moeder, dat Anja mythomane neigingen had, maar het idee dat ze Sasja in bed zoiets had verteld en vooral dat ze erin slaagde hem ervan te overtuigen... Want hij kon zich er dan wel tegen verzetten, een stukje van hem, en dat was meer dan die ene procent, bleef geloven omdat Anja het zelf had gezegd, dat ze een Franse spionne was, dat ze hem door te doen of ze zich het hof liet maken, in haar netten had verstrikt: het hoofd van de FSB in Kotelnitsj was immers hoogst interessant voor de Franse geheime dienst. Uiteindelijk had ze het hem opgebiecht omdat ze verliefd op hem was geworden en die hartstochtelijke liefde zwaarder woog dan haar dubbelrol. Door met de waarheid voor de dag te komen, pleegde ze verraad tegenover haar werkgevers en liep een enorm risico. Hijzelf bracht zich, door verliefd te worden op een spionne, in gevaar in de verhouding tot zijn chefs. Ik had beslist geen ongelijk gehad toen ik hen meteen bij onze eerste ontmoeting romantisch vond en haar al schertsend de Mata Hari van Kotelnitsj noemde. Samen hadden ze elkaar een roman verteld waar ze in leefden, met haar als de aanstichtster terwijl hij haar volgde in haar verzinsels omdat hij het in wezen, zoals ik al snel door had gehad, wel spannend vond. En nu? Hechtte hij nog steeds voldoende geloof aan het verhaal om te menen dat de dubbele moord op zijn vrouw en zijn zoon er iets mee te maken had? Ik heb het hem niet durven vragen.

Over de drie dagen die we nog met Sasja in Kotelnitsj hebben doorgebracht, valt weinig te zeggen. We hielpen hem met het inpakken van zijn dozen en om die van zijn kantoor bij de FSB over te brengen naar het naargeestige flatje waar hij onderdak had gevonden na de tragedie. 's Avonds dronken we, al luisterend naar de cassettes met Franse liedjes. Hij vertelde ons over Tsjetsjenië.

Ik herinner me dat we op een gegeven moment een gevecht begonnen om te vergelijken waar je doeltreffender stoten mee kon uitdelen: met tai chi – dat ik beoefen – of karate – de sport die hij beoefent. De strijd bleef onbeslist, we waren allebei te dronken. Ik vertelde hem dat er een Chinese gevechtstechniek bestaat die 'kungfu van de beschonken man' heet en die inhoudt dat je, voordat je een harde en ijzingwekkend doeltreffende stoot uitdeelt, de ongecoördineerde gebaren van een dronkaard imiteert. We speelden zo'n beetje kungfu van de beschonken man, we lachten, zetten het opnieuw op een drinken, huilden. Af en toe gingen we de deur uit om nog eens drank in te slaan. Het was min 35 en om drie uur in de middag pikdonker. Tegen middernacht gingen we terug naar hotel Vjatka, waar nauwelijks gestookt wordt. Dus rolden we ons in de dekens met al onze kleren aan, laarzen en parka's inbegrepen. In de ochtend sleepte ik me naar het met ijsbloemen bedekte raam, vanwaar ik door de kale bomen heen de treinen zag langsrijden. Ik keek naar de treinen, ik keek naar de sjofele kamer waar ik had geslapen en zonder precies te begrijpen hoe het allemaal gegaan was, probeerde ik me het traject te herinneren dat me daarheen had gevoerd. Ik vroeg me af wat ik in Kotelnitsj was komen zoeken en wat ik er had gevonden.

Wat ik dacht: ik ben gekomen om een graf op te richten voor een man wiens onzekere dood een last is geweest in mijn leven, en ik sta bij een ander graf, het graf van een vrouw en een kind die niets voor me betekenden, en nu rouw ik ook om hen.

Misschien is dat het wel, het verhaal.

7

Ik zeg: dit is het dan, het verhaal, maar ik weet het niet zeker. Niet of het dat wel echt is, en niet of het wel een verhaal vormt. Ik wilde twee jaar van mijn leven beschrijven, Kotelnitsj, mijn grootvader, de Russische taal en Sophie, in de hoop de vinger op iets te leggen wat me ontgaat en me ondermijnt. Maar het ontgaat me nog steeds en ondermijnt me nog steeds.

Na onze terugkeer van de decemberreis hervatten Camille en ik de montage van de film. Het was nu een film en niet meer een onsamenhangende reeks losse momenten. Wat er in die week was gebeurd, was op het moment zelf grotendeels langs me heen gegaan – omdat ik te dronken was, omdat het allemaal te snel ging –, maar van die korte, intense ervaring bestonden nog wel de beelden die Philippe had gemaakt en als vanzelf lieten die beelden zich rangschikken tot verhaal. De film is het verhaal geworden van het verdriet om Anja, van de achtereenvolgende malen dat we in Kotelnitsj verbleven, van alles wat we er meemaakten en wat voor ons onverwacht kwam. Er ontbrak alleen wat ik er, voordat ik wegging, in had willen hebben.

Op een ochtend, nog in de beginfase van het werk, kwam Camille, wie ik nooit over mijn wiegelied had verteld, de ruimte binnen en ze zei tegen me: Ik heb iets gedroomd. Weet je wat ik heb gedroomd? Dat jij de film afsloot door een liedje in het Russisch te zingen.

Ik lachte, het leek me absurd. Maar drie maanden later stond ik in een studio om een tiental zinnen op te nemen waarin ik kort en bondig het lot van mijn grootvader vertelde, en om mijn wiegelied te zingen. Voor hem, voor Anja en haar zoon, voor mijn moeder en voor mij. Daarmee eindigde de film en op dat moment voelde ik dat als een overwinning. Er was iets gezegd wat nog nooit openlijk was gezegd. De man, mijn grootvader, was genoemd, betreurd, en zo niet begraven, dan toch eindelijk dood verklaard. Ik had de boze geesten verdreven, eindelijk kon ik beginnen met leven.

Toen de film voor het eerst werd vertoond, nodigde ik mijn ouders uit. Ik ging vlak achter ze zitten. Mijn moeder is er de vrouw niet naar om haar emoties te tonen, maar toen aan het slot de lijst van medewerkers langsgleed, draaide ze zich half naar me om, ik boog me naar haar over, ze pakte mijn arm en ze fluisterde: Ik heb het begrepen, ik heb begrepen dat je het voor mij hebt gedaan. Toen de lichten weer aangingen, was er geen spoor meer van de tranen die ik in het schemerduister had zien glinsteren. Ze had zich weer onder controle, mijn vader en zij gingen al heel snel weg.

Daarna niets meer.

Sinds de zomer van het verhaal en ons echec had ik Sophie wel weer gezien, soms als vurige minnaar, soms als weifelende commentator van onze verhouding. Sinds we uit elkaar waren gegaan, leefde ze alleen, maar ik wist dat Arnaud nog steeds op haar wachtte, dat wil zeggen wachtte tot ze werkelijk met mij zou hebben gebroken. Ik wist ook dat ze nog steeds van me hield, dat ik nog steeds van haar hield, maar ik kon er niet toe besluiten haar voor te stellen ons gemeenschappelijk leven te hervatten. Ik wantrouwde mezelf, ik vreesde verplichtingen aan te gaan waaraan ik me niet zou houden en haar ongelukkig te maken door haar een zekerder en betrouwbaarder liefde dan die van mij te laten opgeven. Ze leed verschrikkelijk onder dat maandenlange aarzelen tussen twee mannen, tussen de man die geduld oefende zonder daar genoeg van te krijgen en de man die haar geduld op de proef stelde en er geen genoeg van kreeg te herhalen dat het maar beter was niet op hem te vertrouwen.

Toch wilde ik een andere man zijn. Niet langer die man. Ik had de film afgesloten met een daad waarvan ik meende dat hij doorslaggevend was, bevrijdend, en ik meende op het gebied van de liefde in staat te zijn tot een daad van dezelfde draagwijdte. Ik kocht een ring, een schitterende antieke ring die ik tijdens een door mij met enig mysterie omgeven ontmoeting aan Sophies vinger schoof waarbij ze haar ogen dicht moest doen. Dat was een plechtig moment, en ik wilde ook dat het plechtig was. Ik liet het niet langer afweten, ik vroeg haar mijn vrouw te worden. Ik verwachtte dat ze in tranen zou uitbarsten, ze barstte in tranen uit. Toch gaf ze zich niet helemaal gewonnen. Ik voelde een terughoudendheid van haar kant, en ik wist niet of de ring maar half naar haar zin was of dat ze maar half geloofde dat ik me zo opeens wilde binden. Vaak genoeg had ik haar gezegd dat oprechtheid en waarheid twee verschillende dingen zijn, in het bijzonder bij mij, dus ik kon het haar moeilijk kwalijk nemen dat ze niet op slag al haar afweermechanismen liet varen.

Als ik er nu aan terugdenk, zeg ik bij mezelf dat het een eigenaardig idee was om haar die avond, die avond waarvan ik wilde dat het onze verlovingsavond was, mee te nemen naar de première van een toneelstuk, een bewerking van mijn roman *De tegenstander*. Het moest me in een gunstig daglicht plaatsen, maar als reclame voor de waarachtigheid van mijn gevoelens had ik iets beters kunnen verzinnen. De hele voorstelling lang hield ik Sophies hand vast. Het stuk liep op zijn einde toen er een cadeau ter sprake kwam dat Jean-Claude Romand zijn minnares had gegeven een paar dagen voordat hij probeerde haar te vermoorden. Dat cadeau was een ring, die ik in mijn boek had beschreven en waarvan ook de acteur de beschrijving gaf: een ring van witgoud met een smaragd omringd door diamantjes.

Sophie keek naar haar hand.

Ook ik keek naar haar hand.

De ring die zij aan haar vinger had, was precies dezelfde.

Ik had haar de ring van Jean-Claude Romand gegeven.

Altijd zal ik me blijven afvragen wat mijn keuze had bepaald. Zeker, ik dacht niet aan die ring, dat detail uit mijn boek had ik niet in mijn hoofd, maar, zoals Sophie na de voorstelling die we, allebei als versteend, tot het einde toe uitzaten, tegen me zei: Het bestaat, het onbewuste. Hoe zou je het tegendeel kunnen volhouden? Hoe had ik ondubbelzinniger dan door haar die ring te geven kunnen zeggen: Ik vraag je me te geloven, maar geloof me niet, ik lieg?

Ze heeft me de ring teruggegeven. En, al zijn er daarna nog andere momenten van aarzeling, andere momenten van uitstel geweest die ik niet zal beschrijven, die avond wist ik dat ik haar kwijt was en dat ik om haar kwijt te raken ongewild, maar dat was nog erger dan willens en wetens, het meest rigoureuze, het meest chirurgische had gedaan wat ik had kunnen doen.

Kort daarna is ze met Arnaud gaan samenleven.

Het jaar daarop kregen ze een kind.

In de herfst ben ik teruggegaan naar Vjatka om de film te laten zien aan degenen die, nu Anja dood was, nog de enigen waren die er een hoofdrol in vervulden. Het vroegere plan om een grootscheepse feestelijke vertoning te organiseren voor de inwoners van Kotelnitsj lag niet meer voor de hand: zij kwamen in de film niet meer voor, wat erin werd verteld, had met hen niet te maken. De enige betrokkenen waren nog Galina Sergejevna en Sasja Kamorkin. Ik was beducht voor hun reacties. Die van Galina Sergejevna verbaasde me niet: ze huilde toen haar dochter op het televisiescherm verscheen, slaakte luide kreten toen ze zichzelf zag in haar ontreddering, haar razernij, haar dronkenschap. Ze schold me de huid vol en gaf me haar zegen, uiteindelijk overwon de zegen. Met Sasja was het anders. Hij was nuchter, zeer aandachtig. Ik vertaalde, in de loop van de film, zo goed als ik kon de stukken Franse dialoog en het in het Frans gesproken commentaar, en meer dan eens onderbrak hij de beelden om me iets te laten herhalen, om er zeker van te zijn dat hij het goed begreep. Toen de film uit was, zei hij: Ik vind het goed. En wat ik vooral goed vind, is dat je over je grootvader praat, over jouw verhaal. Je bent niet alleen met ons ongeluk aan de haal gegaan, je hebt je eigen ongeluk meegenomen. En dat vind ik mooi.

Sindsdien heb ik soms met hem gesproken door de telefoon. Meestal was hij dronken, en sentimenteel en wanhopig gestemd. Zijn leven in Kotelnitsj is ellendig. Zijn dochter en zijn ex-vrouw zijn in Sint-Petersburg gaan wonen. Hij is alleen achtergebleven met zijn verdriet, zijn cassettes met Franse liedjes en zijn onbeantwoorde vragen over Anja's verleden, dat hij hardnekkig mysterieus blijft vinden. Hij werkt tegenwoordig bij het gerecht, in een ondergeschikte functie, en hoewel hij het niet zegt, vermoed ik dat de mensen met wie hij te maken heeft, aan de periode waarin hij een machtig man was wel zulke slechte herinneringen bewaren dat ze geen gelegenheid voorbij zullen laten gaan om hem, nu hij op de grond ligt, een trap na te geven. Hij is nog geen veertig maar altijd als hij gedronken heeft, spreekt hij over de dingen die hij nog graag zou willen doen voor zijn dood: Parijs zien, en ons, Philippe en mij, een laatste maal in de armen sluiten.

Een paar dagen voordat ik zesenveertig werd, heb ik een nieuwe vrouw leren kennen. Als ik een roman schreef, zou ik het, om de cirkel rond te maken, zo hebben ingericht dat die nieuwe vrouw een geloofwaardige incarnatie zou zijn van mevrouw Fujimori, het intrigerende inzetsel in de droom waarmee het drie jaar geleden allemaal is begonnen. Maar ik schrijf geen roman en in de werkelijkheid heet de vrouw Hélène.

Ook bij ons is kort geleden een kind geboren. Een meisje. Ze heet Jeanne.

Op woensdag 19 april 2006 heeft François, de oudste zoon van oom Nicolas, zelfmoord gepleegd. Ik kende hem niet goed, we hadden elkaar minstens vijftien jaar niet gezien en wat ik voelde, wat heel intens is en heftig, is niet zozeer dat ik me probeer in te leven in het ondraaglijke lijden waardoor hij uit het raam van zijn flat op de dertiende verdieping is gesprongen, maar in het ondraaglijke lijden waarvoor Nicolas zich geplaatst ziet en zich tot het eind van zijn leven geplaatst zal zien. De volgende dag heb ik met hem gesproken door de telefoon. In zijn door snikken onderbroken, trillende stem klonk heel iets anders door dan verdriet: ontzetting. Ik weet nog wat hij zei: Het is de vloek die op de familie rust. Hélène en ik hadden nooit kinderen moeten krijgen. Zij heeft drie ongelukkigen voortgebracht, ik twee. Al jarenlang was ik bang dat een van jullie vijf zich van kant zou maken. Ik dacht dat jij dat zou zijn, maar François heeft het gedaan.

Tegen mijn moeder heeft hij, woordelijk haast, hetzelfde gezegd en zij probeert met inzet van al haar krachten de tragische, noodlottige visie te bestrijden die de onoverzienbare smart hem ingeeft. Hun vader heeft zich niet van kant gemaakt, zegt ze, hij was niet suïcidaal. De zelfmoord van François is een grote ramp maar staat overal los van; om zijn daad te verklaren is het absoluut niet nodig om terug te gaan naar zijn grootvader. Waarschijnlijk heeft ze gelijk, en door daarop te hameren lijkt het of zij, die zo bijgelovig is, een pleidooi houdt tegen het magisch denken. Toch denk ik niet dat er sprake is van magisch denken, maar eerder van geschiedenis en een duister proces in het onbewuste van twee generaties. We zijn alle vijf, alle vier nu, ongelukkig, vol angst en schaamte, geobsedeerd door een schim. De schaduw van onze grootvader drukt op ons en of ik wil of niet, mét Nicolas, en anders dan mijn moeder, of liever anders dan wat zij zou willen denken, denk ik dat als mijn neef zich van kant maakt, het opnieuw die schaduw is die haar vleugels uitspreidt.

Maman,

Ik schrijf deze brief in Kotelnitsj, waarnaar ik ben teruggegaan om de laatste hand te kunnen leggen aan dit boek. Gisteren heb ik de dag doorgebracht met drinken, van twaalf uur 's morgens tot twaalf uur 's nachts, samen met Sasja. Hij is er steeds slechter aan toe, toch heeft hij een nieuwe vrouw gevonden die mooi is, zacht, een engel, en die hem elke avond in bed legt als hij stomdronken is; een kwade dronk. Hij maakt haar uit voor hoer terwijl zij teder de veters van zijn schoenen losmaakt voordat ze hem naar bed brengt. Ik vermoed dat het je niet bijzonder interesseert hoe Sasja het maakt, maar, let wel, hij interesseert zich wel degelijk voor jou. Hij heeft je op de Russische televisie gezien, hij bewondert je, hij zou graag met je discussiëren over het lot van zijn land. Hij wil graag dat ik hem je telefoonnummer geef, zoals vroeger dat van Juliette Binoche of Sophie Marceau, en ik heb beloofd dat ik dat zou doen, maar wees maar gerust, in de turbulentie van de dronkenschap was die belofte al snel weer vergeten.

Tegen twee uur in de middag werd ik wakker, in mijn kamer in hotel Vjatka. Het sneeuwt. Ik zit aan de tafel voor het raam. Vanavond neem ik de trein naar Moskou. Ik weet dat dit de laatste keer is, dat ik niet meer naar Kotelnitsj zal teruggaan.

Op het dieptepunt van de depressie waarin ik door dit boek wegzonk, had ik gedacht het te laten eindigen met de zelfmoord van François en met te zeggen dat de schim van je vader had gewonnen. Dat hij ook mij eronder had gekregen. Ik hoorde niet zijn stem die ik niet heb gekend, maar de schriftelijke stem, de stem die oprijst uit zijn brieven, en die stem zei tegen me: Je hebt erin geloofd. Je hebt geloofd dat de liefde voor Sophie, de Russische taal,

265

de naspeuringen naar mijn leven en mijn dood je zouden bevrijden, het je mogelijk zouden maken een verleden af te sluiten dat niet het jouwe is en dat zich herhaalt in jou, des te onverbiddelijker omdat het niet jouw verleden is. Maar in de liefde ben je bedrogen uitgekomen, je spreekt nog altijd geen Russisch en wat in mij onherstelbaar beschadigd was, gaat door met jullie te beschadigen, jullie te doden, mijn kleinkinderen, de een na de ander. Je hoeft niet uit het raam te springen om dood te gaan, anderen zoals jij slagen er wonderwel in om springlevend te sterven. Voor jou is er geen verlossing. Waarheen je ook gaat, wat je ook doet, verschrikking en waanzin wachten je. Je kunt tegenspartelen zoveel je wilt, m'n valkje, je ontkomt er niet aan. Ga maar treinen filmen in Kotelnitsj, denk maar dat je dit boek schrijft om er een streep onder te kunnen zetten, aan iets anders te kunnen beginnen, eindelijk te kunnen leven. Denk dat maar, spartel maar. Je moeder en ik zullen er altijd zijn, met ons ongeluk, om je te vermorzelen.

Iets in deze trant schreef ik voordat ik opnieuw afreisde naar Kotelnitsj, en ik wist al dat dit niet het laatste woord van het boek kon zijn. Dat het niet de waarheid is, dat het, in elk geval, niet helemaal de waarheid is. Dat er iets anders is. Iets anders, dat is Hélène, en Jeanne, zeker, dat is Gabriel, en Jean-Baptiste, maar ik ben niet in staat daarover te schrijven. Ik beschik niet over woorden voor het beschrijven van de vreugde om uren achtereen te spelen met een klein meisje van vijf maanden, om mijn gezicht één keer, twee keer, tien keer dicht naar dat van haar te brengen, om haar aan het lachen te maken. Misschien dat daar ooit verandering in zal komen, dat weet ik niet, maar de woorden waarover ik beschik, kunnen alleen dienen voor het beschrijven van ongeluk.

Ze hebben dienst gedaan, ook deze keer weer. Ik ben niet uit het raam gesprongen. En dat dat beter is, dat zul je moeten toegeven, al doet dit boek je ook pijn.

Weet je, er is iets wat ik me dikwijls afvraag. Je dagen zitten vol, van zeven uur in de morgen tot middernacht: afspraken, congressen, reizen, boeken die geschreven en gelezen moeten worden, kleinkinderen voor wie je hoe snap ik niet de tijd vindt en voor wie je liefdevol zorgt, Académie, ontvangsten, premières, deftige diners, en in die overladen agenda niet één enkel gaatje, geen moment waarin je alleen bent en je je even kunt terugtrekken. Je geest is onophoudelijk bezig en ik denk bij mezelf dat ik, als ik een kwart deed van wat jij doet, er na een week van uitputting bij neer zou vallen. Maar 's avonds, als je thuiskomt, als je naar bed gaat, tussen het moment waarop je het licht uitdoet en dat waarin je in slaap valt, waar denk je aan? Waarschijnlijk een beetje aan de wervelstorm van de voorbije dag, aan de wervelstorm die je de volgende dag wacht, aan wat je zult moeten doen, zeggen en schrijven, maar niet aan dat alleen, dat geloof ik niet. Waaraan dan? Aan je vader, wiens brieven je soms herleest en van wie je soms droomt dat hij terugkomt? Aan je zoon, van wie je zo hebt gehouden, die zo van jou heeft gehouden en die nu zo ver van je af staat? Aan het meisje dat je eens was, de kleine Poussy, aan de succesvolle en o zo moeilijke levensweg die je hebt afgelegd? Aan wat je tot stand hebt gebracht, aan wat je niet is gelukt?

Misschien vergis ik me, maar ik denk, Maman, dat je in de zeldzame momenten waarin je alleen bent met jezelf, verdriet hebt. En weet je, op een bepaalde manier stelt dat me gerust.

Daarover wilde ik het met je hebben in deze brief, over ons verdriet. De duisternis valt in, door de straat onder mijn raam komen nog maar weinig voorbijgangers langs, de levensmiddelenwinkel aan de overkant gaat sluiten en doet zijn lichten uit, maar ik heb nog een uur voor me. Jij hebt al heel vroeg een verschrikkelijk verdriet onder ogen moeten zien, dat denk ik, en ik denk dat dat verdriet niet alleen de tragische verdwijning van je vader is, maar alles wat hij was: zijn gekweldheid, zijn somberheid, zijn afschuw van het leven waarvan hij jou deelgenote heeft gemaakt. De man die jou het dierbaarst was op de wereld, zag zichzelf als iets wat onherstelbaar verrot was – wat ook ik soms denk van mezelf. Dat heb je moeten dragen. En je hebt er, ook al heel vroeg, voor gekozen het verdriet te ontkennen. Niet alleen om het te verbergen en om je te houden aan wat je zelf je levensdevies noemt, 'never complain, never explain', nee, om het te ontkennen. Om te besluiten dat het er niet zou zijn. Dat was een heldhaftige keuze. Ik vind dat je heldhaftig bent geweest. Vanaf het arme, stralende meisje dat je was en van wie ik de foto's zo graag bekijk, naar de maatschappelijke apotheose van de laatste jaren heb je je weg afgelegd zonder er ooit van af te wijken, met een vastberadenheid en een moed die me versteld doen staan, maar op die weg heb je, noodzakelijkerwijs, veel schade veroorzaakt. Je hebt het jezelf verboden om verdriet te hebben, maar je hebt ook verboden dat de mensen om je heen verdriet hadden. Maar je vader heeft geleden, als een verdoemde die hij ook was, en het zwijgen over dat verdriet, meer nog dan over zijn verdwijning, heeft van hem een schim gemaakt die rondspookt in de levens van ons allemaal. Je broer, Nicolas, lijdt. Mijn vader, jouw man, lijdt. Ik lijd, en mijn zusters ook, hoewel ik me hier niet het recht aanmatig voor hen te spreken. Ons heb je niet ontkend, nee, je hebt van ons gehouden, je hebt alles gedaan wat in je vermogen lag om ons te beschermen, maar je hebt ons het recht ontzegd om verdriet te hebben en ons verdriet hangt zozeer om je heen dat ooit iemand zich erover moest ontfermen en het moest verwoorden.

Je was er trots op dat ik schrijver werd; het beste wat er is, in jouw ogen. Jij bent degene geweest die me heeft leren lezen en me van boeken heeft leren houden. Maar je hield niet van het soort schrijver dat ik ben geworden, van het soort boeken dat ik heb geschreven. Je had gewild dat ik een schrijver was zoals, ik weet niet, Erik Orsenna*: een man die gelukkig is of die dat in elk geval lijkt te zijn. Ook ik had dat wel gewild. Ik heb geen keus gehad. De verschrikking, de waanzin, en het verbod daaraan uiting te geven, die heb ik geërfd. Maar ik heb er uiting aan gegeven. Dat is een overwinning.

Ik schrijf deze laatste pagina's en ik stel me voor dat jij bezig bent ze te lezen, over een paar maanden, wanneer dit boek zal verschijnen. Ik vermoed dat het voorafgaande je verdriet heeft gedaan, maar ik denk dat je nog meer verdriet hebt gehad in al die jaren waarin je wist, al heb ik er nooit iets over gezegd, dat ik bezig was

*Erik Orsenna (1947). Auteur van lichtvoetige romans. Prix Goncourt 1988. Lid van de Académie Française. (Noot v.d. vert.)

het te schrijven. We spraken elkaar niet, of maar zo zelden. Je was bang, ik was ook bang. Nu is het af.

Ik wil je graag een kinderherinnering vertellen. Het was in het zwembad, in de vakantie, in de zon. Ik zal een jaar of vijf, zes zijn geweest, ik leerde zwemmen. De badmeester liet me, terwijl hij me vasthield, het hele badje door zwemmen. Jij zat aan de andere kant van het bassin, op de treden, met je voeten in het water, en je liet me niet los met je blik terwijl ik les had. Je droeg een wit met zwart gestreept badpak. Je was jong, je was mooi, je lachte naar me en ik hield van je zoals ik sindsdien nooit van een vrouw heb kunnen houden, geen vrouw kon de vergelijking doorstaan, behalve, nu, mijn dochter. Van de ene kant van het bad naar de andere zwemmen, dat betekende naar jou toe gaan. Je keek naar me terwijl ik naderbij kwam, en ik, mijn kin buiten het water, de hand van de badmeester onder mijn buik, ik keek hoe jij naar mij keek en het maakte me onvoorstelbaar trots en gelukkig om naar je toe te zwemmen, om al zwemmend door jou te worden gezien.

Het is vreemd, maar soms, schrijvend aan dit boek, kwam die onvergetelijke gewaarwording terug: de gewaarwording naar je toe te zwemmen, van de ene kant van het bad naar de andere, op weg naar jou.

Het is tijd voor me om weg te gaan. Ik doe dit notitieboek dicht, het licht uit, ik ga de sleutel van de kamer afgeven. De receptioniste die, toen ik hier gisteren aankwam, me begroette als een oude bekende, zal beslist tegen me zeggen, met een lach: *da skorovo*, tot spoedig, en ik zal *da skorovo* antwoorden, maar dat zal een leugen zijn. Voor de laatste keer zal ik door de besneeuwde straten van Kotelnitsj naar het station lopen. In de kou zal ik wachten tot de trein komt. Morgenochtend zal ik in Moskou zijn, overmorgen in Parijs, bij Hélène, bij Jeanne, bij mijn jongens. Ik zal doorgaan met leven en vechten. Het boek is nu af. Aanvaard het. Het is voor jou.